L'Enfant

L'Enfant dans la famille.
De l'enfant à l'adolescent (préface de J.-F. Hutin).
Éduquer le potentiel humain.
La Découverte de l'enfant. Pédagogie scientifique, tome I.
L'Éducation élémentaire. Pédagogie scientifique, tome II.
L'Esprit absorbant de l'enfant.
La Formation de l'homme (préface de Renilde Montessori).
L'Éducation et la paix (préface de Pierre Calame).
Psycho géométrie, l'étude de la géométrie fondée sur la psychologie
  de l'enfant.
Éducation pour un monde nouveau.
Les Étapes de l'éducation.
Le Manuel pratique de la méthode Montessori (préface
  de Charlotte Poussin).
L'Enfant est l'avenir de l'homme (avant-propos
de Renilde Montessori).

Maria Montessori

L'Enfant

Traduit par Charlotte Poussin

DESCLÉE DE BROUWER

Titre original :
El Secreto de la infancia

Pour l'édition originale de cet ouvrage :
© The Montessori-Pierson Publishing Company

Le présent logo de l'Association Montessori Internationale (AMI) indique que la traduction en français a été approuvée par un relecteur de l'AMI, en l'occurrence Nathalie Justine.
L'Association Montessori Internationale a été fondée par Maria Montessori en 1929. Elle est dépositaire de l'histoire du mouvement Montessori, et de l'intégrité de l'héritage de Maria Montessori. Ainsi, l'AMI se charge de veiller à l'articulation de la philosophie et de l'application Montessori, afin de répondre aux besoins des enfants et d'influencer les systèmes éducatifs dans un monde en mutation permanente.

© Desclée de Brouwer, 1936, 2004, 2006, 2018

Pour la présente édition en langue française
© 2018, Groupe Elidia
Éditions Desclée de Brouwer
10, rue Mercœur - 75011 Paris
9, espace Méditerranée - 66000 Perpignan

www.editionsddb.fr

ISBN 978-2-220-09523-3
EAN Epub : 9782220095356

Prologue
de la première édition espagnole
(1936)

Ce livre, intégralement écrit à Barcelone, paraît aujourd'hui alors que le noble peuple espagnol traverse une perturbation profonde. Tandis que ce livre était encore en préparation, certains de mes étudiants, impatients de faire connaître au public les idées que je présentais régulièrement lors de cours privés, avaient réuni l'ensemble de ces chapitres inédits et les avaient publiés à Paris, autour de février 1936, sous forme d'un livre intitulé *L'Enfant*[1].

Vers le mois d'août, j'ai enfin publié mon livre terminé sous le titre *The Secret of Childhood*[2] (*Le Secret de l'enfance*), mais même cette version fut, en quelque sorte, altérée par l'enthousiasme de personnes qui, sympathisant avec mes idées, y introduisirent de nombreuses notes, souhaitant ou prétendant établir des analogies entre ces idées et celles de poètes et philosophes anglais. Et ce n'est qu'aujourd'hui, en Espagne, sur cette terre que j'aime tant, et sur laquelle il fut conçu, que ce livre paraît finalement tel que je l'avais composé moi-même dans sa version originale, bien plus complète que ne purent l'être les versions anglaise et française.

Le fait d'être paru en France et en Angleterre avant d'avoir pu voir le jour en Espagne témoigne de l'immense intérêt que les sociétés humaines éprouvent de nos jours pour l'enfance. Ce phénomène

---

1. Livre paru chez Desclée de Brouwer en 1936, qui ne rassemblait pas tous les chapitres du livre final qui en compte 11 de plus. Les chapitres supplémentaires de la présente édition sont les chapitres 1, 2, 3, 7 (en partie), 16, 42, 43, 44, 46, 47 et 48. Par ailleurs, cette version de 1936 présentait les chapitres dans un ordre différent, et de nombreux paragraphes étaient omis (N.D.T.).
2. London, New York Longmans, Green and Co, 1936.

ne doit absolument pas nous surprendre. L'homme, comme le dit Carrel[3], est un inconnu. L'effort de tous les philosophes de l'Antiquité a consisté à essayer de lever le voile qui recouvre le mystère de sa psyché, mais toutes leurs recherches ont été dirigées vers l'homme, qui est déjà compliqué en soi, et dont la psyché semble cachée sous une épaisse couche imperméable à l'investigation et à l'analyse.

En conséquence, et malgré toutes les études, l'homme est aujourd'hui aussi méconnu qu'il l'était à l'aube de la civilisation.

S'il existe quelque lumière qui puisse nous éclairer dans ce profond mystère, comme une révélation, elle doit nécessairement émaner de l'enfant; il est le seul qui, avec sa simplicité initiale, puisse nous montrer les directives intimes que l'âme humaine suit au cours de son développement.

Et c'est précisément ce fait que *L'Enfant* a mis en relief, en France comme en Angleterre: en faisant apparaître l'enfant comme un révélateur et en manifestant l'idée que l'enfant contient en lui-même le secret de l'homme, cet inconnu.

Aujourd'hui, *El Niño*[4] fait son apparition en Espagne; mais sa voix n'est pas inconnue, elle avait déjà résonné auparavant. Plusieurs de ses chapitres avaient déjà été diffusés sur les ondes de la Radio Asociación de Catalunya. Il s'agissait d'une voix faible, dont l'accent était pour ainsi dire prophétique et qui semblait déjà présager les tragiques événements qui allaient ensanglanter notre patrie bien-aimée. Cette voix s'est alors élevée, dans un râle de douleur, pour inviter l'humanité à méditer sur la réalité de la vie humaine, encore inconnue, mais dont la compréhension aurait pu influencer l'orientation sociale. Les enfants, l'enfance, le «citoyen oublié» imploraient, à travers moi, pour que leurs droits sacrés soient reconnus afin de conduire l'humanité à un niveau de civilisation plus élevé et plus complet.

---

3. Alexis Carrel (1873-1944) – Chirurgien et physiologiste français, ce pionnier de la chirurgie vasculaire a reçu le prix Nobel de médecine en 1912 pour ses travaux. Il est l'auteur d'un ouvrage à succès: *L'Homme, cet inconnu*, publié en 1936 (N.D.T.).
4. Autre titre pour *El Secreto de la infancia*.

Que cette voix, alors noyée par la clameur de la tempête passionnée qui couvait, puisse aujourd'hui trouver un écho plus compréhensif dans les cœurs transpercés de douleur, et nous servir de phare afin de nous guider vers une nouvelle voie de civilisation, dans laquelle les deux phases de la vie humaine seraient toutes deux considérées de façon équitable : l'enfant et l'adulte en tant que parties indivisibles d'une même personnalité.

Maria Montessori

Préface

L'enfance,
une question sociale[1]

Un mouvement social en faveur de l'enfant a commencé il y a quelques années déjà, sans avoir été impulsé, organisé ni dirigé par quelqu'un. Ce mouvement s'est manifesté comme une évolution naturelle sur une terre volcanique où les flammes surgissent un peu partout de façon spontanée. C'est ainsi que naissent les grands mouvements. La science y a sans aucun doute contribué ; on peut même la considérer comme l'initiatrice du mouvement social en faveur de l'enfant. L'hygiène a commencé par combattre la mortalité infantile ; elle a ensuite démontré que l'enfant était une victime du travail scolaire, un martyr méconnu, un condamné perpétuel, du moins le temps de son enfance, puisque une fois terminé ce stade, la période scolaire s'achève aussi. L'hygiène scolaire décrit l'enfant comme un être misérable, dont l'âme est recroquevillée, l'intelligence fatiguée, les épaules courbées, la poitrine rétrécie au point de le prédisposer à la tuberculose.

Enfin, après trente années d'études, nous considérons que l'enfant est en quelque sorte un être humain oublié par la société, et plus encore par ceux-là mêmes qui lui ont donné la vie et qui l'ont préservé. Qui est l'enfant ? C'est le perturbateur permanent de l'adulte, lui qui est sans cesse absorbé et fatigué par des occupations toujours plus pressantes. Il n'y a pas de place pour l'enfant dans les

---

1. Cette préface de l'auteur était présentée sous le titre « La question sociale de l'enfance », comme le premier chapitre de l'édition française de *L'Enfant*, Desclée de Brouwer, 1936. (N.D.T.)

maisons, où les familles s'entassent dans les villes modernes, car elles sont de plus en plus petites. Il n'a plus sa place dans les rues non plus, parce que les véhicules se multiplient et que les trottoirs sont bondés de personnes pressées. Les adultes manquent de temps pour s'occuper de l'enfant, car leurs occupations les accaparent toujours dans l'urgence. Le père et la mère vont tous les deux au travail, et quand il n'y a pas de travail la misère opprime tout le monde, l'enfant comme les adultes. Mais, même dans les meilleures conditions, l'enfant est toujours relégué dans sa chambre, ou confié à des personnes étrangères que l'on rémunère pour cela ; il n'a même pas la permission d'entrer dans la partie de la maison qui est réservée à ceux qui lui ont donné la vie. Il n'y a aucun refuge où l'enfant puisse sentir que son âme est comprise, aucun endroit où il puisse exercer son activité. Il faut qu'il reste tranquille, qu'il se taise, qu'il ne touche à rien parce que rien ne lui appartient. Tout est la propriété inviolable de l'adulte, interdite à l'enfant. Où sont ses affaires à lui ? Il ne possède rien. Il y a quelques dizaines d'années, il n'existait même pas encore de chaises spéciales pour les enfants. De là vient cette fameuse expression qui, aujourd'hui, n'a plus qu'un sens métaphorique : « Je t'ai porté sur mes genoux. »

Lorsque l'enfant s'asseyait sur les meubles paternels ou sur le sol, il était grondé ; s'il s'asseyait sur les marches de l'escalier, il était puni. Pour qu'il puisse s'asseoir, il fallait qu'un adulte daigne le prendre sur ses genoux. Telle est la situation de l'enfant qui vit dans l'environnement de l'adulte : c'est un perturbateur qui cherche et ne trouve rien pour lui ; qui entre dans un lieu et en est expulsé. Sa position est comme celle d'un homme sans droits civiques et sans lieu propre ; un être extra-social, que tout le monde peut traiter sans respect, insulter, battre et punir, exerçant en cela un droit reçu de la nature : le droit de l'adulte.

L'adulte, par un phénomène psychique mystérieux, a oublié de préparer un environnement adéquat pour son enfant ; il semble qu'il ait honte de lui en société. Dans l'élaboration de ses lois, il a laissé son propre héritier sans loi, faisant de lui, en conséquence, un hors-la-loi. Il l'a abandonné sans direction à l'instinct de tyrannie qui existe au fond du cœur de tout adulte. Voilà ce que l'on peut dire au sujet de l'enfant qui arrive, apportant au monde de nouvelles énergies ; celles-ci devraient pourtant être considérées comme le souffle régénérateur qui, de génération en génération, chasse les gaz asphyxiants accumulés durant une vie humaine criblée d'erreurs.

Mais, brusquement, dans la société restée aveugle et insensible pendant tant de siècles, sans doute depuis l'origine de l'espèce humaine, une nouvelle connaissance apparaît. L'hygiène est accourue comme on court à la catastrophe, à un cataclysme à l'origine d'innombrables victimes. Elle a lutté contre la mortalité infantile au cours de la première année de vie ; les victimes étaient si nombreuses que les survivants pouvaient se considérer comme les rescapés d'un déluge universel. Lorsque, au début du XXe siècle, l'hygiène fut parvenue jusqu'au peuple et considérée comme un élément vital, elle parvint à donner un nouvel aspect à la vie de l'enfant. Les écoles ont été transformées de telle façon que celles qui avaient plus d'une dizaine d'années d'existence semblaient dater d'un siècle. Les principes d'éducation sont entrés dans une voie de douceur et de tolérance, aussi bien dans les familles que dans les écoles.

Mais, en plus des résultats obtenus grâce aux progrès scientifiques, il y a de nombreuses initiatives disséminées, dictées par les sentiments. Beaucoup de réformateurs actuels tiennent compte de l'enfant ; dans l'agencement des villes, on prévoit des parcs pour eux ; dans la construction des places et des jardins, des terrains sont réservés pour les jeux d'enfants ; dans l'organisation des théâtres, on pense aux spectacles pour enfants ; on publie des journaux et des livres à leur intention, on leur organise des voyages adaptés, et jusque dans l'industrie, les fabricants pensent aux enfants en fabriquant des meubles et de la vaisselle qui leur soient proportionnés ; l'organisation consciente des classes s'étant développée, on a cherché à organiser les enfants, à leur donner le sentiment de la discipline sociale et de la dignité qui en découle pour l'individu, comme cela se produit dans certaines organisations telles que les « boy-scouts » et les « Républiques d'enfants ». Les réformateurs politiques, révolutionnaires de notre époque, s'emparent de l'enfant pour en faire l'instrument docile de leurs projets à venir. On pense à l'enfant partout, tant pour le bien que pour le mal, que ce soit avec la véritable intention de l'aider ou de manière intéressée, pour se servir de lui en l'instrumentalisant. Il est né en tant qu'individu social. Il est fort et il entre partout. Ce n'est plus seulement un membre de la famille ; il n'est plus l'enfant qui se promenait le dimanche en donnant docilement la main à son papa, dans ses vêtements de fête qu'il était soucieux de ne pas tacher. Non, l'enfant est une personnalité qui envahit le monde social.

C'est alors que tout le mouvement produit autour de lui prend son sens. Comme nous l'avons dit plus haut, il n'est ni provoqué ni dirigé par des initiateurs ; aucune organisation ne le coordonne, et cela prouve bien que l'heure de l'enfant a sonné. Une question sociale considérable se pose donc, dans toute sa puissance : la question sociale de l'enfance.

Il faut se rendre compte de la portée d'un mouvement social en faveur de l'enfant. Cela a une immense importance pour la société, pour la civilisation et pour toute l'humanité. Toutes les œuvres éparses, du fait qu'elles n'ont aucun lien entre elles, montrent bien qu'elles ne sont pas constructives en elles-mêmes et prouvent qu'une poussée réelle et universelle est en route vers une grande réforme sociale. Celle-ci est si remarquable qu'elle annonce des temps nouveaux et une nouvelle ère de la civilisation ; nous sommes les derniers survivants d'une époque, maintenant révolue, dans laquelle les hommes ne s'occupaient que de se construire un environnement confortable et facile pour eux-mêmes : un environ-nement pour l'humanité adulte.

Nous sommes maintenant au seuil d'une nouvelle époque, dans laquelle il sera nécessaire de travailler pour deux humanités distinctes : l'humanité de l'adulte et l'humanité de l'enfant. Et nous allons vers une civilisation qui devra préparer deux ambiances sociales, deux mondes différents : le monde de l'adulte et le monde de l'enfant.

La tâche qui nous attend n'est pas l'organisation rigide et extérieure des mouvements sociaux déjà engagés. Il ne s'agit pas de faciliter une coordination entre les diverses initiatives sociales publiques et privées en faveur de l'enfance, pour les organiser conjointement. Nous serions alors des adultes en train de nous organiser pour aider un objet extérieur : l'enfant.

La question sociale de l'enfant, bien au contraire, s'enracine profondément dans la vie intérieure ; elle se répand jusqu'à nous, les adultes, pour secouer notre conscience et pour nous régénérer. L'enfant n'est pas un être étranger que l'adulte peut considérer de l'extérieur, avec des critères objectifs. L'enfant est la partie la plus importante de la vie de l'adulte. Il est le constructeur de l'adulte.

Le bien ou le mal de l'homme mûr est en très étroite relation avec la vie de l'enfant qui l'a formé. C'est sur l'enfant que retomberont toutes nos erreurs, et c'est lui qui en récoltera les fruits. Nous mourrons, mais nos enfants subiront les conséquences du mal qui aura pour toujours déformé leur âme. Le cycle est continu et ne peut pas s'interrompre. Toucher à l'enfant, c'est toucher au point le plus sensible d'un tout qui a ses racines dans le passé le plus lointain et qui se dirige vers l'infini de l'avenir. Toucher à l'enfant, c'est toucher au point le plus délicat et vital où tout peut encore se décider et se rénover, où tout est plein de vie, où sont enfermés les secrets de l'âme, parce que c'est là que s'élabore l'éducation de l'homme.

Travailler consciemment en faveur de l'enfant et aller jusqu'au bout dans l'intention prodigieuse de le sauver, équivaudrait à conquérir le secret de l'humanité, comme furent conquis déjà tant de secrets de la nature extérieure.

La question sociale de l'enfance est comme une nouvelle petite plante qui sort à peine de la surface de la terre et qui nous attire par sa fraîcheur. Mais lorsque nous cherchons à cueillir cette plante, nous lui découvrons des racines solides et profondes qui ne s'arrachent pas. Il faut déplacer la terre et la creuser continuellement pour se rendre compte que les racines s'enfoncent dans toutes les directions et s'étendent comme en un labyrinthe. Pour pouvoir arracher cette plante, il faudrait enlever toute la terre.

Ces racines sont le symbole du subconscient dans l'histoire de l'humanité. Il faut supprimer des choses statiques incrustées dans l'esprit de l'homme et qui l'ont rendu incapable de comprendre l'enfant et d'acquérir la connaissance intuitive de son âme.

L'impressionnante cécité de l'adulte, son insensibilité envers ses enfants – fruits de sa propre vie – ont certainement des racines très profondes qui se sont étendues au fil des générations, et l'adulte qui aime l'enfant, mais qui le méprise inconsciemment, provoque chez lui une souffrance secrète, miroir de nos erreurs et avertissement pour notre conduite. Tout cela révèle un conflit universel, inconscient, entre l'adulte et l'enfant. La question sociale de l'enfance nous fait pénétrer dans les lois de la formation de l'homme et nous aide à nous créer une nouvelle conscience et, par conséquent, à donner une nouvelle orientation à notre vie sociale.

Maria MONTESSORI

PREMIÈRE PARTIE

1

Le siècle de l'enfant

Le progrès réalisé en peu d'années dans le domaine des soins et de l'éducation des enfants a été si rapide et surprenant qu'il doit être surtout attribué à une prise de conscience, plus qu'à une évolution des modes de vie. Outre le progrès dû à l'hygiène infantile, qui s'est développée dans la dernière décennie du xixᵉ siècle, il y a aussi eu la manifestation de nouveaux aspects de la personnalité même de l'enfant, lui conférant une grande importance.

Dans quelque branche que ce soit de la médecine, de la philosophie, voire de la sociologie, il est aujourd'hui impossible de ne pas prendre en considération les apports qui proviennent de la connaissance de la vie de l'enfant.

L'influence clarificatrice que l'embryologie a eue sur toutes les connaissances biologiques, y compris sur celles qui sont liées à l'évolution des êtres, pourrait donner une image approximative de l'importance de ces connaissances de la vie de l'enfant. Mais l'influence de la connaissance de l'enfant sur toutes les questions auxquelles l'humanité est confrontée est encore de loin la plus grande.

Ce qui pourrait donner une impulsion définitive et puissante à l'amélioration de l'humanité n'est pas l'enfant physique, mais l'enfant psychique. L'esprit de l'enfant pourrait déterminer ce que peut être le véritable progrès des hommes et, qui sait, présager le début d'une nouvelle civilisation.

Cela fait longtemps que l'écrivain et poète suédois Ellen Key a prophétisé que notre siècle serait le siècle de l'enfant.

Celui qui aurait la patience de faire des recherches parmi les documents historiques y trouverait de singulières coïncidences d'idées avec le premier discours de la couronne prononcé par le roi d'Italie Victor-Emmanuel III en 1900 (précisément au moment de passer d'un siècle à un autre) quand il a succédé au roi assassiné. Se référant à la nouvelle ère, en ce début de siècle, il l'a appelée le «siècle de l'enfant». Il est fort probable que ces accents prophétiques aient été l'image reflétée des impressions que la science suscitait; science qui, dans les dix dernières années du siècle passé, s'était occupée de l'enfant souffrant, lui qui était dix fois plus touché que l'adulte par les maladies infectieuses, et de façon mortelle. La science s'était aussi penchée sur l'enfant considéré comme une victime des tourments scolaires.

Personne n'aurait pu prévoir que l'enfant renfermerait en lui-même un secret vital, capable de déchirer le voile sur les mystères de l'âme humaine, une inconnue nécessaire à l'individu adulte pour résoudre ses problèmes individuels et sociaux. Ce point de vue moderne peut être le fondement d'une nouvelle science de recherche sur l'enfant, et son importance peut influencer toute la vie sociale des hommes.

La psychanalyse et l'enfant

La psychanalyse a ouvert un champ d'investigation complètement inconnu, permettant de percer les secrets du subconscient, mais elle n'a, en pratique, pas été capable de résoudre le moindre problème essentiel de la vie. Cependant, elle pourrait nous préparer à comprendre la contribution que l'enfant peut apporter.

On peut dire que la psychanalyse a traversé le cortex de la conscience, jusqu'alors considérée en psychologie comme quelque chose d'insurmontable, comme l'étaient les colonnes d'Hercule dans l'histoire antique, c'est-à-dire représentant une limite au-delà de laquelle les navigateurs grecs plaçaient superstitieusement la fin du monde.

La psychanalyse est allée au-delà, en pénétrant l'océan du subconscient. Sans cette précieuse découverte, il serait difficile d'expliquer simplement la contribution que l'enfant psychique peut apporter à l'étude approfondie des problèmes humains.

Nous savons, bien entendu, qu'au début, la psychanalyse n'était rien de plus qu'une nouvelle technique de guérison des maladies psychiques. C'était en effet, au départ, une branche de la médecine. La découverte du prodigieux pouvoir que possède le subconscient dans les actions des hommes fut le résultat vraiment lumineux de la psychanalyse. Il a fallu faire une étude des réactions psychiques, pénétrant au-delà de la conscience, ce qui a révélé d'inimaginables faits secrets et réels, abolissant les idées anciennes. Cela a révélé l'existence d'un monde inconnu, d'une dimension considérable, auquel on peut dire que le destin des individus est lié. Mais ce monde inconnu n'est pas éclairé. Une fois franchies les limites des colonnes d'Hercule, personne ne s'aventura dans les immenses étendues de l'océan. Une profonde influence, n'ayant d'équivalent que les préjugés grecs, contint longtemps Freud dans les limites pathologiques.

Déjà à l'époque de Charcot, au siècle dernier, le subconscient était apparu dans le domaine de la psychiatrie.

Le subconscient a ouvert son chemin en se manifestant, s'ouvrant vers l'extérieur, grâce à une fermentation interne des éléments désordonnés qui le constituent. Dans des cas exceptionnels, il se manifestait dans des états de profonde maladie psychique. Par conséquent, les étranges phénomènes du subconscient étaient simplement enregistrés comme des symptômes de la maladie, contrastant avec les manifestations de la conscience. Freud fit le contraire : il découvrit la manière de pénétrer dans le subconscient à l'aide d'une technique laborieuse, mais il lui fallut rester longtemps dans le champ pathologique. Pour quelles raisons ? On peut se demander quels êtres normaux se seraient soumis aux pénibles épreuves de la psychanalyse[1] ? N'est-ce pas une sorte de dissection opératoire de l'âme ? En cherchant à traiter des maladies psychiatriques, Freud a perçu les conséquences

---

1. Maria Montessori entend ici par « êtres normaux » des personnes qui n'ont pas de soucis psychologiques nécessitant une psychanalyse (N.D.T.).

qu'elles peuvent avoir sur la psychologie, et, en s'appuyant sur ces cas pathologiques, il fit des déductions personnelles qui débouchèrent sur la psychologie nouvelle. Freud a imaginé l'immensité de l'océan, mais il n'a pas réussi à l'explorer; cependant, il lui a tout de même attribué les caractéristiques d'un détroit tourmenté.

C'est pour cela que les théories de Freud n'étaient pas satisfaisantes, tout comme sa technique de traitement des patients, car elle ne conduit pas toujours à la guérison des « maladies de l'âme ».

Les traditions sociales, qui sont le fruit d'expériences séculaires, sont pour cette raison apparues comme une barrière infranchissable à toute généralisation des théories de Freud. En revanche, tout comme la lumière fait disparaître les ombres, une nouvelle vérité radieuse et resplendissante fit tomber les traditions. L'exploration de cette immense réalité est bien différente de la technique d'un traitement clinique ou d'une déduction théorique.

Le secret de l'enfant

La tâche de pénétrer dans ce très vaste champ inexploré revient à différents secteurs scientifiques et nécessite plusieurs clarifications de concepts : il faut étudier l'homme à son origine, en essayant de déchiffrer son développement dans l'âme de l'enfant, à travers les conflits qu'il peut rencontrer avec l'environnement, afin de découvrir le tragique secret de la lutte intense qui oblige l'âme humaine à se déformer, devenant sombre et ténébreuse.

Ce secret a été esquissé par la psychanalyse. L'une de ses découvertes les plus remarquables, issue de ses applications techniques, a été de trouver que l'origine des psychoses remonte à l'enfance. La découverte la plus impressionnante et la plus perturbante de la psychanalyse est l'existence de souffrances infantiles, qui n'étaient pas celles que l'on rencontre fréquemment, mais plutôt des souffrances endormies dans la conscience et par conséquent mal connues, révélées par des souvenirs rassemblés dans l'inconscient. Ces souffrances, constantes et récurrentes, de nature purement psychique, n'avaient jusqu'alors absolument pas été perçues comme des faits susceptibles de dévier psychiquement la personnalité adulte de façon morbide. Il s'agissait de la répression de l'activité spontanée de l'enfant par l'adulte qui le domine sans cesse. Cette répression était avant tout liée à l'adulte qui a le plus d'influence sur l'enfant, à savoir sa mère.

La psychanalyse contient deux plans d'investigation qu'il faut bien distinguer : un plan plus superficiel, qui dérive de l'affrontement qu'il y a entre les instincts de l'individu et les conditions de l'environnement auquel il doit s'adapter, conditions qui sont en conflit avec ses désirs instinctifs. C'est de ce plan de la psychanalyse que relèvent les cas guérissables, quand on parvient à faire émerger dans le champ de la conscience les causes perturbantes qui ont tendance à rester cachées. Mais il y a un autre plan, plus profond, celui de la mémoire infantile, dans lequel le conflit ne se développe pas entre l'homme et son environnement social actuel, mais entre l'enfant et sa mère ; autrement dit, de façon plus générale, entre l'enfant et l'adulte.

Ce conflit entre l'enfant et l'adulte, à peine esquissé par la psychanalyse, va de pair avec des maladies difficiles à guérir. Pour cette raison, il a été écarté de la pratique professionnelle de la psychanalyse, ce qui lui a, à tort, conféré une importance relative sur les causes présumées de certaines maladies.

Dans toutes les maladies, même si elles sont de nature purement physique, on reconnaît l'importance décisive que peuvent avoir les événements qui se sont produits pendant la période de l'enfance ; les maladies qui ont leur origine dans l'enfance sont les plus graves et les moins curables. On peut dire que l'enfance est le terreau des prédispositions.

Les indications concernant les maladies physiques ont favorisé le développement de certaines branches scientifiques, telles que l'hygiène infantile, les soins de puériculture et même l'eugénisme. Cela a été l'origine d'un mouvement social concret qui a réformé la façon dont on traite l'enfant sur le plan physique. Mais rien de tel n'a eu lieu du côté de la psychanalyse. La découverte de l'origine infantile des troubles psychiques de l'adulte, ainsi que des prédispositions qui intensifient les conflits de cet adulte avec le monde extérieur, n'ont débouché sur aucune conséquence concrète sur la vie des enfants.

C'est la raison pour laquelle la psychanalyse a utilisé une technique de sondage du subconscient. Cette même technique qui a permis de faire des découvertes et des recherches sur l'adulte s'est avérée être un obstacle chez l'enfant pour faire la même chose. Lui, par essence, ne peut pas se prêter à la même technique puisqu'il ne peut pas se souvenir de son enfance : il est l'enfance. Il est préférable de l'observer plutôt que de le sonder, mais de l'observer d'un point de vue purement psychique, de manière à révéler les conflits que l'enfant rencontre dans ses relations avec les adultes et dans son environnement social. Il est clair que ce point de vue nous fait quitter le champ de la technique et de la théorie psychanalytiques, pour explorer un nouveau champ d'observation de l'enfant dans son existence sociale.

Il ne s'agit pas de faire les mêmes recherches que les investigations difficiles menées sur les individus malades, mais d'enquêter sur la réalité de la vie humaine, en s'orientant vers l'enfant psychique. Et toute la vie de l'homme, en développement depuis la naissance, se présente alors d'un point de vue pratique. Pour le moment, nous ne connaissons pas encore la page de l'histoire humaine qui raconte l'aventure de l'homme psychique : l'enfant sensible qui rencontre des obstacles et qui se trouve submergé par d'insurmontables conflits avec l'adulte, qui, plus fort que lui, le domine sans le comprendre ; il s'agit d'une page blanche sur laquelle les souffrances méconnues n'ont pas encore été écrites, bien qu'elles envahissent le champ spirituel, vierge et très délicat, de l'enfant. Ce faisant, un homme inférieur se crée dans son subconscient, différent de celui qui aurait été créé par la nature.

Cette question complexe est traitée par la psychanalyse, mais elle n'est pas liée à cette dernière. La psychanalyse se limite aux maladies et à la médecine curative ; la question de l'enfant psychique contient une prophylaxie[2] concernant la psychanalyse :

---

2. En médecine, une prophylaxie désigne le processus actif ou passif ayant pour but de prévenir l'apparition, la propagation ou l'aggravation d'une maladie (N.D.T.).

en effet, elle se réfère au traitement normal et général de l'enfant, traitement qui permet d'éviter les obstacles et les conflits, et par là même leurs conséquences, qui sont les maladies psychiques dont s'occupe la psychanalyse ; ou bien elle se réfère aux simples déséquilibres moraux que la psychanalyse considère présents chez la quasi-totalité de l'humanité.

Un champ d'exploration scientifique complètement nouveau se forme donc autour de l'enfant, indépendant du seul champ parallèle que serait la psychanalyse. Il s'agit essentiellement d'une forme de contribution à la vie psychique infantile, entrant pleinement dans le champ de la normalité et de l'éducation. Sa caractéristique est de pénétrer des faits psychiques encore ignorés par l'enfant tout en levant simultanément le voile sur l'adulte, qui a adopté des attitudes erronées dans ses relations à l'enfant, du fait de son subconscient.

2

L'accusé

L'utilisation par Freud du mot répression à propos des origines les plus profondes des perturbations psychiques de l'adulte est en soi une révélation.

L'enfant ne peut pas grandir comme le devrait un être en voie de formation, parce que l'adulte le réprime. L'adulte est un concept abstrait. Puisque l'enfant est un être isolé dans la société, c'est l'adulte qui exerce une influence sur lui. Et cet adulte est facile à déterminer, c'est l'adulte le plus proche de l'enfant : il s'agit principalement de la mère, suivie du père et, ensuite, des instituteurs.

C'est à ces adultes que la société assigne une tâche contradictoire, puisqu'elle leur attribue à la fois le mérite de l'éducation et celui du développement de l'enfant. Mais quand on explore les abîmes de l'âme, surgit une puissante clameur d'accusation contre eux, qui, jusqu'alors reconnus comme les dépositaires et les bienfaiteurs de l'humanité, se voient relégués au banc des accusés. Bien que tous soient pères, mères, instituteurs et tuteurs des enfants, cette accusation s'étend à tous les adultes, et, plus largement, à la société tout entière, responsable des enfants. Cette surprenante condamnation semble apocalyptique. Elle est aussi mystérieuse et terrible que la voix du Jugement dernier : « Qu'as-tu fait des enfants que je t'ai confiés ? »

La première réaction des adultes fut de se défendre, en protestant : « Nous faisons tout notre possible pour eux, nous aimons les enfants de tout cœur, nous prenons soin d'eux en faisant des sacrifices. » Cela revient à confronter deux concepts opposés : l'un est conscient ; l'autre se réfère à des faits inconscients. Cette réaction de défense est bien connue, obsolète, systématique et ne nous intéresse guère : ce qui nous intéresse, c'est l'accusation et l'accusé, lequel s'épuise à perfectionner les soins et l'éducation qu'il prodigue aux enfants, se trouvant piégé dans un labyrinthe de problèmes, dans une espèce de forêt dense et sans issue, parce qu'il ignore les erreurs qu'il porte en lui-même.

Les discours en faveur de l'enfant incitent à maintenir les accusations fermes et sans rémission qui sont portées à l'encontre de l'adulte.

Il y a à ce sujet un fait caractéristique, c'est que cette accusation devient un fascinant centre d'intérêt, car elle ne dénonce pas des erreurs involontaires (ce qui serait humiliant) qui indiqueraient une mauvaise volonté ou une bassesse. Elle dénonce des erreurs inconscientes : et cela exalte et incite à se découvrir soi-même. Et cette véritable ouverture découle de la découverte et de l'utilisation de ce qui était jusqu'alors inconnu.

C'est pour cela qu'à chaque époque les hommes ont des attitudes opposées vis-à-vis de leurs propres erreurs. Chaque individu se fâche et se sent offensé par ses erreurs conscientes, tout en étant attiré et fasciné par ses erreurs inconscientes ; parce que l'erreur ignorée contient le secret du perfectionnement au-delà des limites et des zones connues, ce qui élève à un champ supérieur. C'est cela qui se passait chez les chevaliers du Moyen Âge, toujours prêts à manier les armes pour se défendre contre la moindre accusation qui puisse atteindre leur champ de conscience, tandis qu'ils se prosternaient humblement devant l'autel en confessant : « Je suis coupable, je le déclare devant tous, c'est uniquement de ma faute. » Les récits bibliques donnent des exemples très intéressants de ces paradoxes. Quelle fut la raison qui rassembla la foule autour de Jonas à Ninive ? Et qu'est-ce qui enthousiasma si chaleureusement tout le monde, le roi comme le peuple, incitant chacun à suivre le prophète en augmentant l'ampleur du groupe qui le suivait, ce qui est intimement lié ? La réponse, c'est que le prophète traitait tout le monde de pécheurs, et disait que s'ils ne se convertissaient pas, la ville de Ninive serait détruite. Comment Jean Baptiste appelait-il la foule sur les rives du Jourdain ? Quels qualificatifs employait-il donc pour provoquer un attroupement aussi exceptionnel ? Eh bien, il les traitait de « race de vipères » !

C'est un phénomène spirituel : les personnes viennent pour se sentir accusées ; et venir revient à consentir, à reconnaître. Il s'agit d'accusations sévères et insistantes qui font appel à l'inconscient pour qu'il s'identifie à la conscience ; tout le développement spirituel est une conquête de la conscience, qui assume ce qui existait en dehors d'elle, de la même façon que le progrès civil avance en suivant le chemin des découvertes qui se font sans lui.

Pour éduquer l'enfant d'une façon différente, pour le préserver des conflits qui mettent sa vie psychique en danger, il est avant tout nécessaire de poser un acte fondamental, tout à fait essentiel, sur lequel repose tout le succès : celui de transformer l'adulte. Ce dernier fait tout ce qu'il peut et, comme il le dit, il aime déjà l'enfant au point de faire de grands sacrifices, tout en confessant qu'il fait face à quelque chose d'insurmontable. Il faut nécessairement avoir recours à l'au-delà, à plus que tout ce qui est déjà connu, voulu et conscient.

Par ailleurs, il y a tout ce qui est ignoré au sujet de l'enfant, puisqu'une partie de son âme est toujours restée inconnue et qu'il faut la découvrir. En étudiant l'enfant, on fait des découvertes qui mènent vers l'inconnu, puisque malgré l'étude de la psychologie et de l'éducation de l'enfant, celui-ci reste encore méconnu. Il est nécessaire de poursuivre la recherche sur lui avec un esprit enthousiaste et résolu, comme font ceux qui ont la conviction qu'il y a de l'or à un endroit éloigné sur terre et qui partent à la découverte de pays inconnus, y remuant fébrilement les caillasses pour y découvrir le si précieux métal. C'est ainsi que doit procéder l'adulte, cherchant avec persévérance la partie inconnue de l'âme de l'enfant. Ceci est la tâche pour laquelle nous devons tous collaborer, sans différences de caste, de culture ou de nation, puisqu'il s'agit de découvrir l'élément indispensable au progrès moral de l'humanité.

L'adulte n'a pas compris l'enfant ni l'adolescent, et c'est la raison pour laquelle il se trouve en lutte permanente avec eux ; le remède ne consiste pas à ce que l'adulte ait une démarche intellectuelle ou intègre une certaine culture, plus ou moins imparfaite. Non, la base sur laquelle tout devrait reposer est très différente. En réalité, l'adulte porte en lui-même les erreurs qui lui sont encore inconnues et qui l'empêchent de voir l'enfant. S'il n'a pas vécu cette préparation et s'il n'a pas acquis les aptitudes à la relation avec ladite préparation, il ne peut pas agir autrement.

Il n'est pas aussi difficile qu'on le croit de pénétrer en soi-même. Parce que l'erreur, bien qu'elle soit inconsciente, est à l'origine de l'angoisse de la souffrance, et le plus léger symptôme de remède en fait une nécessité pressante. Comme quelqu'un qui aurait une luxation à un doigt et qui sentirait la nécessité impérieuse de guérir, parce qu'il sait que sa main ne pourra pas travailler et que sa douleur ne trouvera pas de soulagement tant que ce ne sera pas le cas ; de cette manière on ressent la nécessité de corriger la conscience dès que l'erreur a été comprise, parce que la faiblesse et la souffrance deviennent dès lors intolérables à supporter plus longtemps. Après cela, tout se développe facilement. Une fois convaincus que nous nous étions attribué des mérites excessifs, et que nous nous étions crus capables d'agir au-delà de nos devoirs et de nos capacités, il nous semble aussitôt possible et nécessaire de reconnaître ce qui différencie les caractères de l'âme enfantine de ceux de l'âme des adultes.

L'adulte est devenu étranger pour l'enfant, non pas égoïste, mais étranger, parce qu'il considère tout ce qui se rapporte à l'enfant psychique, comme s'il se référait à lui-même, ce qui débouche sur une incompréhension de l'enfant. Et ce point de vue le pousse à considérer l'enfant comme un être vide que l'adulte doit remplir par ses propres efforts ; comme un être passif et incapable pour lequel l'adulte doit tout faire ; comme un être sans guide intérieur, que l'adulte doit diriger depuis l'extérieur. Autrement dit, l'adulte est comme le créateur de l'enfant et considère les actions de l'enfant en bien ou en mal, d'un point de vue lié aux relations qu'il a avec lui. L'adulte est la pierre de touche du bien et du mal. Il se croit infaillible, il incarne le bien que l'enfant doit prendre pour modèle ; tout ce qui chez l'enfant s'éloigne du caractère de l'adulte est considéré comme un mal que celui-ci s'empresse de corriger.

De cette façon, inconsciemment, la personnalité de l'enfant s'efface et l'adulte agit convaincu de son zèle, de son amour et de son esprit de sacrifice.

3

Intermède de biologie

Quand Wolf a publié sa découverte sur la segmentation de la cellule germinative, il a démontré le processus de création des êtres vivants. Il a en même temps mis en lumière et rendu susceptible d'observation l'existence de directives intérieures qui poussent l'être à prendre une forme préétablie. C'est lui qui a réfuté certaines idées philosophiques comme celles de Leibnitz et de Spallanzani sur la préexistence de la forme complète des êtres dans le germe. Ceux-ci supposaient que dans l'ovule, c'est-à-dire à l'origine, l'être qui se développerait plus tard au contact d'un milieu favorable était déjà formé, bien qu'imparfaitement et dans des proportions minuscules. Ces idées avaient été déduites des observations systématiques de la graine d'une plante, qui contient déjà entre les deux cotylédons, une petite plante dans laquelle on identifie déjà les racines et les feuilles, et qui, une fois placée dans le sol, se développe en plante plus grande, alors que tout préexistait dans le germe. Par déduction, une procédure de reproduction analogue a été supposée chez les animaux et chez l'homme.

Mais une fois le microscope découvert, Wolf put l'utiliser pour observer la formation d'un être vivant. En commençant par l'étude de l'embryon chez les oiseaux, il vit alors qu'il n'y avait à l'origine qu'une simple cellule germinative et qu'aucune forme ne préexistait en elle. La cellule germinative (issue de la fusion de deux cellules, mâle et femelle) n'est composée que de membrane, de protoplasme et d'un noyau, comme toute autre cellule; de sorte qu'elle représente simplement la cellule élémentaire, dans sa forme primitive, sans aucune différence. Tout être vivant, végétal ou animal, provient d'une cellule primitive. Ce qui avait été observé avant la découverte du microscope, c'est-à-dire le semis dans la graine, est un embryon déjà développé de la cellule germinative qui a dépassé la phase qui a lieu à l'intérieur même du fruit, qui dépose par la suite la graine mature sur la terre.

La cellule germinative a par ailleurs une propriété singulière : celle d'attirer la matière autour de ses centres d'attraction, suivant un schéma préétabli. Cependant, dans la cellule primitive, il n'y a pas le plus petit vestige de ce design.

Déjà à l'intérieur, il y a de petits corpuscules : les chromosomes, qui sont liés à l'hérédité.

D'après les premiers développements des animaux, on voit que la première cellule se divise en deux cellules distinctes et que celles-ci en forment quatre et ainsi de suite, jusqu'à former une sorte de boule creuse qu'on appelle la morula, qui s'infléchit en formant deux strates entre lesquelles il y a une ouverture ; c'est ainsi que se forme une double cavité ouverte (la gastrula).

Et ainsi se poursuit, à travers les multiplications, les inflexions, les déformations et les différenciations, le développement d'un être complexe, fait d'organes et de tissus. En effet, la cellule germinative, bien que toute simple et sans objectif matériel, travaille et construit en obéissant rigoureusement à un mandat immatériel qu'elle porte en elle-même, comme le ferait un fidèle serviteur qui connaîtrait par cœur la mission qui lui a été confiée et qui s'exécuterait avec précision, mais sans avoir sur lui le moindre document qui puisse indiquer l'ordre secret qu'il a reçu. Sa mission ne se révèle que par l'activité des infatigables cellules et par le travail développé. Hormis le travail accompli, rien n'existe.

Dans les embryons des mammifères, et donc dans ceux des hommes, le premier organe qui apparaît est le cœur, ou plutôt ce qui deviendra le cœur : une vésicule qui se met soudainement à pulser de façon ordonnée, suivant un rythme établi, battant deux fois tandis que le cœur maternel bat une fois dans la même période de temps. Et le cœur soutiendra toujours ce rythme sans s'arrêter, car c'est le moteur vital qui aide tous les tissus vivants qui sont en train de se former, en leur facilitant les moyens nécessaires à la vie.

Et tout cela constitue un travail caché et merveilleux, car il se développe automatiquement : c'est le miracle de la création qui se fait à partir du néant. Cette cellule vivante, si sage, ne faiblit jamais et trouve en elle-même le pouvoir de se transformer en profondeur, soit en une cellule cartilagineuse, soit en une cellule nerveuse, soit en une cellule cutanée, etc., chaque tissu prenant sa position précise. Cette merveille de la création, sorte de secret de l'univers, reste rigoureusement cachée ; la nature la couvre de voiles impénétrables qu'elle seule peut faire tomber ; quand elle veut mettre au monde un nouvel être mature, comme lorsqu'un bébé naît.

Mais le nouveau-né n'est pas uniquement fait de chair ; à sa manière, il est comme une cellule germinative qui porte en elle des capacités psychiques latentes, d'un type parfaitement déterminé. En effet, le nouveau-né fait seulement fonctionner ses organes, mais il a aussi d'autres fonctions : les instincts qui ne peuvent être placés dans une cellule sont déposés et développés dans un corps vivant, dans un être déjà né. Et, comme toute cellule germinative porte en elle la mission de l'organisme, sans qu'il soit possible de connaître sa mission au moyen d'un document, de même un corps qui vient de naître, quelle que soit l'espèce à laquelle il appartient, porte en lui la trace d'instincts psychiques, de fonctions, qui mettront cet être en relation avec l'environnement, pour accomplir une mission cosmique, quel que soit cet être, même s'il s'agit d'un insecte. Les merveilleux instincts des abeilles les conduisent à des organisations sociales très complexes, bien que chacune agisse d'elle-même, mais pas lorsqu'elles sont sous forme d'œufs ni de larves. L'instinct de voler se manifeste chez les oiseaux une fois qu'ils sont nés, mais pas avant, et ainsi de suite.

En effet, lorsqu'un nouvel être se forme, c'est un œuf spirituel contenant de mystérieux guides, qui donnent lieu à des actes, des caractères et des tâches, c'est-à-dire à des fonctions sur le milieu extérieur.

L'environnement extérieur ne doit pas uniquement faciliter les moyens d'existence physiologique ; il doit aussi prendre en compte le fait que l'être a des missions mystérieuses inhérentes, comme tout être qui vient de naître et qui est attiré par cet environnement, non seulement pour vivre, mais aussi pour remplir une fonction ou une mission nécessaire à la conservation du monde et à son harmonie, chacun selon son espèce.

Le corps a la forme appropriée à cette fonction psychique supérieure, qui doit faire partie de l'économie de l'univers.

Que ces fonctions supérieures soient déjà innées chez le nouveau-né semble évident chez les animaux ; nous savons que tel mammifère sera paisible parce qu'il est né agneau et que tel autre sera féroce parce que c'est un lionceau. Nous savons que cet insecte travaillera infatigablement avec une inébranlable discipline de fer parce que c'est une fourmi et que tel autre chantera sans cesse en solitaire, parce que c'est une cigale.

Le nouveau-né n'est pas seulement un corps prêt à fonctionner ; c'est un embryon spirituel pourvu de directives psychiques latentes. Il serait absurde de penser que l'homme, précisément, lui qui est si caractéristique, si différent des autres créatures de par la grandeur de sa vie psychique, soit le seul être qui ne posséderait pas un but de développement psychique.

L'esprit peut être si profondément latent qu'il ne se manifeste pas comme l'instinct des animaux, prompt à se révéler dans ses actions préétablies. Le fait de ne pas être mû par des instincts fixes et déterminés comme chez les animaux est le signe d'un fond de liberté d'action qui demande une élaboration particulière, presque une création, laissée au développement de chaque individu et par conséquent imprévisible, très délicate, difficile et cachée. C'est donc un secret de l'âme de l'enfant qu'il n'est pas possible de pénétrer s'il ne le révèle lui-même, au fur et à mesure qu'il s'auto-construit. Précisément, comme dans la segmentation de la cellule germinative, où rien ne se fait sans une mission concrète, mais selon une mission que rien d'extérieur n'indique et qui se manifeste pourtant, lorsque les différentes particularités de l'organisme se réalisent.

Et c'est précisément pour cela que seul l'enfant peut nous révéler ce qu'est la mission naturelle de l'homme.

Mais de par la sensibilité qui caractérise toute création initiale, la vie psychique de l'enfant a besoin d'être protégée dans un environnement semblable aux enveloppes et aux nombreuses protections que la nature a disposées autour de l'embryon physique.

4

Le nouveau-né

« *Et on entendit sur la Terre*
une petite voix tremblante
qu'on n'avait jamais entendue,
émanant d'une gorge qui n'avait jamais vibré! »

On m'a parlé d'un homme qui vivait dans l'obscurité la plus
profonde; ses yeux, comme du fond d'un abîme, n'avaient jamais
vu la moindre lueur.
On m'a parlé d'un homme qui vivait dans le silence: jamais le
bruit le plus ténu n'avait atteint ses oreilles…
On m'a parlé d'un homme qui vivait immergé dans l'eau: un
liquide d'une étrange tiédeur; et qui, soudainement, est sorti à
l'extérieur, dans un environnement glacé.
Il ouvrit ses poumons, qui n'avaient jamais respiré (les supplices de
Tantale seraient légers comparés aux siens), et il en sortit vivant.
En une impulsion l'air lui amplifia les poumons, rétractés depuis
leur création.
Et l'homme cria.

Et on entendit sur la Terre
une petite voix tremblante
qu'on n'avait jamais entendue,
émanant d'une gorge qui n'avait jamais vibré!

C'était l'homme qui était sorti du repos.
Qui pourrait imaginer ce qu'est le repos absolu?

*Le repos de celui qui n'a jamais ressenti la moindre fatigue,
puisque d'autres se nourrissent pour lui; dont toutes les fibres
sont abandonnées et détendues parce que d'autres tissus vivants
fabriquent et lui procurent la chaleur dont il a besoin pour
vivre; dont les tissus les plus intimes n'ont pas à le défendre des
poisons et des bacilles, parce que d'autres tissus le font pour lui.*

*Seul son cœur a travaillé, car il a commencé à battre bien avant
sa venue au monde, battant deux fois plus vite que les autres
cœurs.*

Puis j'ai compris qu'il s'agissait du cœur d'un homme.

Et maintenant... c'est lui qui va de l'avant.

Il prend tout le travail à sa charge
gêné par la lumière et le bruit.
Fatigué jusque dans les fibres les plus intimes de son être
* soupirant dans un grand cri :*
« Pourquoi m'avez-vous abandonné? »

*Et c'est la première fois que l'homme révèle en lui-même
le Christ mourant et le Christ qui s'élève[1] !*

L'environnement supranaturel

L'enfant qui naît n'arrive pas dans un environnement naturel : il entre dans l'environnement de la civilisation où se développe la vie des hommes. C'est un environnement supranaturel, fabriqué en marge de la nature, afin de faciliter la vie de l'homme et son adaptation.

Mais quelle organisation la civilisation a-t-elle mise en place pour aider le nouveau-né, pour aider l'homme qui accomplit cet immense effort d'adaptation en passant, au moment de la naissance, d'un mode de vie à un autre?

---

1. Dans la version espagnole, ce texte en italique clôt le chapitre précédent. Nous avons choisi ici de le placer en ouverture du chapitre sur «Le nouveau-né», comme dans les versions portugaise et française (N.D.T.).

Ce passage difficile devrait être l'objet d'un traitement scientifique spécifique en faveur du nouveau-né. À aucune autre époque
de son existence, l'homme ne rencontre une telle accumulation de
luttes et d'oppositions et, par conséquent, de souffrances.

Mais n'existe-t-il aucune providence qui facilite ce terrible
passage dans l'histoire de la civilisation humaine ? Il devrait y avoir
une page qui précède toutes les autres, sur laquelle serait consigné
ce que l'homme civilisé doit faire pour aider celui qui naît, mais
cette page est blanche !

Et pourtant, nombreux sont ceux qui pensent que la civilisation se préoccupe actuellement considérablement des enfants qui
naissent.

Comment ?

Lorsqu'un enfant naît, tout le monde se préoccupe de la mère ;
on dit que la mère souffre. Mais l'enfant, ne souffre-t-il pas lui aussi ?

On pense à préserver la mère au plus vite, en lui offrant de l'obscurité et du silence, parce qu'elle est fatiguée.

Mais pourquoi n'en fait-on pas autant pour l'enfant, lui qui
arrive tout juste d'un lieu où ne lui parvenaient pas la moindre
lumière ni le bruit le plus ténu ?

N'est-ce pas pour ce nouveau-né qu'il faut prévoir un lieu sombre
et silencieux ?

Il a grandi dans un lieu préservé de tout bruit, de toute variation
de température, dans un liquide dont la température est constante
et tiède, spécialement conçu pour son repos, où il n'a jamais perçu
le moindre rayon de lumière, ni le moindre bruit, et soudain, en
un instant, il quitte son environnement liquide pour arriver à l'air
libre.

De quelle manière l'adulte va-t-il à la rencontre de celui qui
arrive de nulle part et qui débarque dans le monde, avec ses yeux si
délicats, qui n'ont jamais vu la lumière et avec ses petites oreilles qui
sont habituées au silence ?

Comment manipule-t-on cet être dont les membres sont
endoloris et qui, dans le giron de sa mère, n'avaient jamais été en
contact avec quoi que ce soit jusqu'au moment de la naissance ? Cet
être passe subitement d'un environnement liquide à l'air libre, sans

passer par des transformations successives, comme c'est le cas lors de la métamorphose du têtard qui devient grenouille.

Ce corps fragile se trouve exposé à des contacts brusques avec des objets solides ; il est manipulé par les mains insensibles de l'adulte, qui oublie sa délicatesse, digne de vénération. Oui, le nouveau-né est manipulé brusquement ; sa peau soyeuse et délicate est en contact avec des mains lourdes et des tissus rugueux.

Vraiment, même le personnel de maison ose à peine toucher le nouveau-né tant il est délicat, au point que ses parents en viennent à le regarder avec effroi et le confient à des mains expertes.

Certes, mais ces mains expertes qui le manipulent désormais ne sont pas assez habiles pour prendre soin d'un être si délicat ; ce sont des mains peu raffinées, seulement capables de porter l'enfant en toute sécurité.

Mais elles n'ont jamais été préparées à approcher un être si délicat. Pourquoi une infirmière devrait-elle, avant d'approcher le moindre patient adulte, pratiquer de longues heures durant des techniques pour déplacer les patients, pour appliquer une pommade avec délicatesse ou pour refaire un pansement ?

Il n'en est pas de même pour l'enfant.

Le médecin le manipule sans précaution particulière et lorsque le nouveau-né crie désespérément, tout le monde sourit avec plaisir ; ceci est sa voix ; pleurer est son langage ; ces pleurs servent à lui rincer les yeux et ces cris à dilater ses poumons.

Le nouveau-né est rapidement vêtu.

Autrefois, il était enveloppé dans des langes rigides, comme s'il était plâtré, ce qui l'empêchait de rester recroquevillé comme dans le giron de sa mère, en le maintenant raide et en l'immobilisant.

Et pourtant, il n'est pas nécessaire d'habiller le nouveau-né, ni dans les premiers moments de sa vie, ni lors de son premier mois.

En effet, si l'on suit toutes les étapes de l'histoire de l'habillement du nouveau-né, on voit une évolution progressive qui passe des langes rigides aux vêtements doux et légers, avec une diminution progressive du nombre de vêtements. Un pas de plus et la robe du nouveau-né sera abolie.

L'enfant devrait rester découvert, tel qu'il est représenté dans les œuvres d'art. Les angelots peints ou sculptés sont complètement nus et la Vierge Marie dans la crèche adore et prend dans ses bras l'Enfant Dieu complètement dévêtu.

Le nouveau-né doit être réchauffé grâce à un environnement chaleureux et non avec des vêtements. Ceux-ci ne conservent pas assez la chaleur pour compenser la température extérieure, sachant que l'enfant a jusqu'alors vécu dans la chaleur du corps de sa mère. Nous savons déjà que les habits ne peuvent pas faire plus que préserver la chaleur du corps, c'est-à-dire éviter qu'elle ne s'échappe. Et si l'environnement a correctement été chauffé, les vêtements constituent un obstacle entre la chaleur environnante et le corps du nourrisson qui pourrait le recevoir.

On observe que chez les animaux, bien que leur corps soit souvent dès la naissance recouvert de duvet ou de plumes, la mère les couvre pour les réchauffer.

Je ne veux pas insister davantage sur ce point. Je suis certaine que les Américains me parleraient des soins qui sont prodigués aux nouveau-nés dans leur pays et que les Allemands et les Anglais me détailleraient les progrès considérables qui ont été réalisés dans ce domaine de la médecine et des soins infirmiers dans leurs pays respectifs. Je leur répondrais que je suis parfaitement au courant de tout cela, parce que je suis personnellement allée l'étudier dans certains de ces pays, y admirant tant de raffinement. Mais je leur dirais aussi haut et fort qu'il manque encore partout la noblesse de conscience nécessaire pour accueillir l'homme au moment de sa naissance.

Il est vrai que beaucoup de choses ont déjà été améliorées, mais à quoi sert le progrès s'il ne permet pas de se rendre compte de ce qui n'était pas perçu au premier abord et de savoir ce qu'on doit ajouter à ce qui semblait déjà complet, voire impossible à améliorer ? Puisque en effet, nulle part dans le monde, l'enfant n'a été compris comme il le devrait, avec la dignité qu'il mérite.

Prenons un autre point de vue : bien que nous aimions profondément les enfants, nous reconnaissons que nous avons presque une sorte d'instinct de défense contre eux. Cette défense se manifeste dès les premiers instants où l'enfant arrive parmi nous. Et il ne s'agit pas uniquement d'un instinct de défense, mais aussi d'une forme d'avarice, qui nous pousse à nous précipiter pour protéger les affaires que nous possédons, même lorsqu'elles ne valent rien.

Et à partir de ce moment-là, cette rengaine obsessionnelle se répète continuellement dans la tête de l'adulte : veiller absolument à ce que l'enfant n'abîme rien, ne salisse pas et ne dérange pas. Oui ! Il nous faut nous défendre contre lui !

Les premiers besoins de l'homme

Je crois que quand l'humanité aura acquis une pleine compréhension de l'enfant, elle mettra pour lui en place des soins plus perfectionnés.

Cela fait quelque temps qu'on a commencé à étudier, à Vienne, les moyens d'atténuer les souffrances du nouveau-né : on a par exemple conçu des matelas jetables en matière absorbante que l'on renouvelle chaque fois qu'ils sont mouillés.

Mais les soins à prodiguer au nouveau-né ne doivent pas se limiter à le protéger de la mort, en l'isolant des agents infectieux, comme on le fait aujourd'hui dans les cliniques les plus modernes, où les nurses qui s'approchent des enfants se couvrent le visage pour que les microbes générés par leur souffle n'effleurent pas la peau si délicate du nouveau-né.

Les soins à prodiguer au nourrisson concernent le « traitement psychique de l'enfant », et ce dès sa naissance et tout au long de son adaptation au monde extérieur. Pour cela, des expériences cliniques systématiques doivent être réalisées et il faut informer de manière intensive les familles pour qu'elles puissent changer leur attitude à l'égard du nouveau-né.

Dans les familles aisées, on pense déjà à la magnificence des berceaux et aux précieuses dentelles des robes du nouveau-né. Si le fouet était d'usage pour les punitions, en suivant ces absurdes critères de luxe, on utiliserait des fouets avec un manche en or incrusté de perles pour les enfants riches.

Le luxe qui est déployé pour le bébé souligne bien l'absence totale de considération pour l'enfant d'un point de vue psychique. C'est le confort et non le luxe que la richesse des familles devrait apporter aux enfants privilégiés. Pour ces derniers, le confort serait d'avoir un lieu de refuge contre les bruits de la ville, où il y aurait assez de silence et où l'on pourrait modérer et atténuer la lumière, comme on le fait dans les temples par exemple, à l'aide de vitraux de couleurs. La température agréable et constante qu'on sait obtenir depuis un moment déjà dans les salles d'opération devrait idéalement être celle qu'on obtient dans les lieux où vit l'enfant dénudé.

Un autre problème qui se pose est celui de la façon dont on doit transporter l'enfant lorsqu'il est nu, en minimisant la nécessité de le toucher avec les mains. L'enfant devrait être déplacé au moyen d'un support léger et souple – comme, par exemple, des hamacs de filets délicatement tissés –, qui soutiendrait tout le corps de l'enfant dans une position semblable à sa position prénatale.

Ces soutiens devraient être maniés par des mains agiles, minutieusement préparées à cela, agissant avec lenteur et délicatesse. Le déplacement dans le sens horizontal ou vertical nécessite une habileté particulière. Les infirmiers apprennent bien des techniques spécifiques pour soulever les malades et les déplacer horizontalement avec des gestes lents. La façon de transporter un patient correspond à une technique des plus élémentaires de l'assistance aux malades. Personne ne soulève un malade verticalement à bout de bras ; on le déplace à l'aide d'un soutien souple, que l'on glisse délicatement sous son corps, de manière à ne pas altérer sa position horizontale.

Or le nouveau-né est comparable à un patient ; tout comme la mère, il a surmonté un danger de mort. La joie et la satisfaction que l'on a de le voir vivant sont aussi liées au soulagement que l'on éprouve du fait qu'il ait survécu au danger. Il arrive fréquemment que l'enfant vienne au monde à moitié étranglé et qu'il ne vive qu'à l'aide de la respiration artificielle, rapide et énergique ; sa tête est parfois déformée par un hématome. On doit donc vraiment le considérer comme un patient, sans pour autant l'assimiler à un adulte malade. Ses besoins ne sont pas ceux d'un infirme, mais ceux de quelqu'un qui fait un immense effort d'adaptation, et qui vit ses premières impressions psychiques, lui qui vient du néant, bien qu'il soit déjà sensible.

Ce n'est pas de la compassion qu'il faut ressentir vis-à-vis du nouveau-né, mais de la vénération devant le mystère de la création et le secret de l'infini, impossible à percevoir par notre sensibilité limitée.

J'ai vu un nouveau-né qui, juste après avoir échappé à un risque d'asphyxie, fut plongé dans une baignoire posée sur le sol et qui, tandis qu'on le penchait rapidement pour l'immerger dans l'eau, avait fermé les yeux et tressailli en étendant les bras et les jambes dans un sursaut, comme quelqu'un qui se sent choir.

Et ce fut sa première expérience de la peur.

La façon dont on s'occupe du nouveau-né et la délicatesse des sentiments qu'il devrait nous inspirer nous font penser aux gestes du prêtre catholique lorsqu'il déplace l'hostie devant l'autel : avec des mains purifiées, qui ont étudié leurs gestes avec minutie et qui manipulent cette hostie avec tant de délicatesse et de majesté, d'abord dans une élévation verticale, puis dans une translation horizontale, marquant des pauses de temps en temps, comme si ces mouvements étaient si énergiques qu'ils devraient être interrompus de temps à autre. Et tandis qu'il soutient l'hostie, le prêtre se prosterne à genoux pour l'adorer.

Tout cela se déroule dans une ambiance silencieuse où une lumière tamisée pénètre au travers de cristaux colorés. Un sentiment d'espoir et d'élévation imprègne ce lieu sacré ; c'est à cela que devrait ressembler l'ambiance dans laquelle vit le nouveau-né.

Si on faisait un parallèle entre les soins qui sont prodigués à l'enfant et ceux qui sont réservés à sa mère, et si on pensait à ce qui lui arriverait si elle était traitée comme l'est le nouveau-né, on se rendrait aussitôt compte des erreurs qui sont commises.

On laisse la mère immobile tandis que le nouveau-né est éloigné d'elle pour qu'elle ne soit pas importunée par sa présence. On ne le ramène auprès d'elle qu'aux heures où elle doit le nourrir. Pour ces allées et venues, on revêt l'enfant de beaux vêtements avec des dentelles et des rubans. Cela reviendrait à demander à la mère, aussitôt après la naissance du bébé, de s'habiller élégamment, comme pour une réception.

On sort l'enfant de son berceau et on le redresse jusqu'au niveau de l'épaule de l'adulte qui doit le transporter ; et puis on le penche aussitôt pour le placer sur le lit, auprès de sa mère.

Qui oserait soumettre la nouvelle mère à de tels mouvements ? La justification avancée est généralement la suivante : le nouveau-né n'a pas de conscience de lui-même (voilà la justification), et, sans conscience, il n'y aurait ni joie ni souffrance. Alors pourquoi s'adonnerait-on à trop de raffinements ?

Que dire, alors, des soins prodigués aux malades dont la vie est en danger et qui sont en état d'inconscience ?

C'est le besoin de secours et non pas la conscience de ce besoin qui requiert l'attention de la science et du sentiment, quel que soit le moment de la vie.

Non ! Aucune justification n'est valable… !

Le fait est qu'il y a, dans l'histoire de la civilisation, une lacune concernant la première époque de la vie ; c'est une page blanche sur laquelle personne n'a encore rien écrit, parce que personne n'a scruté les premiers besoins de l'homme. Et pourtant, nous sommes chaque jour plus conscients de cette impressionnante vérité, illustrée par tant d'expériences, que les souffrances du premier âge (et même celles de l'époque prénatale) exercent une influence sur toute la vie de l'homme. La vie embryonnaire et la vie du petit enfant contiennent le salut de l'adulte, le salut de l'espèce (tout le monde le reconnaît aujourd'hui). Alors, pourquoi ne considère-t-on pas la naissance comme la crise de l'existence la plus difficile à surmonter ?

Nous ne comprenons pas le nouveau-né ; pour nous, il n'est pas un homme. Quand il arrive dans notre monde, nous ne savons pas le recevoir, bien que le monde que nous avons créé lui soit destiné, pour qu'il prenne la relève et l'élève vers un progrès supérieur au nôtre.

Tout ceci nous rappelle les mots de saint Jean l'Évangéliste :

«Il vint au monde
Et le monde fut créé pour lui.
Mais le monde ne le reconnut pas.
Il vint dans sa propre maison
Et les siens ne le reçurent pas.»

5

Les instincts naturels

Les animaux supérieurs, les mammifères, guidés par leurs instincts, n'ont pas manqué de prendre soin de leurs nouveau-nés tout le long de leur délicate et difficile période d'adaptation. L'humble petite chatte qui vit dans notre maison l'illustre bien, en cachant ses petits chatons dès qu'ils viennent au monde dans un lieu isolé à l'abri de la lumière, se montrant très jalouse de sa progéniture, au point de ne laisser personne les regarder. Puis les chatons apparaissent peu à peu.

Mais on observe que les soins prodigués aux nouveau-nés des mammifères qui vivent en liberté sont encore plus importants. La majorité de ces mammifères-là vivent réunis en grands troupeaux, mais la femelle s'isole de cette société juste après la naissance, cherchant un lieu à part et obscur. Elle met au monde ses petits puis les préserve dans un isolement silencieux, pour une période de temps qui varie selon les espèces, entre deux et trois semaines, un mois ou même plus. La mère se transforme rapidement en infirmière au service de cette nouvelle vie. Les jeunes créatures ne pourraient pas vivre parmi les buissons, ni dans les conditions générales d'une ambiance pleine de lumière et de bruits ; c'est la raison pour laquelle elle les garde dans un lieu sûr et tranquille. Bien que ses petits se présentent généralement avec toutes leurs fonctions développées, avec des membres qui les soutiennent et les rendent capables de marcher, leur mère leur prodigue avec tendresse des soins prudents et tente de les éduquer, les obligeant à rester isolés jusqu'à ce qu'ils soient convaincus de leurs propres fonctions vitales et qu'ils soient adaptés à leur nouvel environnement. Ce n'est qu'alors qu'elle les conduit au milieu des broussailles, en compagnie de leurs semblables.

L'histoire de ces soins maternels est réellement impressionnante : ils sont tous si identiques dans leur essence, bien qu'il s'agisse de mammifères d'espèces aussi différentes que des chevaux, des bisons, des sangliers, des loups ou des tigres.

La femelle du bison, par exemple, reste plusieurs semaines éloignée du troupeau, complètement seule avec son petit, prenant soin de lui avec une tendresse admirable. Elle l'enveloppe de ses pattes antérieures lorsqu'il a froid ; elle le lèche consciencieusement pour polir son poil lorsqu'il est sale ; elle se tient même sur trois pattes lorsqu'elle l'allaite pour lui faciliter la tâche. Puis elle le ramène au sein du troupeau, continuant sa lactation avec une indifférence patiente que l'on retrouve chez toutes les femelles quadrupèdes.

Parfois, il ne s'agit pas uniquement d'un isolement, mais aussi d'un travail préparatoire intensif que la mère met en œuvre à la fin de sa grossesse, ayant pour objectif de préparer un lieu adéquat pour accueillir celui qui s'apprête à venir au monde. La louve, par exemple, se cache dans n'importe quel endroit sombre de la forêt, cherchant un coin isolé et tranquille, comme une grotte pouvant servir de refuge. Si elle ne trouve pas de lieu approprié, elle creuse une galerie ou prépare un lit dans la cavité d'un arbre, ou alors elle creuse un terrier qu'elle tapisse d'éléments doux, avec son propre pelage la plupart du temps, l'arrachant autour de ses mamelons, ce qui facilitera d'ailleurs l'allaitement de ses loupiots. Elle en met six ou sept au monde ; à la naissance ils ne savent ni voir ni entendre et elle les cache, sans jamais les laisser seuls.

Tout au long de cette période, toutes les mères manifestent de la jalousie et de l'agressivité contre tous ceux qui oseraient s'approcher de leur terrier. Cependant, les instincts des animaux se modifient lorsqu'ils vivent à l'état domestique. Ainsi, on observe que certains cochons vont jusqu'à manger leurs propres petits alors que la femelle sanglier est l'une des mères les plus tendres et affectueuses qui soient. On constate également que les lionnes en captivité, dans les cages des jardins zoologiques, dévorent parfois leur progéniture.

On en déduit que la nature ne déploie ses providentielles énergies protectrices que lorsque les êtres peuvent librement suivre les directives intimes de leurs instincts fondamentaux.

Dans l'instinct, il y a une logique claire et simple : le nouveau-né des mammifères doit être spécialement soigné lors de ses premiers contacts avec l'environnement extérieur et c'est pour cela qu'il faut distinguer une première période extrêmement délicate, celle qui correspond à sa venue au monde. Il a à ce moment-là besoin de repos pour se remettre de l'immense effort vécu lors de la naissance ainsi que du démarrage simultané de toutes ses fonctions vitales.

Après cela débute ce que l'on appelle la première enfance, c'est-à-dire la première année de vie après la venue au monde, le temps des premières expériences et le temps de l'allaitement.

Les soins que les animaux prodiguent à leurs nourrissons qu'ils isolent ne se limitent pas aux soins corporels. Dans cet isolement, la mère accompagne avant tout le réveil psychique des instincts du nouveau-né, instincts qui surgissent du plus profond de lui-même. Ainsi se forme un autre individu, de la même race. Ce réveil survient dans une ambiance de lumières tamisées et de bruits atténuées, dans un calme dominant. La mère y veille avec tendresse tandis qu'elle nourrit, pourlèche et aide affectueusement ses petits. Le poulain, à mesure que ses membres se consolident, apprend à reconnaître sa mère et à la suivre, mais il faut un certain temps avant que les caractéristiques du cheval ne se manifestent dans son corps fragile. Ses conditions héréditaires doivent se mettre en fonction. C'est pour cette raison que la jument ne laisse personne apercevoir son petit avant qu'il ne se soit transformé en petit cheval. La chatte non plus ne laisse personne examiner ses chatons, tant qu'ils n'ont pas ouvert les yeux et qu'ils ne peuvent pas tenir sur leurs quatre pattes, autrement dit, tant qu'ils ne se sont pas devenus des petits chats.

Il est évident que la nature surveille ces puissantes réalisations avec une vigilance intense. Le mandat des soins maternels est une mission supérieure à celle de la physiologie. À travers l'amour extrêmement tendre et la délicatesse que les soins maternels fournissent, la nature veille tout spécialement au réveil des instincts latents.

Par analogie, on pourrait dire que l'homme, au travers des soins délicats qu'il doit nécessairement prodiguer au nouveau-né, se doit d'espérer la naissance spirituelle de l'homme.

6

L'embryon spirituel

L'incarnation

Le mot incarnation évoque la figure du nouveau-né en le considérant comme un esprit enfermé dans la chair pour venir au monde.
Le mystère par lequel l'esprit divin s'incarne lui-même est un des
concepts les plus vulnérables de la religion chrétienne : « *Et incar-
natus est de Spiritu Sancto : et homo factus est* (Et par l'Esprit Saint,
il a pris chair : et s'est fait homme). »

En revanche, la science considère l'être nouveau comme venu
du néant, comme une chair, et non comme une incarnation. Il
n'est considéré que comme le développement de tissus et d'organes
qui composent un tout vivant. Cela aussi constitue un mystère.
Comment ce corps complexe et vivant peut-il provenir du néant ?
Néanmoins, nous n'avons pas l'intention de nous entretenir au sujet
de telles méditations, nous cherchons plutôt à pénétrer la réalité,
au-delà de la surface.

Dans les soins à prodiguer au nouveau-né, on devrait considérer sa vie psychique. Et s'il existe bien une vie psychique chez
le nouveau-né, c'est encore plus vrai au cours de la première année
de vie, même si c'est le cas à tout âge. Les progrès actuels dans la
manière dont on traite l'enfant sont liés au fait qu'on ne considère
plus seulement sa vie physique, mais aussi sa vie psychique. En
effet, il est maintenant recommandé de commencer l'éducation
dès la naissance.

Il est évident que le mot éducation n'est pas ici utilisé dans le sens d'enseignement, mais de l'aide au développement psychique de l'enfant.

Actuellement, il est possible de supposer que l'enfant a, dès sa naissance, une vie psychique, parce qu'on établit une distinction entre le conscient et le subconscient; cette idée du subconscient, pleine d'impulsions et de réalités psychiques, s'est imposée dans les arguments populaires de notre temps.

Cependant, en conservant les concepts évidents les plus élémentaires, on peut admettre qu'il existe chez l'enfant un ensemble d'instincts, qui ne se réfèrent pas seulement aux fonctions végétatives, mais aussi aux fonctions psychiques. C'est ce que l'on observe aisément chez les nouveau-nés mammifères, quand ils adoptent rapidement et spontanément les caractéristiques de leur espèce. L'enfant semble disposer de capacités plus lentes dans le développement de ses mouvements que les nouveau-nés des espèces animales. En effet, tandis que les organes des sens agissent dès la naissance, parce que l'enfant, en naissant, devient soudainement sensible à la lumière, au son, au toucher, etc., son mouvement, lui, est encore très peu développé.

La figure du nouveau-né constitue un impressionnant point de départ: cet enfant qui arrive inerte et qui restera longtemps passif, incapable de se tenir debout, réclame autant de soins qu'une personne malade; cet enfant muet ne fera pendant longtemps entendre sa voix que sous forme de pleurs et de cris de souffrance, faisant ainsi accourir les personnes vers lui comme on vient auprès d'un être qui appelle au secours.

Ce corps tardera encore très longtemps, des mois ou toute une année, voire plus, avant de se lever et de marcher, bien qu'il s'agisse déjà du corps de l'homme-enfant. Et ce n'est qu'après des mois et des années que sa voix deviendra celle d'un homme.

Ce à quoi nous souhaitons maintenant nous référer avec le mot «incarnation», c'est aux phénomènes psychiques et physiologiques liés à la croissance. L'incarnation est le processus mystérieux d'une énergie qui anime le corps passif du nouveau-né et qui lui donne progressivement l'usage de ses membres. Ce processus donne aussi aux organes qui permettent l'articulation de la parole le pouvoir d'agir selon la volonté. C'est ainsi que l'homme s'incarne.

En effet, il est impressionnant que l'enfant naisse et reste si longtemps passif, tandis que les petits mammifères peuvent déjà tenir debout et trotter auprès de leur mère presque dès leur naissance, ou du moins dans un délai très court. Ils ont de plus dès le début la capacité d'utiliser le langage propre à leur espèce, quoique de façon encore imparfaite et hésitante, au point de paraître pathétique. Mais les chatons émettent de vrais petits miaulements, les agneaux laissent entendre de timides bêlements, et le poulain hennit d'une manière ou d'une autre. Ce sont de faibles voix, qui tendent plutôt au silence, comme en témoigne le fait que le monde ne résonne pas de cris et de lamentations d'animaux nouveau-nés. Le temps de leur préparation est rapide, elle est facile. Les animaux naissent déjà animés de l'instinct qui déterminera leurs actions. On connaît à l'avance le léger saut que fera le petit tigre, la façon dont bondira le cabri, après s'être difficilement redressé peu de temps après sa naissance. Pour autant, chaque être qui vient au monde n'est pas seulement un corps matériel : il est doté de fonctions qui ne sont pas celles de ses organes physiologiques, mais qui sont des fonctions qui dépendent de l'instinct. Tous les instincts se manifestent par le mouvement et représentent les caractères de l'espèce, plus constants et plus distincts que la forme même du corps.

L'animal, comme le mot l'indique, est caractérisé par l'animation, et non par la forme.

Nous pouvons réunir tous ces caractères qui ne contribuent pas au fonctionnement de l'organisme végétatif et les appeler les caractères psychiques. Ces caractères se trouvent déjà chez tous les animaux, dès leur naissance. Pourquoi l'homme-enfant est-il en carence de cette animation ?

Une théorie scientifique explique que les mouvements instinctifs des animaux sont la conséquence des expériences acquises par l'espèce à des époques précédentes et transmises par l'hérédité. Pourquoi l'homme est-il aussi récalcitrant à hériter de ses ancêtres ? Et pourtant les hommes ont toujours marché debout et ont toujours parlé un langage articulé, et ils ont transmis cet héritage à leurs descendants.

Il serait absurde de penser que l'homme, qui se caractérise et se distingue de toutes les autres créatures par la grandeur de sa vie psychique, soit le seul qui ne possède pas un projet de développement psychique. Sous toutes ces contradictions doit se cacher une vérité. L'esprit peut être latent d'une manière si profonde qu'il ne se manifeste pas de la même manière que l'instinct des animaux, prêt à se révéler dans ses actions préétablies.

Le fait de ne pas être poussé par des instincts-guides fixes et déterminés comme c'est le cas chez l'animal, est le signe d'une liberté d'action innée qui requiert un perfectionnement particulier, presque une création, qui dépend du développement de chaque individu et qui, pour autant, est imprévisible. Qu'il nous soit permis de recourir à une comparaison assez éloignée du sujet, une comparaison avec les objets que nous produisons. Il y a des objets que l'on fabrique en série : tous sont identiques entre eux, on les fait à la chaîne, avec un moule ou une machine. Et il y a d'autres objets que l'on fabrique à la main, lentement, ce qui fait qu'ils sont tous différents les uns des autres. La valeur des objets faits à la main réside dans le fait que chacun porte la marque directe de son auteur : l'empreinte de l'habileté d'une dentellière, ou la marque du génie, s'il s'agit d'une œuvre d'art.

On pourrait dire qu'il en est de même de la différence psychique entre l'animal et l'homme. L'animal est comme l'objet fabriqué en série ; chaque individu reproduit aussitôt les caractères uniformes fixés pour toute son espèce. L'homme, en revanche, est comme l'objet fait à la main : chacun est différent des autres, chacun a son propre esprit créateur qui fait de lui une œuvre d'art de la nature. Mais il s'agit d'un travail lent et prolongé. Avant qu'en apparaissent les effets extérieurs, un travail intime doit s'être produit, qui ne consiste pas en une reproduction d'un type fixe, mais en une création d'un nouveau type, qui par là même constitue une énigme, un résultat surprenant. Ce travail est longtemps demeuré intérieur, comme c'est le cas pour l'œuvre d'art que l'auteur conserve dans l'intimité de son atelier avant de l'exposer au public.

Ce travail, à travers lequel se forme la personnalité humaine, est l'œuvre mystérieuse de l'incarnation. L'homme passif est une énigme. Ce corps inerte contient le mécanisme le plus complexe de tous les êtres vivants, mais cela lui appartient ; l'homme s'appartient à lui-même. Il doit s'incarner à l'aide de sa propre volonté.

Ce qu'on appelle communément la chair est l'ensemble des organes du mouvement, qu'on appelle les muscles volontaires en physiologie. Le mot lui-même indique qu'ils sont mus par la volonté, et rien ne peut mieux indiquer le fait que le mouvement est lié à la vie psychique. Sans les organes, sans leurs instruments, la volonté ne pourrait rien faire.

Si les animaux n'avaient pas leurs organes de mouvement, malgré leurs instincts, et quelle que soit leur espèce, ils ne pourraient rien faire. Les muscles, dans leur forme la plus parfaite, et tout spécialement chez l'homme, sont infiniment complexes. Ils sont si nombreux que les étudiants en anatomie humaine ont l'habitude de dire : « Pour se souvenir de tous les muscles, il faut les avoir oubliés au moins sept fois. » De plus, lorsqu'ils fonctionnent, les muscles s'associent pour développer des actions extrêmement sophistiquées. Certains exercent des impulsions, d'autres adoptent une attitude passive ; d'autres ne peuvent s'exercer que de façon approximative, d'autres exécutent une mise à distance. Et combien de fonctions opposées s'effectuent en ayant recours à l'harmonie plutôt qu'au contraste !

Une inhibition corrige une impulsion et c'est pour cela qu'elle l'accompagne toujours ; un muscle qui s'approche se trouve être articulé à un autre qui s'éloigne. Ce sont de vraies associations, c'est-à-dire des groupes qui s'unissent pour former des mouvements uniques, et de cette façon le mouvement peut se complexifier à l'infini ; comme cela arrive, par exemple, avec les mouvements d'un jongleur ou ceux de la main d'une violoniste, qui peut donner à son archet des mouvements infinitésimaux.

Chaque mouvement est une association d'actions opposées, chaque modulation nécessite l'action de presque toute une armée qui agit simultanément avec une armée adverse, toutes deux habilement entraînées à la perfection.

Tout n'a pas été complètement confié à la nature, car on a laissé à l'énergie individuelle la partie la plus noble, la part la plus constructive et directive. Cette énergie qui surpasse la nature est supranaturelle. C'est en cela que réside le fait primordial à considérer chez l'homme. L'esprit humain animateur doit s'incarner pour agir et se frayer un chemin dans le monde. Tout cela constitue le premier chapitre de la vie de l'enfant.

L'incarnation individuelle possède donc des directives psychiques ; c'est pour cette raison qu'il doit exister chez l'enfant une vie psychique qui précède la vie motrice, et qui existe avant toute expression externe et indépendamment de celle-ci.

Ce serait une énorme erreur de croire que l'enfant est un être faible en ce qui concerne ses muscles, parce qu'il ne peut pas se lever et parce que seul l'être humain est incapable de coordonner ses mouvements[1].

La force musculaire du bébé est bien évidemment présente dans ses impulsions et dans la résistance de ses membres. Rien n'est plus parfait que la difficile coordination que le nouveau-né doit mettre en place pour téter et déglutir, comme il le fait dès les premiers instants. La nature met à la disposition de l'enfant des conditions différentes de celles qu'elle donne aux animaux nouveau-nés. Elle laisse le champ de ses mouvements libre de l'absolutisme impérieux des instincts. Ceux-ci se rétractent et les muscles, forts et obéissants, attendent un nouvel ordre ; ils obéissent à l'appel de la volonté pour se coordonner au service de l'esprit humain. Cela permet aux caractères psychiques d'un individu, et non pas d'une espèce, de se réaliser. Ce sont sans aucun doute les instincts de l'espèce qui impriment ses caractères fondamentaux ; on sait que l'enfant marchera debout et qu'il parlera, mais il peut le faire avec tellement de subtiles nuances individuelles que cela peut devenir une énigme.

Nous savons de tous les animaux ce qu'ils deviendront à l'âge adulte : un coureur excellent et agile s'il s'agit d'une gazelle, un marcheur lent et lourd si c'est un éléphant, un être féroce si c'est un tigre, un rongeur grignoteur de légumes si c'est un lapin.

---

1. À la naissance (N.D.T.).

Mais l'homme peut tout faire; son inertie apparente prépare la merveilleuse surprise de l'individualité. Sa voix, au début inarticulée, parlera un jour, mais nous ne savons pas encore quelle sera sa langue. Il parlera celle qu'il saura collecter dans l'environnement qui l'entoure, prêtant une attention continue, formulant des sons en fournissant d'immenses efforts, puis des syllabes et, enfin, des mots. Ce sera le constructeur volontaire de toutes ses fonctions, en relation avec son environnement; il sera le créateur d'un nouvel être.

La vie psychique du nouveau-né

Le phénomène de l'enfant passif à la naissance a toujours donné lieu à des discussions philosophiques; mais il n'avait pas, jusqu'à présent, attiré l'attention des médecins, des psychologues, pas plus que celle des éducateurs. Cela avait toujours été comme un de ces nombreux faits évidents qu'on se contente de constater. Beaucoup de phénomènes restent ainsi mis de côté pendant de longues périodes, enfermés à clé parmi les dépôts du subconscient.

En revanche, dans la pratique de la vie quotidienne, ces conditions de la nature de l'enfant ont eu de nombreuses conséquences qui représentent un réel danger pour sa vie psychique. Elles ont laissé penser, à tort, que les muscles n'étaient peut-être pas les seuls à être passifs, c'est-à-dire qu'il n'y avait pas que le corps de l'enfant qui était inerte, mais que c'était peut-être le cas de l'enfant lui-même, considéré comme un être passif, vide de toute vie psychique. Et devant le magnifique spectacle de sa tardive croissance, l'adulte osa formuler la conviction, bien qu'erronée, que c'était lui, adulte, qui animait l'enfant grâce à ses soins et à son aide. Et il s'en est fait un devoir et une responsabilité. L'adulte s'est pris pour le façonneur de l'enfant et le constructeur de sa vie psychique. Il s'est imaginé qu'il pouvait accomplir, de l'extérieur, une œuvre créatrice, en stimulant l'enfant, en lui donnant des directives et des suggestions afin de développer chez lui intelligence, sentiment et volonté.

L'adulte s'est attribué un pouvoir presque divin: il a fini par se prendre pour le dieu de l'enfant; comme Dieu dans la Genèse, il s'est dit de lui-même: «J'ai créé l'homme à mon image et à ma ressemblance.» L'orgueil a été le premier péché de l'homme; sa volonté de se substituer à Dieu a été la cause de la misère de toute sa descendance.

En fait, si l'enfant porte en lui la clé de sa propre énigme individuelle, s'il possède un plan psychique et des directives de développement, il doit s'agir de potentiels et il faut être extrêmement délicat quant à leur réalisation; sinon, l'intervention intempestive de l'adulte, volontaire et exalté par son pouvoir illusoire, peut contrarier ses plans ou faire dévier leurs mystérieuses réalisations.

L'adulte peut réellement annuler le dessein divin, depuis les origines de l'homme et c'est ainsi que, peu à peu, de génération en génération, l'homme grandit toujours en se déviant lors de son incarnation.

C'est là que réside le problème concret et fondamental de l'humanité. Toute la question peut se résumer ainsi : l'enfant possède une vie psychique active, bien qu'il ne puisse pas la manifester, parce qu'il faut que ses difficiles réalisations s'élaborent lentement, dans le secret.

Et cette conception nous révèle une impressionnante vision : celle d'une âme emprisonnée, cachée dans l'ombre, qui cherche à venir à la lumière, à naître, à croître, et qui va, peu à peu, animer la chair inerte, l'appelant à force de volonté, se présentant à la lumière de la conscience en faisant autant d'efforts qu'un être qui vient au monde. Et, dans le milieu ambiant, un autre être au pouvoir illimité, immense, gigantesque, semble l'attendre, l'empoigner et presque l'étrangler.

Dans le milieu ambiant, rien n'est préparé pour accueillir ce fait magnifique qu'est l'incarnation d'un homme, parce que personne ne la voit, et c'est pour cette raison que personne ne l'attend (elle ne dispose donc d'aucune protection ni d'aucune aide).

L'enfant qui s'incarne est un embryon spirituel qui doit vivre en dépendant de l'environnement. Mais de la même manière que l'embryon physique a besoin d'une ambiance particulière qui est le sein maternel, cet embryon spirituel a besoin, lui, d'être protégé par un environnement extérieur animé, chaleureux et aimant, riche en aliments ; il a besoin d'un environnement où tout est accueillant et où rien n'entrave son développement.

Une fois qu'il a compris cette vérité, l'adulte doit changer d'attitude vis-à-vis de l'enfant. La figure de l'enfant, embryon spirituel en voie d'incarnation, doit nous imposer de nouvelles responsabilités.

Ce petit corps tendre et gracieux que nous adorons et comblons de soins essentiellement physiques, et qui, entre nos mains, devient parfois comme un jouet, revêt un autre aspect et nous inspire de la révérence. *Multa debetur puero reverentia* (Nous devons intensément respecter l'enfant).

La révérence se produit au prix de mystérieuses fatigues : tout ce qui est relatif à ce travail créateur constitue un drame méconnu qui n'a pas encore été décrit.

La pénible sensation que l'on ressent lorsque la volonté n'existe pas encore ne convient à aucun être vivant, mais elle devra commander et diriger ce qui est passif pour le rendre actif et discipliné. Une vie incertaine et délicate commence à peine à affleurer à la conscience, mettant en rapport les sens avec l'environnement, avant de se prolonger à travers les muscles dans un perpétuel effort pour se réaliser.

Il y a un échange entre l'individu, ou plutôt entre l'embryon spirituel et l'environnement ; à travers cet échange, l'individu se forme et se perfectionne. Cette activité primordiale, constructive, est comparable aux fonctions de la vésicule qui représente le cœur dans l'embryon physique, lui qui assure l'échange et la nourriture de toutes les parties du corps embryonnaire, tandis qu'il se nourrit grâce aux vaisseaux sanguins de la mère, qui est son milieu de vie. Ainsi, l'individualité psychique se développe et s'organise sous l'action de ce moteur, en relation avec l'environnement extérieur. L'enfant fait des efforts pour assimiler l'environnement et de ces efforts naît l'unité profonde de sa personnalité.

Ce travail lent et progressif est une prise de possession continuelle de l'instrument par l'esprit. Ce dernier doit en permanence veiller à sa souveraineté, de son propre effort, de sorte que le mouvement ne finisse pas dans l'inertie ou ne devienne pas uniforme comme un mécanisme. Il doit continuellement diriger pour que le mouvement, libre d'être guidé par un instinct fixe, ne le mène pas au chaos. Là où une création est toujours en puissance se trouve une énergie régénératrice, qui contribue à l'œuvre perpétuelle de l'incarnation spirituelle.

C'est ainsi que la personnalité humaine se forme d'elle-même, comme l'embryon, et que l'enfant devient le créateur de l'homme, le Père de l'homme.

En fait, qu'ont fait le père et la mère ?

Le père n'a agi qu'en donnant une seule cellule invisible. La mère, en plus d'une cellule germinative, a offert un milieu de vie adéquat, avec tous les moyens de développement et de protection, de sorte que la cellule germinative, par sa propre activité, puisse se segmenter tranquillement, donnant lieu à l'existence du nouveau-né, cet être passif et muet. Quand on dit que le père et la mère ont fait des enfants, on utilise une expression inexacte. Il est nécessaire de le répéter : l'homme a été construit par l'enfant, c'est lui qui est le père de l'homme.

Le mystérieux effort de la petite enfance doit être considéré comme sacré ; cette manifestation laborieuse mérite une aide accueillante, parce que c'est lors de cette période de formation que la personnalité future de l'individu se détermine.

C'est devant de telles responsabilités que naissent le devoir d'étudier et de scruter de façon scientifique les besoins psychiques de l'enfant ainsi que le devoir de lui préparer un environnement vital.

Il s'agit des balbutiements d'une science qui doit encore beaucoup se développer ; l'adulte devra offrir les efforts prolongés de la collaboration de sa propre intelligence pour avoir le dernier mot dans la connaissance de la formation de l'homme.

7

Les délicates constructions psychiques

Les périodes sensibles

La sensibilité du tout jeune enfant, avant qu'elle ne se soit animée d'instruments d'expression, le pousse à avoir une construction psychique primitive, qui peut rester invisible.

Mais ce concept ne correspond pas à la réalité. Dire cela reviendrait à affirmer que le nouveau-né possède déjà en lui un langage complètement formé, tandis que ses organes moteurs des mots ne sont pas encore capables de les prononcer. Ce qui existe, c'est la prédisposition que l'enfant a de construire son langage. Quelque chose de semblable se produit à l'égard de la totalité de la vie psychique, dont le langage est la manifestation externe. Chez l'enfant, il existe une attitude créatrice et une énergie potentielle pour construire un monde psychique en rentrant en relation avec l'environnement.

La récente découverte biologique des périodes sensibles, étroitement liées au phénomène du développement, présente pour nous un intérêt tout particulier. De quoi dépend le développement? Comment croît un être vivant?

Quand on parle de développement et de croissance, on évoque des phénomènes que l'on a toujours pu constater de l'extérieur, mais ce n'est que tout récemment que certaines particularités de leur mécanisme interne ont pu être explorées.

Dans les recherches récentes, deux facteurs ont contribué à approfondir ces connaissances: l'un est celle des glandes à sécrétion interne, qui ont un rapport étroit avec la croissance physique et qui sont tout de suite devenues populaires parce qu'elles ont une influence concrète considérable sur les soins que l'on prodigue aux enfants.

L'autre facteur est la découverte des périodes sensibles, qui ouvre de nouvelles perspectives de compréhension sur la croissance psychique.

Le savant hollandais Hugo de Vries[1] a découvert les périodes sensibles chez les animaux ; et c'est nous, dans nos écoles, qui avons trouvé que de telles périodes sensibles existaient aussi chez les enfants, lors de leur croissance. Nous les avons utilisées à des fins éducatives.

Il s'agit de sensibilités spéciales, qui se trouvent chez les êtres en voie d'évolution, c'est-à-dire quand ils traversent les stades de l'enfance. Elles sont passagères et se limitent à l'acquisition d'un caractère déterminé. Une fois ce caractère développé, la sensibilité correspondante cesse. Chaque caractère se stabilise à l'aide d'une impulsion, d'une sensibilité passagère. La croissance n'est donc pas quelque chose de vague, une espèce de fatalité héréditaire incluse chez les êtres : c'est un travail minutieusement dirigé par des instincts périodiques et passagers, qui poussent vers une activité déterminée qui peut être différente de ce qui caractérisera l'individu une fois adulte.

Les êtres sur lesquels de Vries a pour la première fois repéré les périodes sensibles étaient les insectes qui traversent une période de formation bien connue, puisqu'ils vivent des métamorphoses susceptibles d'être observées en laboratoire.

Prenons comme exemple celui que cite de Vries, celui d'un humble petit ver, la chenille, qui deviendra un papillon commun ; on sait que les chenilles croissent rapidement, se nourrissent avec

---

1. Hugo de Vries fut professeur de botanique à l'université d'Amsterdam, en Hollande (1848-1935). Son travail s'est concentré sur l'étude des mutations. Dans ses expériences sur les fleurs (pavot pistilloïde), il mentionne une période sensible. Le professeur Jacques Loeb M.D., professeur à l'université de Chicago (1859-1924), est un contemporain du professeur de Vries. Loeb a étudié la physiologie animale et s'est concentré sur le fonctionnement du cerveau. C'est le professeur Loeb qui a écrit au sujet de la larve du papillon Porthesia et de sa période sensible à la lumière.

voracité : ce sont de véritables destructeurs de plantes. On parle ici d'une chenille qui est incapable de se nourrir des grandes feuilles des arbres les premiers jours de son existence, elle peut seulement s'alimenter avec des petites feuilles tendres qui se trouvent à l'extrémité des branches.

Or, la bonne mère papillon, guidée par son instinct, va précisément déposer ses œufs à l'endroit opposé, c'est-à-dire dans l'angle que la branche fait à l'intersection du tronc, préparant ainsi sa descendance en un lieu sûr et abrité.

Mais qui indiquera aux petites chenilles à peine écloses de leurs œufs que les feuilles tendres dont elles ont besoin se situent tout en haut, à l'extrême faîte de l'arbre, à l'opposé de leur branche ? Personne, mais la chenille est douée d'une vive sensibilité à la lumière : la lumière l'attire, la fascine ; et c'est ainsi que la chenille s'en va sautillant, avec cette démarche qui lui est propre, jusqu'à l'extrémité de la branche ; et elle se retrouve là, affamée, au beau milieu des feuilles tendres qui constituent sa nourriture idéale. Il est curieux de constater que, une fois cette période passée, c'est-à-dire quand la chenille a grandi et qu'elle peut se nourrir différemment, elle perd cette sensibilité à la lumière ; au bout d'un certain temps, la lumière la laisse indifférente : l'instinct devient aveugle, puis s'éteint complètement. Son moment d'utilité est désormais passé et la chenille se déplace vers d'autres endroits pour chercher d'autres réalités et d'autres moyens de subsister.

La chenille n'est pas devenue aveugle à la lumière, mais elle y est devenue indifférente.

Il s'agit d'une sensibilité active qui, en un instant, transforme la chenille qui était si active à détruire voracement de belles et robustes plantations en une sorte de fakir qui reste à jeun en permanence : elle devient une larve de papillon. Elle suit un jeûne rigoureux et se construit pour cela une sorte de sarcophage, où elle s'isole comme un être sans vie ; son travail est intense, irrépressible et c'est dans ce sépulcre qu'elle prépare l'adulte qu'elle sera, en lui fournissant des ailes très brillantes, pleines de beauté et de luminosité.

On sait que les larves d'abeilles traversent une période pendant laquelle toutes les femelles pourraient devenir reines. Mais la communauté en choisit une seule et c'est uniquement pour elle que les ouvrières composent une exquise substance nutritive appelée «gelée royale» par les zoologistes. C'est ainsi que l'élue, à force de banquets royaux, devient la reine de la communauté. Si après un certain temps, on voulait choisir une autre abeille pour régner et qu'on voulait pour cela la nourrir avec l'excellente et délicate gelée, on ne pourrait pas la faire devenir reine parce que sa période de voracité serait achevée et que son corps n'aurait par conséquent plus la capacité de se développer.

Voilà qui permet de comprendre quel est le point essentiel de la question des périodes sensibles concernant les enfants : c'est une impulsion créatrice qui pousse à accomplir des actes merveilleux et remarquables et qui est ensuite suivie d'une indifférence qui rend aveugle et malhabile.

L'adulte ne peut rien faire de l'extérieur sur ces différents états.

Mais, si l'enfant n'a pu obéir aux directives de sa période sensible, il aura perdu l'occasion d'une conquête naturelle, et il l'aura perdue à jamais.

L'enfant, pendant son développement psychique, réalise de miraculeuses conquêtes : l'habitude de les voir se produire quotidiennement sous nos yeux nous transforme en spectateurs insensibles. Mais comment l'enfant, venu du néant, s'oriente-t-il dans ce monde complexe ? Comment arrive-t-il à distinguer les choses ? Par quel prodige étonnant parvient-il à apprendre une langue avec ses particularités minutieuses, sans maître, rien qu'en vivant, avec simplicité et joie, sans se fatiguer, tandis qu'un adulte a besoin de tant d'aide pour s'orienter dans un nouvel environnement ? Et pour apprendre une langue étrangère, il faut qu'il accomplisse des efforts intenses, sans jamais atteindre la perfection de sa langue maternelle, celle qu'il a acquise lorsqu'il était enfant.

L'enfant apprend les choses pendant les périodes sensibles. Celles-ci pourraient être comparées à un phare qui éclaire depuis l'intérieur, ou à un courant électrique qui produit des phénomènes actifs. C'est cette sensibilité qui permet à l'enfant de se mettre en rapport avec le monde extérieur d'une façon exceptionnellement intense ; tout lui semble alors facile ; tout est pour lui enthousiasme et vie. Chaque effort représente une occasion d'accroissement de puissance. Une fois qu'au cours d'une période sensible, l'enfant a acquis certaines connaissances, surviennent la torpeur[2] de l'indifférence ainsi que la fatigue.

Mais, quand certaines de ces passions psychiques s'éteignent, d'autres flammes s'allument et c'est ainsi que s'écoule l'enfance, passant de conquête en conquête, dans une vibration vigoureuse et continue, que nous appelons la joie et le bonheur de l'enfance. Et dans cette flamme resplendissante qui brûle sans se consumer, l'œuvre créatrice du monde spirituel de l'homme se développe. En revanche, lorsque la période sensible se termine, les conquêtes intellectuelles sont dues à une activité réflexe, à l'effort de la volonté et de la recherche, et la fatigue du travail survient alors dans la torpeur de l'indifférence. C'est là que réside la différence fondamentale, essentielle, entre la psychologie de l'enfant et celle de l'adulte. Il y a en effet une vitalité intérieure particulière qui explique les miracles des conquêtes naturelles de l'enfant. Mais, si un obstacle s'oppose à son travail durant la période sensible, l'enfant souffre d'un trouble, voire d'une déformation, et c'est là que commence le martyre spirituel que nous ne connaissons pas encore, mais que nous portons presque tous en nous sous forme de stigmates inconscients.

Jusqu'à maintenant, le travail de la croissance, c'est-à-dire la conquête active des caractères, nous était resté insoupçonné, mais une longue expérience nous a montré les réactions douloureuses et violentes de l'enfant, quand des obstacles extérieurs entravent son activité vitale. Comme nous ignorons les causes de ces réactions, nous les jugeons injustifiées et les mesurons à leur résistance à céder à nos tentatives de les calmer. Nous les appelons des caprices, utilisant ce terme vague pour qualifier des phénomènes très différents entre eux. On parle de caprice pour désigner tout ce qui nous semble ne pas avoir de cause apparente, toute action que l'on considère comme illogique et invincible. Cependant, nous avons aussi constaté que certains caprices avaient tendance à s'aggraver

---

2. La torpeur est un état physique, généralement transitoire, caractérisé par le ralentissement des réflexes, la diminution de la sensibilité et l'opacité de l'esprit. C'est une sorte de léthargie.

avec le temps ; et c'est la preuve qu'il existe des causes permanentes qui continuent à agir, et contre lesquelles nous n'avons évidemment pas encore trouvé de remède.

Mais les périodes sensibles ne peuvent pas jeter la lumière sur beaucoup de caprices d'enfants, pas sur tous, parce qu'il y a différentes causes de luttes intérieures ; et, de plus, bien des caprices sont déjà les conséquences de déviations de la normalité, précisément aggravées par de mauvaises réactions. Mais les caprices liés à des conflits intérieurs en relation avec les périodes sensibles sont passagers, comme est passagère la période sensible ; ils ne laissent pas de traces sur le caractère. Ils sont pourtant la conséquence la plus grave d'un développement entravé, ce qui est irréparable dans le développement futur de la vie psychique.

Les caprices de la période sensible sont les expressions extérieures de besoins insatisfaits ; ils constituent de véritables avertissements d'une situation erronée, d'un danger ; et ils disparaissent immédiatement si on a la possibilité de les comprendre et de les satisfaire. On observe alors la façon dont le calme se substitue à l'agitation. En revanche, sans cela, celle-ci aurait pu finir par se transformer en une forme de maladie. Il est donc nécessaire de chercher la cause de toute manifestation enfantine, que nous appelons capricieuse, précisément parce qu'elle nous échappe. Et ce, parce qu'elle pourrait justement nous servir de guide pour explorer les mystérieux recoins de l'âme de l'enfant, et pour préparer une période de compréhension et de paix dans nos rapports avec lui.

En examinant les périodes sensibles

On pourrait comparer l'incarnation et les périodes sensibles à une fenêtre sur le travail intime de l'âme en voie de formation, grâce à laquelle on entrevoit les organes internes en train d'élaborer la croissance psychique de l'enfant. Elles sont la preuve que le développement psychique ne survient pas par hasard, et qu'il n'est pas stimulé par le monde extérieur, mais bien guidé par les sensibilités passagères qui constituent des instincts temporaires présidant à l'acquisition de différents caractères. Bien que cela se produise en contact avec l'environnement extérieur, celui-ci n'a aucune importance constructive; mais il offre seulement les moyens nécessaires à la vie, parallèlement à ce qui se passe dans la vie du corps qui reçoit de l'environnement ses éléments vitaux par le biais de la respiration.

Ce sont les sensibilités intérieures qui guident l'enfant dans le choix de ce qui lui est nécessaire dans l'environnement multiforme. Elles le guident aussi dans les situations favorables à son développement. Mais comment le guident-elles? Elles le font en ne rendant l'enfant sensible qu'à certaines choses, et en le rendant indifférent à d'autres. Quand il traverse une période sensible, c'est comme si une lumière divine émanait de lui, n'éclairant que certaines choses sans éclairer les autres. Et l'univers de l'enfant ne réside que dans celles qui sont éclairées. Mais il ne s'agit pas simplement d'un désir intense qui pousserait l'enfant à se retrouver dans certaines situations, et à n'absorber que certains éléments : il existe chez l'enfant une faculté toute spéciale, unique, de profiter de ces périodes en faveur de sa croissance. C'est pendant les périodes sensibles qu'il fait ses acquisitions psychiques, comme celle, par exemple, de s'orienter dans le monde extérieur, ou bien encore d'être capable de maîtriser de façon plus subtile et personnelle ses instruments moteurs.

La clé qui peut nous introduire dans le monde mystérieux où l'embryon spirituel accomplit le miracle de sa croissance se trouve dans ces rapports sensibles qui existent entre l'enfant et l'environnement.

Nous pouvons nous représenter cette merveilleuse activité créatrice comme une série d'émotions très vives qui surgissent du subconscient, et qui construisent la conscience de l'homme lorsqu'il rentre en contact avec son environnement. Elles partent de la confusion pour devenir identifiables, puis entrent en lien avec la création de l'activité; nous pouvons nous les figurer, par exemple, lors de l'acquisition du langage.

En effet, au milieu des sons confus qui semblent chaotiques, se détachent brusquement, distincts, attrayants, fascinants, les sons singuliers d'un langage articulé incompréhensible; l'âme, qui n'élabore pas encore de pensée, entend une espèce de musique délicieuse qui remplit son univers. Les cordes vocales de l'enfant s'émeuvent alors, mais pas toutes, seulement les plus sensibles et les plus fines : les cordes cachées qui, jusqu'alors, n'avaient vibré que pour crier d'une façon désordonnée, se réveillent dans un mouvement régulier, avec une discipline et un ordre qui transforment leur façon de vibrer. Cela prépare une nouvelle ère pour le cosmos de l'embryon spirituel ; il vit intensément au présent et se concentre sur lui-même. La gloire future de cet être demeure encore inconnue.

Peu à peu l'oreille se forme et la langue se meut pour laisser place à une nouvelle articulation ; elle qui n'avait jusqu'à présent contribué qu'en s'adonnant à des succions, commence à sentir des vibrations intérieures, elle se met à explorer dans la gorge, entre les lèvres, dans les joues, comme si elle obéissait à une force irrésistible et irrationnelle. Ces vibrations sont vitales, mais ne servent pas encore... si ce n'est à procurer une immense joie.

L'enfant présente des signes de cette joie supérieure qui émane de lui lorsque, les membres contractés, les poings fermés, la tête dressée et tendue vers une personne qui parle, il fixe intensément son regard sur les lèvres qui remuent.

Une période sensible se développe : c'est comme si l'ordre divin donnait un souffle magique aux choses inertes et les animait avec l'esprit.

Ce drame intérieur que vit l'enfant est un drame d'amour : c'est l'unique grande réalité qui se développe dans les régions cachées de son âme, et qui, par moments, la remplit tout entière. Ces merveilleuses activités ne se produisent pas sans laisser des traces indélébiles, laissant l'homme plus grand et lui procurant les caractères supérieurs qui l'accompagneront toute sa vie ; mais elles s'accomplissent dans l'humilité du silence.

Et c'est pour cela que tout se passe calmement, lorsque l'environnement extérieur correspond suffisamment aux besoins intérieurs. Lors de l'élaboration du langage, par exemple, qui est une des activités les plus difficiles et qui correspond à l'intensité maximale des périodes sensibles de l'enfant, tout se fait dans le secret parce que l'enfant trouve toujours autour de lui des personnes qui parlent et qui lui offrent les éléments nécessaires à sa construction. La seule chose qui puisse nous permettre d'apprécier l'état sensible de l'enfant depuis l'extérieur, c'est son sourire et sa joie exubérante quand il parvient à articuler quelques mots courts, clairement, d'une façon qui lui permette d'en distinguer les sons, comme on distingue les coups d'une cloche de cathédrale. Ou bien quand on voit l'enfant se calmer dans une attitude de béatitude, alors que, le soir, l'adulte lui chante la douce mélodie d'une berceuse, en répétant toujours les mêmes paroles ; dans un tel délice, il abandonne le monde conscient pour entrer au pays des rêves merveilleux. Nous le savons et c'est pour cela que nous répétons à l'enfant ces petits mots doux, afin de recevoir, en échange, son sourire angélique et plein de vie. C'est pour cela qu'au crépuscule, depuis des temps immémoriaux, les gens entourent l'enfant qui appelle, demandant des mots tendres et de la musique, avec l'anxiété d'un être qui réclame de l'aide et du réconfort parce qu'il est sur le point d'expirer.

Ce sont des preuves véritablement positives de la sensibilité créatrice. Mais il existe d'autres preuves, beaucoup plus visibles, qui ont, en revanche, une signification négative : c'est le cas lorsque, dans l'environnement, un obstacle s'oppose au fonctionnement intérieur et mystérieux de l'enfant, le déviant et le déformant. Dans ces cas, l'existence d'une période sensible peut se manifester par des réactions violentes, par des désespoirs que nous jugeons absurdes et que nous appelons caprices. Les caprices sont l'expression d'une perturbation intérieure, d'un besoin insatisfait, ce qui crée un état de tension. Ils représentent une tentative de revendication de l'âme qui cherche à se défendre.

Ils se manifestent par des moments d'activité inutile et désordonnée que l'on pourrait comparer sur le plan physique à de grandes fièvres qui s'abattent brusquement sur les enfants, sans qu'une cause pathologique proportionnée leur corresponde. On sait que c'est le propre de l'enfant d'avoir d'impressionnantes hausses de température pour de petites maladies qui n'altéreraient même pas l'état normal d'un adulte : c'est comme une sorte de fièvre impressionnante qui disparaît aussi facilement qu'elle est apparue. Eh bien, sur le plan psychique, il peut se produire des agitations tout aussi violentes pour des causes infimes, en rapport avec la sensibilité exceptionnelle de l'enfant. On a toujours observé de telles réactions; de fait, les caprices que l'enfant présente presque dès la naissance ont été considérés comme une preuve de la perversité innée du genre humain. Or, si chaque altération des fonctions était considérée comme une maladie fonctionnelle, il nous faudrait aussi considérer les altérations qui ont trait à la vie psychique comme des maladies fonctionnelles. Les premiers caprices de l'enfant sont les premières maladies de l'âme.

On remarque ces caprices parce que les faits pathologiques sont les premiers que l'on voit. Ce n'est jamais le calme qui pose des problèmes et pousse à réfléchir: ce sont les désordres qui nous y obligent. Les choses les plus apparentes dans la nature ne sont pas ses lois, mais ses erreurs. Ainsi, personne ne s'aperçoit des imperceptibles signes extérieurs qui accompagnent les œuvres créatrices de la vie, ni des fonctions qui les conservent. Les phénomènes de création, comme ceux de conservation, restent cachés.

Cela arrive autant pour les choses vitales que pour les objets que nous fabriquons: une fois terminés, on les place en vitrine; mais les laboratoires restent fermés au public, bien qu'ils constituent la partie la plus intéressante.

Ainsi, le mécanisme des différents organes intérieurs qui permettent le fonctionnement du corps est indubitablement admirable, mais personne ne le voit, personne ne l'observe. L'individu même qui possède ces organes cachés et qui vit grâce à eux ne s'aperçoit pas lui-même de leur remarquable organisation. La nature travaille sans le faire savoir à personne, comme c'est illustré dans la charité chrétienne: «Que ta main droite ne sache pas ce que fait ta main gauche.» Cet équilibre harmonieux d'énergies combinées, nous l'appelons «la santé, l'état normal». La santé! C'est le triomphe de tous les détails, le triomphe du but sur les causes.

Cependant, nous relevons objectivement tous les détails des maladies, tandis que les laborieuses merveilles de la santé peuvent rester méconnues. En réalité, dans l'histoire de la médecine, on connaît les maladies depuis les époques les plus reculées. On trouve trace de soins chirurgicaux dans les temps les plus lointains de l'homme préhistorique, et les principes de base de la médecine remontent aux civilisations égyptienne et grecque. Mais la découverte des organes intérieurs est très récente. La découverte de la circulation du sang remonte au XVIIᵉ siècle de notre ère. La première dissection anatomique du corps humain en vue d'étudier les organes intérieurs a eu lieu en 1600. Peu à peu, la pathologie, c'est-à-dire la maladie, nous a fait explorer et indirectement découvrir les secrets de la physiologie, c'est-à-dire les secrets des fonctions normales.

Ce n'est donc pas étonnant que seules les maladies psychiques aient été étudiées chez des enfants et que le fonctionnement normal de son âme soit resté méconnu, dans la plus profonde obscurité. Cela s'explique par l'extrême délicatesse de ces fonctions psychiques qui élaborent leur construction dans l'ombre, dans le secret, sans aucune possibilité de se manifester.

Cette affirmation est certes un peu surprenante, mais elle n'est pas absurde. L'adulte a eu connaissance des maladies de l'âme enfantine, mais il ne connaît pas ses caractères quand il est en bonne santé : l'âme saine est restée ignorée, comme toutes les énergies de l'univers qui n'ont pas encore été découvertes.

L'enfant sain est comme le mythe de l'homme créé par Dieu à son image et à sa ressemblance, mais que personne ne connaît, parce que l'on ne connaît que sa descendance, déformée depuis les origines.

Si personne n'aide l'enfant, si l'environnement n'est pas préparé pour le recevoir, il risque d'être en permanence en danger sur le plan psychique. L'enfant est comme un petit être qui aurait été trouvé, après avoir été abandonné dans le vaste monde. Il fait des rencontres néfastes, il vit aussi des luttes inconscientes mais réelles pour exister psychiquement, des luttes qui ont des conséquences fatales sur sa construction à long terme.

L'adulte ne l'aide pas parce qu'il ne connaît même pas l'existence de cet effort, et pour cette raison ne reconnaît pas le miracle qui est en train de se produire : le miracle de la création à partir du néant, apparemment réalisé dans un être sans vie psychique.

Ce concept entraîne une nouvelle façon de s'occuper de l'enfant, considéré jusqu'à présent comme un petit corps végétatif, qui n'a besoin que de soins hygiéniques. Aujourd'hui, les impressions des manifestations psychiques prévalent, ainsi que, par conséquent, les actions vers les choses qui vont arriver et non vers celles qui sont déjà arrivées. L'adulte ne peut rester aveugle devant une réalité psychique du mode d'action du nouveau-né ; il est donc nécessaire qu'il suive l'enfant dans ses premiers développements et qu'il les seconde. Il ne s'agit cependant pas d'aider l'enfant à se construire, car ce travail incombe à la nature ; l'adulte doit respecter les manifestations de l'enfant avec délicatesse, en lui facilitant l'accès aux moyens qui lui sont nécessaires pour pouvoir se construire alors qu'il ne pourrait pas se les procurer de lui-même.

Et s'il en est ainsi, si l'enfant sain demeure dans le secret des énergies cachées, et si la vie psychique se développe sur un fond de déséquilibres fonctionnels et de maladies, il nous faut penser au grand nombre de personnes déformées qui sont, sans aucun doute, en train d'être générées. À l'époque où l'hygiène infantile n'existait pas encore, la mortalité infantile s'imposait par des scores impressionnants, mais ce n'était pas le seul phénomène de cette période. Parmi les survivants, il y avait de nombreux aveugles, des rachitiques, des estropiés, des paralysés et beaucoup d'autres monstruosités et de faiblesses organiques qui prédisposent aux infections fréquentes (telles que la tuberculose, la lèpre et la scrofule).

Il nous faut imaginer quelque chose de similaire au sujet de l'hygiène psychique de l'enfant placé dans un environnement où rien ne le protège ni ne l'aide. Nous ignorons même l'existence de ses fonctions secrètes, que le désir de créer une harmonie spirituelle anime.

La mort partout ! Et après la mort, une liste sans fin de déformations, d'aveuglements, de faiblesses, de développements interrompus ! Et il y a aussi l'orgueil, l'envie du pouvoir, l'avarice, la colère, et le désordre qui se développent dans une situation de bouleversement moral de toutes les fonctions. Ce tableau n'est pas une figure de rhétorique ; ce n'est pas une comparaison ; ce n'est que la terrible réalité de l'état des lieux d'un point de vue psychique, décrit dans les mêmes termes que celui d'un passé récent sur le plan physique.

Certaines causes, aussi petites soient-elles, si elles agissent au début de la vie, peuvent dériver sur de profondes déviations. Et l'homme croît et mûrit dans une ambiance spirituelle qui n'est pas la sienne. Comme le dit la tradition, l'homme vit après avoir perdu le paradis de sa vie.

Observations et exemples

Pour démontrer l'existence de la vie psychique du tout petit enfant, il n'est pas possible de recourir à des expérimentations scientifiques, comme cela se pratique en psychologie expérimentale, et comme ont tenté de le faire certains psychologues modernes, qui ont soumis les *stimuli* sensibles de l'enfant à l'expérimentation, en essayant d'attirer son attention, et en quêtant alors une quelconque manifestation motrice, qui représenterait une réponse psychique.

Rien ne peut être prouvé au cours de la première année d'existence, même s'il existe déjà une relation spirituelle entre les différents organes impliqués par le mouvement, et que l'animation, ou l'incarnation, est déjà en cours de développement.

En attendant, il est certain qu'il y a une vie psychique, même si elle est embryonnaire ; elle préexiste à toute mise en fonction du mouvement volontaire.

Mais la première animation procède d'un sentiment. Ainsi, comme Lewin l'a démontré avec ses films psychologiques de vulgarisation, l'enfant qui désire un objet se jette dessus de lui-même en projetant tout son corps ; et ce n'est que beaucoup plus tard qu'il lui sera possible (une fois que sa coordination motrice aura progressé) de séparer les différentes actions, comme étendre la main pour attraper l'objet désiré.

Un autre exemple présente un enfant âgé de quatre mois qui, comme attiré par un phénomène captivant, observe avec grand intérêt la bouche d'un adulte qui lui parle, s'exprimant en marmonnant vaguement et en remuant des lèvres muettes, et se manifestant surtout avec une expression du visage tout à fait stoïque et hautaine. Ce n'est qu'à partir de six mois que l'enfant peut commencer à articuler quelques syllabes. Avant de s'exercer à ses articulations sonores, il a déjà un intérêt sensible pour le stockage de sons, élaborant secrètement la mise en fonction des organes du langage. Cela signifie qu'un acte psychique générateur préexiste à l'acte de parler. Il est possible d'observer ces sensibilités, mais pas de les expérimenter. L'expérimentation mise en place par les partisans de la psychologie expérimentale constituerait un élément externe qui pourrait nuire au travail secret de la vie psychique de l'enfant, faisant intempestivement appel à ses énergies constructives.

La vie psychique de l'enfant se doit d'être observée de la manière dont Fabre a fait des recherches sur les insectes : en les cherchant dans leur milieu naturel de vie, pour les surprendre tout en restant caché afin de ne pas les perturber. Il faut commencer avant même que les sens, comme s'ils étaient des organes préhensibles, aient commencé à s'affairer à l'accumulation d'impressions conscientes du monde extérieur, parce qu'une vie se développe spontanément au contact du milieu environnant.

Pour aider l'enfant, nul besoin de recourir à des compétences délicates d'observation ou de se convertir en interprète de ces observations, il suffit d'être disposé à seconder la femme au foyer qui est l'âme de l'enfant parce que le bon sens suffira à faire de nous son allié.

Prenons un exemple pour illustrer la simplicité de cette procédure. Commençons par l'une des choses les plus communes : on croit communément que l'enfant doit toujours être couché, simplement parce qu'il ne peut pas tenir debout. L'enfant doit acquérir ses premières impressions sensibles de l'environnement, du ciel comme de la terre, alors qu'il ne lui est justement pas possible de voir le ciel. Ce qu'il contemple en réalité la plupart du temps, c'est la capote de son berceau ou le plafond lisse et blanc de la chambre. C'est cependant par le biais de la vue qu'il recueille les premières impressions avec lesquelles il doit nourrir son esprit affamé. C'est la prise de conscience du fait que l'enfant a besoin de voir quelque chose qui a incité l'adulte à lui présenter des objets pour le distraire des conditions de l'environnement qui l'en isolent à tort. C'est ainsi que l'on attache au-dessus du berceau, suspendu à un fil, une pelote ou autre objet de couleur qui oscille et se balance pour distraire l'enfant, comme le ferait un psychologue expérimental. L'enfant, avide de rassembler des images du milieu, suit des yeux cette pelote ou ces objets qui se balancent devant lui et se voit contraint de les suivre du regard, mais il ne peut pas encore bouger la tête sans se tordre dans un effort contre nature. Et cet effort déformant est dû à la position inconfortable et artificielle dans laquelle il se trouve, vis-à-vis de l'objet et du mouvement de cet objet.

Il suffirait de redresser l'enfant en le faisant reposer sur un plan légèrement incliné, pour qu'il puisse dominer l'environnement de la pièce ; mais mieux vaut encore le placer dans un jardin, où il peut suivre des yeux les douces ondulations des branches fleuries, la brillance des fleurs éparses autour de lui et les oiseaux qui sautillent et bondissent.

Il est souhaitable que, pendant un certain temps, ces lieux que l'enfant explore soient les mêmes, parce qu'à force de voir constamment les mêmes choses, l'enfant apprend à les reconnaître et à les retrouver à leurs places respectives, en faisant la distinction entre les mouvements des objets déplacés par l'air et ceux qui sont provoqués par des êtres humains.

8

L'ordre

Une des périodes sensibles les plus importantes et les plus mystérieuses est celle qui rend le jeune enfant sensible à l'ordre.

Cette manifestation se produit dès sa première année de vie et se prolonge durant la seconde.

L'ordre extérieur

Cela peut nous sembler merveilleux ou extravagant que les enfants aient une période sensible à l'égard de l'ordre extérieur, alors que nous sommes persuadés qu'ils sont désordonnés par nature.

Il est difficile de se rendre compte d'une attitude si délicate lorsque l'enfant vit dans une ambiance fermée comme celle de la maison de ville, pleine d'objets de toutes tailles, que l'adulte déplace et remue dans des buts tout à fait étrangers à l'enfant. Si celui-ci traverse une période sensible à l'ordre, il se sent alors cerné de grands obstacles et un état anormal risque par conséquent de se développer en lui.

Combien de fois voyons-nous un enfant pleurer désespérément, sans raison apparente, de façon capricieuse ?

Combien de fois observons-nous les tout petits enfants pleurer sans pouvoir être consolés ?

Il y a de profonds secrets dans l'âme du tout-petit, qui sont encore inconnus pour l'adulte qui est auprès de lui.

Mais il suffirait d'informer l'adulte de l'existence de ces besoins cachés, pour qu'il y prête la plus grande attention. Il pourrait alors repérer ces sentiments spécifiques de l'âme enfantine quand ils se manifestent.

Les jeunes enfants éprouvent un amour caractéristique pour l'ordre. Les enfants d'un an et demi à deux ans manifestent clairement ce qu'ils ont déjà montré plus tôt, bien que de façon moins visible : ils ont besoin d'ordre extérieur. Le petit enfant ne peut pas vivre dans le désordre ; cela le bouleverse et le fait souffrir, il manifeste sa souffrance avec des pleurs désespérés et parfois même avec une agitation persistante qui peut aller jusqu'à prendre la forme d'une maladie. Le petit enfant repère immédiatement le désordre que les adultes, et même les enfants plus âgés, ne remarquent pas, passant devant avec indifférence. L'ordre dans l'environnement externe touche évidemment une sensibilité qui disparaît avec l'âge ; c'est une de ces sensibilités temporaires, typiques des êtres en voie de développement, que nous appelons les périodes sensibles et c'est l'une des plus importantes et des plus mystérieuses.

Mais si l'environnement n'est pas préparé et si l'enfant est parmi les adultes, ces manifestations intéressantes qui se développent pacifiquement, peuvent prendre la forme d'une angoisse, d'une énigme ou d'un caprice.

Pour pouvoir repérer une manifestation positive de cette sensibilité chez les enfants, c'est-à-dire une expression d'enthousiasme et de joie liée à leur satisfaction profonde liée à l'ordre, il est nécessaire que les adultes qui l'entourent aient connaissance de ces études de psychologie infantile, et ce avec d'autant plus de raisons que la période sensible de l'ordre se manifeste précisément dans les premiers mois de la vie. Seules les nurses, spécialement préparées selon nos principes, peuvent nous fournir quelques exemples. Je citerai celui de l'une d'entre elles qui se souvient de la façon dont une fillette de cinq mois, qu'elle conduisait lentement en poussette dans les jardins de sa résidence, manifestait de l'intérêt et de la joie en voyant une pierre tombale en marbre blanc, encastrée dans un vieux mur gris. Bien que les avenues aient été pleines de belles fleurs, la fillette, dans sa promenade quotidienne, semblait très excitée à l'approche de cette pierre tombale. La nurse arrêtait alors la poussette chaque jour devant ce monument qui semblait si étrange, afin d'offrir un plaisir régulier à cette petite fille de cinq mois.

Parfois, ce sont les obstacles qui nous permettent de prendre conscience de l'existence d'une période sensible. La plupart des caprices précoces sont en effet dus à ces périodes sensibles. Je citerai quelques exemples tirés de la vie réelle. Voici une petite scène de famille dont le personnage principal est une toute petite fille de six mois environ. Un jour, dans la chambre du bébé, la pièce où cet enfant réside habituellement, une dame qui rendait visite entra et déposa son ombrelle sur la table. La jeune enfant se mit à s'agiter, non à cause de la dame, mais bien en raison de l'ombrelle qu'elle fixa longuement avant de se mettre à pleurer. La dame, interprétant ces larmes comme l'expression d'un souhait de saisir l'ombrelle, approcha l'objet de l'enfant en accompagnant ses gestes de sourires et de mimiques, comme ceux qu'on a l'habitude d'adresser aux enfants. Mais la petite repoussa l'objet et continua à pleurer. On fit d'autres tentatives mais l'enfant s'agitait toujours davantage.

Que faire?

On aurait pu l'interpréter comme un de ces caprices précoces qui se présentent dès la naissance. Mais la maman de la petite, qui avait quelques connaissances sur les manifestations psychiques dont nous parlons, retira l'ombrelle de la table et l'emporta dans la pièce voisine. L'enfant se calma immédiatement. La raison de son agitation était que l'ombrelle, posée sur la table, n'était pas à sa place et ce désordre perturbait violemment son champ visuel ordinaire et la position des objets dans l'ordre auquel l'enfant était habituée.

Voici un autre exemple. Il s'agit ici d'un enfant beaucoup plus âgé, d'un an et demi, et d'une scène à laquelle je pris une part active. Je me trouvais avec quelques personnes en promenade dans la Grotte de Néron, à Naples. Il y avait avec nous une jeune dame qui tenait son enfant par la main, mais il était trop petit pour pouvoir parcourir à pied ce passage souterrain qui traverse toute une colline.

En effet, après peu de temps, l'enfant s'arrêta et la dame le prit dans ses bras, mais elle n'avait pas mesuré ses propres forces, il faisait très chaud, et elle dut s'arrêter pour enlever son manteau qu'elle mit alors sur son bras. Ainsi chargée, elle reprit l'enfant dans ses bras. Celui-ci se mit aussitôt à pleurer et sa détresse ne cessait d'augmenter. La maman cherchait à le calmer, mais en vain ; elle était épuisée et commençait à perdre patience. Toute l'assemblée s'énervait aussi et finit par lui offrir de l'aide. L'enfant passait de bras en bras, toujours plus agité ; chacun l'exhortait, le grondait, ce qui empirait la situation. Il semblait nécessaire que la mère le reprît. L'événement pouvait dès lors être considéré comme un caprice inadmissible et la situation semblait vraiment désespérée.

Le guide intervint alors avec son énergie d'homme décidé, prenant l'enfant dans ses bras robustes. Le petit eut alors une réaction extrêmement violente. Comme je pensais que ce type de réaction résulte toujours d'une cause psychologique, je fis une tentative, m'approchant doucement de la mère en lui demandant : « Madame, me permettez-vous de vous aider à remettre votre manteau ? » Elle me regarda, surprise et confuse, parce qu'il faisait encore chaud, mais elle me laissa lui remettre son manteau. L'enfant se calma immédiatement. Les larmes et l'agitation cessèrent et il répéta plusieurs fois : « Maman, manteau… épaules… », ce qui voulait dire : « Oui, Maman, le manteau sur tes épaules ! » Il avait l'air de réfléchir en se disant : « On m'a enfin compris ! » Il embrassait sa maman avec tendresse et l'excursion se termina joyeusement dans la plus grande tranquillité. Le manteau a été conçu pour rester sur les épaules et non pas pour pendre la forme d'un chiffon incommode posé sur un bras. Ce désordre, sur la personne de sa maman, avait été la cause de tout le conflit intérieur de cet enfant.

J'ai assisté à une autre scène familiale très impressionnante. Une mère, qui ne se sentait pas très bien disposée, était assise, ou plutôt allongée, sur un fauteuil, sur lequel la nourrice avait disposé deux coussins. Et sa fille, qui venait d'avoir vingt mois, s'approcha d'elle en lui demandant « une histoire ». Quelle maman résisterait au grand désir de raconter quelque chose à son petit enfant ? Bien que ne se sentant pas très bien, la mère commença à raconter une histoire que la fille suivait avec la plus grande attention. Mais la mère se sentit tellement mal qu'elle ne put poursuivre le récit jusqu'à la fin : elle dut se lever et fut conduite sur un lit, situé dans la pièce voisine. La fille commença à pleurer en restant à côté du fauteuil. Il était évident pour tout le monde que l'enfant était effrayée par l'état de souffrance de sa mère, et on essaya de la rassurer ; mais quand l'infirmière voulut prendre les coussins du fauteuil pour les apporter dans la pièce voisine, la petite fille se mit à crier de plus belle : « Non, les coussins, non ! », comme pour exprimer : « Il faudrait au moins que quelque chose reste en place ! »

La petite fille fut accompagnée auprès du lit de sa mère. À force de caresses et de mots mielleux, la mère, malgré ses souffrances, s'efforçait de continuer l'histoire, pensant satisfaire la curiosité de sa fille. Mais celle-ci sanglotait et répétait continuellement, le visage inondé de larmes : « Maman, fauteuil. » C'est-à-dire que sa mère devait continuer le récit dans le fauteuil.

L'histoire ne l'intéressait plus. Les circonstances avaient provoqué un événement : la mère et les coussins avaient changé de place ; la relation merveilleuse, commencée dans une pièce, se terminait dans une autre ; le conflit développé dans l'âme de la petite fille était dramatique et irréparable.

Ces exemples indiquent l'intensité de cet instinct, surprenant par son extrême précocité, parce que chez l'enfant de deux ans, le besoin d'ordre retrouve déjà une forme plus calme, alors que commence la période active et tranquille de ses applications. C'est précisément un des phénomènes les plus intéressants que l'on observe dans nos écoles. Quand un objet n'est pas à sa place, ce sont les enfants de deux ans qui s'en aperçoivent et qui le remettent à sa place. Ils se rendent tout de suite compte de petits détails concernant le désordre, alors qu'ils passent inaperçus pour les adultes et les enfants plus grands. Si, par exemple, un savon reste sur le lavabo plutôt que dans le porte-savon, si une chaise n'est pas bien placée, l'enfant de deux ans s'en aperçoit immédiatement et se précipite pour corriger ce désordre. Tout le public a pu observer de tels phénomènes dans notre classe de verre, construite à l'intérieur du hall principal du bâtiment central de l'Exposition de San Francisco, l'année de l'inauguration du Canal de Panama[1]. Un garçon de deux ans, après la classe, prenait soin de bien remettre toutes les chaises en place, en les alignant le long du mur. Il semblait qu'il réfléchissait en travaillant. Un jour, appuyé à une grande chaise, il parut indécis, s'éloigna et prit du recul avant de repositionner légèrement cette chaise qu'il voulait placer de la bonne manière, sachant que les chaises qui étaient un peu plus grandes étaient différemment positionnées.

Il semble que la vue du désordre représente un stimulant qui émeut, un appel à l'activité, mais en réalité, c'est encore plus que cela : c'est un besoin qui correspond à une véritable joie dans la vie. En effet, on remarque dans nos écoles que des enfants bien plus âgés, de trois et quatre ans, après avoir fini un exercice, remettent spontanément les choses en place, travail qu'ils effectuent d'eux-mêmes avec beaucoup de plaisir. L'ordre des choses, c'est connaître la place de chacune d'elles dans l'environnement, c'est se rappeler l'endroit où chaque objet se trouve. Cela représente la capacité de s'orienter dans l'environnement, en le maîtrisant dans tous ses détails. L'environnement qui appartient à l'âme, c'est celui que l'on reconnaît, celui dans lequel on peut se déplacer les yeux fermés, avec la certitude de pouvoir trouver en tâtonnant tout ce que l'on y cherche. Un tel lieu est nécessaire à la tranquillité et à la paix de l'existence. Évidemment, l'amour de l'ordre que ressentent les enfants n'est pas tel que nous l'entendons au sens propre du terme.

Pour l'adulte, il s'agit d'un plaisir extérieur, un bien-être plus ou moins indifférent. Mais l'enfant se forme en relation avec l'environnement et cette formation constructive ne se fait pas de façon vague, car elle a besoin d'un guide précis et déterminé.

L'ordre pour les enfants est comme le plan de soutien sur lequel les êtres terrestres doivent s'appuyer pour marcher, c'est l'équivalent de l'eau pour que les poissons puissent nager. Au cours du premier âge, les petits enfants prennent les éléments d'orientation dans

---

1. Lors de l'Exposition universelle de San Francisco, la Panama Pacific International Exhibition, en 1915, une classe avec des murs de verre fut mise en place pendant trois mois, sous la direction de Helen Parkhurst, de façon à ce que les visiteurs puissent observer comment cela se passe dans une école Montessori (N.D.T.).

l'environnement dans lequel l'esprit doit procéder pour ses futures conquêtes.

Que tout cela se traduise par un plaisir vital est prouvé par certains jeux des tout petits enfants, qui nous surprennent par leur manque de logique, et qui n'ont de raison d'être que le pur plaisir qu'ils ont de toujours retrouver les objets à leur place. Avant de les illustrer, je veux citer une expérience que le professeur Piaget, de Genève, a réalisée avec son fils.

Il cachait un objet sous le coussin d'un fauteuil, puis il éloignait l'enfant avant de déplacer l'objet en question sous le coussin du fauteuil d'en face. Son hypothèse était que l'enfant, ne trouvant plus l'objet à sa place, le chercherait ailleurs ; pour faciliter la recherche de l'enfant, il plaçait l'objet à un endroit analogue. Mais l'enfant se contentait de chercher sous le premier coussin, en disant dans son langage : « Y a plus », sans faire le moindre effort pour rechercher l'objet disparu. Alors le professeur répétait l'expérience en faisant voir à l'enfant qu'il transportait l'objet d'un fauteuil à l'autre ; mais l'enfant répétait la même scène que la première fois et répétait : « Y a plus. » Le professeur était sur le point d'en déduire que son fils n'était pas intelligent et il lui dit en soulevant le coussin du deuxième fauteuil, d'un ton presque irrité : « Tu ne t'étais donc pas aperçu que je l'avais mis ici ? – Si, mais c'est là qu'il doit être », répondit le petit en montrant le premier fauteuil.

L'enfant ne considérait pas l'action de chercher l'objet, cela ne l'intéressait pas, son intérêt résidait dans le fait que l'objet réintègre sa place. Et il pensait certainement que le professeur ne comprenait pas le jeu. Ne s'agissait-il pas de transporter un objet et de le remettre à sa place ? Et la cachette dont son père parlait, n'était-elle pas destinée à cacher des objets sous le coussin ? Mais si l'objet disparu ne revenait pas à sa place, c'est-à-dire sous le premier coussin, quel pouvait bien être le but de ce jeu ?

J'ai éprouvé la plus grande stupéfaction quand j'ai commencé à prendre part à des jeux de cache-cache avec des enfants tout petits (de deux à trois ans). Ils semblaient enchantés de ce jeu, heureux et frémissants d'attente, mais leur jeu de cache-cache consistait en ceci : un enfant se nichait, en présence des autres, sous une table recouverte d'une étoffe ; puis les autres enfants sortaient de la pièce et quand ils y revenaient, ils soulevaient l'étoffe et, avec des cris de joie ineffables, découvraient leur camarade caché là. La scène se répétait plusieurs fois et chacun disait à son tour : « Maintenant, c'est moi qui vais me cacher. » Et il allait se mettre sous la table. En d'autres occasions, je vis de plus grands enfants qui jouaient à cache-cache avec un petit ; celui-ci se cachait derrière un meuble et les plus grands feignaient, en rentrant dans la pièce, de ne pas le voir et de le chercher partout en pensant faire plaisir au petit. Mais celui-ci criait aussitôt : « Je suis ici ! » avec un ton qui signifiait : « Mais vous n'aviez donc pas vu où j'étais ? »

Un jour, je pris moi-même part à un de ces jeux ; je trouvai un groupe d'enfants qui criaient et battaient des mains joyeusement parce qu'ils avaient trouvé leur camarade caché derrière une porte. Ils vinrent à moi en me disant : « Joue avec nous, cache-toi. » J'acceptai l'invitation. Ils s'évadèrent tous à l'extérieur, comme pour s'éloigner afin de ne pas voir où le camarade se cachait. Moi, au lieu de me mettre derrière la porte, je me mis dans un coin, à côté d'une armoire. Quand les petits rentrèrent, ils allèrent tous ensemble me chercher derrière la porte. J'attendis un instant puis, constatant qu'ils ne me cherchaient pas, je sortis de ma cachette. Les enfants semblaient tristes et déconcertés, ils me dirent : « Pourquoi n'as-tu pas voulu jouer avec nous ? Pourquoi ne t'es-tu pas cachée ? »

S'il est vrai qu'on cherche son plaisir dans le jeu (et, en effet, les enfants étaient joyeux en répétant leur exercice qui semblait vain), il faut reconnaître que la satisfaction que les enfants d'un certain âge ressentent réside dans le fait de retrouver les choses à leur place. Et ils interprètent le jeu de cache-cache comme un prétexte pour placer des objets dans des endroits cachés ou pour les retrouver dans des endroits où ils sont invisibles, en se disant intérieurement : « On ne le voit pas d'ici, mais moi je sais où il est et je pourrais le trouver les yeux fermés, parce que je sais parfaitement à quel endroit il a été placé. »

Tout cela prouve que la nature a mis chez l'enfant cette sensibilité à l'ordre pour qu'il se construise un sens intérieur qui n'est pas destiné à établir la distinction entre les choses, mais les relations entre elles. Et c'est pour cela qu'il les relie à l'environnement, formant un ensemble où toutes les parties dépendent les unes des autres. C'est dans une telle ambiance, connue dans son ensemble, qu'il est possible de s'orienter pour atteindre certains buts. Sans de telles acquisitions, c'est le fondement même de la vie de relation qui manquerait. Cela équivaudrait à posséder une magnifique collection de meubles sans avoir une maison pour les disposer avec soin. À quoi servirait l'accumulation des images extérieures s'il n'existait pas l'ordre pour les organiser ? Si l'homme avait uniquement connaissance des objets et pas de leurs rapports entre eux, il se trouverait dans un chaos sans issue. C'est l'enfant qui dote l'esprit de l'homme de cette faculté, qui pourrait être assimilée à un don de la nature : celui de pouvoir s'orienter et se diriger pour tracer sa voie dans l'existence. Pendant la période sensible de l'ordre, la nature donne la première leçon, de la même façon que le maître présente à l'enfant le plan de la classe, pour l'initier à l'étude de la carte géographique qui représente la surface de la terre. Ou bien on peut encore dire que la nature a confié une boussole à l'homme, en la personne de l'enfant, pour s'orienter dans le monde. De la même manière qu'elle a donné au petit enfant la possibilité de reproduire exactement les sons qui composent le langage, dont le développement est infini et que l'adulte poursuivra au fil des siècles. L'intelligence de l'homme n'émerge pas du néant : elle s'édifie sur les fondations élaborées par l'enfant pendant ses périodes sensibles.

L'ordre intérieur

Chez l'enfant, la sensibilité à l'ordre se manifeste simultanément sous deux formes : à la fois extérieurement, en lien avec les rapports entre l'enfant et l'environnement, et intérieurement, lui faisant prendre conscience des différentes parties de son propre corps, de leurs mouvements et de leur position. C'est ce que l'on pourrait appeler l'« orientation intérieure ».

L'orientation intérieure a été étudiée par la psychologie expérimentale ; celle-ci a reconnu l'existence d'un sens musculaire qui permet à l'individu de se rendre compte des différentes positions des membres de son corps et que régit une mémoire spéciale : la mémoire musculaire.

Une telle explication établit une théorie purement mécanique, fondée sur l'expérience des mouvements accomplis consciemment. Par exemple : l'individu bouge un bras pour prendre un objet ; ce mouvement est enregistré par la mémoire et peut dès lors se reproduire. L'homme aurait donc la faculté de décider de bouger son bras droit ou son bras gauche ; de se tourner d'un côté ou de l'autre, grâce à l'expérience qui le fait agir successivement selon la raison et la volonté.

Or l'enfant a manifesté l'existence de périodes sensibles très développées, en rapport avec les différentes positions du corps, bien avant qu'il ne puisse se mouvoir librement et, par conséquent, faire des expériences sur lui-même. C'est-à-dire que la nature prépare une sensibilité spéciale aux attitudes et aux positions du corps.

Les vieilles théories se référaient aux mécanismes nerveux ; les périodes sensibles s'appuient sur des faits psychiques ; elles sont comme des éclairs, des vibrations spirituelles qui préparent la conscience : ce sont des énergies qui émergent du néant, pour donner naissance aux éléments fondamentaux qui serviront à la construction future de la vie psychique. C'est donc grâce à un don de la nature que débute cette élaboration ; les expériences conscientes développent ce don. Les expériences négatives qui dénoncent non seulement l'existence, mais aussi l'acuité de cette période sensible, se font lorsque des circonstances surviennent dans l'environnement, qui entravent le développement normal et paisible des conquêtes créatrices. Une agitation souvent violente s'installe alors chez l'enfant, qui ne prend pas toujours la forme bien connue de l'inconsolable caprice, mais qui peut présenter l'apparence d'une maladie qui résiste à tous les traitements, tant que les circonstances défavorables persistent.

Une fois l'obstacle vaincu ou dissipé, le caprice et la maladie disparaissent immédiatement. Cela indique clairement la cause du phénomène.

Un exemple intéressant a été relaté par une nurse anglaise : alors qu'elle devait quitter quelque temps la famille dont l'enfant était confié à ses soins, elle se fit remplacer par une nurse tout aussi expérimentée. Celle-ci réalisait facilement sa tâche auprès de l'enfant, sauf quand il s'agissait de lui donner son bain. L'enfant s'agitait et se désespérait alors : il ne se contentait pas de pleurer, il se défendait avec des mouvements désespérés et violents en cherchant à s'échapper des mains de la nurse. Celle-ci apportait chaque jour des soins plus minutieux pour parfaire la préparation du bain, mais en vain ; et peu à peu, l'enfant prenait la pauvre nurse en aversion. Quand la première nurse revint, le petit redevint calme et gentil et se laissa baigner en manifestant une satisfaction évidente.

La nurse avait été formée dans nos écoles et c'est proba-blement pour cette raison qu'elle chercha les causes psychiques de cet événement. Elle voulait déchiffrer l'énigme infantile liée au phénomène que nous venons de décrire. C'est avec une grande patience qu'elle chercha à comprendre et à interpréter les mots que ce tout petit enfant prononçait comme il pouvait.

Elle en arriva à cette conclusion : le petit avait trouvé la seconde nurse méchante. Mais pourquoi ? Parce qu'elle lui donnait le bain à l'envers ! Les deux nurses comprirent en effet que, tandis que la première portait la tête de l'enfant de la main droite et ses pieds de la main gauche, la seconde nurse avait l'habitude de faire le contraire.

Un autre exemple montre une agitation plus grave, puisqu'elle prit même la forme d'une maladie, tandis que les causes étaient moins faciles à repérer. Je m'y trouvai mêlée, quoique je ne sois pas intervenue directement en tant que médecin, mais je pus assister à tout le processus. L'enfant en question n'avait pas dix-huit mois. Sa famille arrivait d'un long périple et l'enfant était vraiment trop petit pour en avoir supporté les fatigues. Telle était tout du moins l'opinion générale. Les parents racontaient pourtant qu'il ne s'était produit aucun incident pendant le voyage. Ils avaient logé chaque nuit dans d'excellents hôtels réservés à l'avance, de telle sorte qu'un berceau confortable et la nourriture adéquate avaient toujours été spécialement préparés pour l'enfant. Ils se trouvaient à présent dans un bel appartement parfaitement meublé ; il n'y avait pas de berceau pour le bébé, et l'enfant dormait dans un grand lit avec sa maman.

La maladie de l'enfant avait commencé par une agitation nocturne et des troubles digestifs. La nuit, il fallait promener le petit dont on attribuait les cris et les douleurs à des maux digestifs. On avait consulté plusieurs médecins et l'un d'entre eux avait prescrit des aliments modernes à base de vitamines, qui étaient préparés avec le plus grand soin. Les bains de soleil, les promenades et les traitements physiques les plus perfectionnés n'avaient apporté aucun soulagement à l'enfant. Son état empirait et les nuits étaient passées à veiller, ce qui épuisait toute la famille. L'enfant finit par avoir de violentes convulsions, s'agitant énergiquement dans le lit avec des spasmes impressionnants. Ces accès se mirent à se manifester jusqu'à deux ou trois fois par jour. L'enfant était trop petit pour pouvoir s'exprimer avec des mots et il lui manquait donc le recours le plus puissant pour endiguer sa maladie. Sa famille décida de consulter le médecin le plus réputé pour les maladies nerveuses d'enfants et un rendez-vous fut pris. Ce fut en cette circonstance que je pus intervenir. L'enfant semblait sain et, d'après le récit des parents, il avait été bien portant et tranquille pendant tout le voyage. Il devait donc y avoir une cause psychique à ces phénomènes, une énigme enfantine. Pendant que je me faisais cette réflexion, l'enfant était sur le lit, en proie à un de ces accès d'agitation violente. Je pris deux fauteuils et les mis l'un en face de l'autre de façon à former une espèce de petit lit entouré de dossiers, ressemblant à un berceau. Je disposai dedans des draps et des couvertures et je mis l'ensemble à côté du lit. L'enfant regarda, surpris, et cessa de crier ; il roula sur lui-même jusqu'au bord du lit pour se laisser choir dans ce berceau improvisé en disant : « Lit ! Lit ! », puis il s'endormit tranquillement. Ses troubles pathologiques ne se reproduisirent jamais.

L'enfant était évidemment sensible au fait d'avoir un petit lit entourant son corps, et contre les parois duquel ses membres trouvaient un contact et un appui contenant tandis que le grand lit ne lui offrait aucune protection. Cela avait déclenché en lui une désorientation interne, à l'origine de ce terrible conflit, qui l'avait fait passer entre les mains de tant de médecins. Les périodes sensibles sont si puissantes ! Elles expriment la force irradiante de la nature créatrice.

L'enfant ne ressent pas l'ordre comme nous le sentons, nous, en tant qu'adultes. Nous sommes déjà riches d'impressions et nous sommes de ce fait devenus indifférents à l'ordre; mais l'enfant arrive du néant et se trouve pauvre en impressions. Tout ce qu'il fait, il le fait à partir de rien. Il est seul à ressentir les fatigues de la création, nous sommes ses héritiers. Nous sommes comme les fils d'un homme qui accumule des richesses à la sueur de son front, et nous ne comprenons rien aux luttes et aux fatigues qu'a dû souffrir notre père[2]. Nous sommes ingrats et indifférents, avec des attitudes de supériorité parce que nous sommes bien installés et reconnus en société. Il nous suffit désormais d'user de la raison que l'enfant nous a préparée, de la volonté qu'il nous a construite, des muscles qu'il a animés pour que nous puissions les utiliser. Et nous pouvons nous orienter dans le monde parce qu'il nous a fait don de cette faculté précieuse; si nous sommes conscients de nous-mêmes, c'est parce qu'il nous a préparé cette sensibilité. Nous sommes riches parce que nous sommes les héritiers de l'enfant, lui qui a su extraire de rien tous les éléments fondamentaux de notre vie. L'enfant accomplit l'immense effort de faire le premier pas: celui qui va du néant aux origines. Il est si près des sources de la vie, qu'il agit pour agir, exécutant ainsi le plan de la création, plan dont nous n'avons ni souvenir ni sensation.

---

2. Notre père: l'enfant que nous avons été (N. d. T.).

9

L'intelligence

L'enfant nous a démontré que l'intelligence ne se construisait pas lentement, de l'extérieur, comme le supposait la psychologie mécanique, psychologie qui, en pratique, influence encore l'éducation et par conséquent le traitement que l'on réserve encore à l'enfant. D'après cette conception, les objets extérieurs heurtent et forcent, pour ainsi dire, la porte des sens, en l'ouvrant grâce à une transmission qui procède de l'extérieur. Ces objets s'insinuent dans le champ psychique, en s'associant les uns aux autres et en s'organisant progressivement, ce qui contribue à la construction de l'intelligence.

L'ancien adage « *Nihil est in intellectu quod non fuerit in sensu* (Il n'est rien dans l'intelligence qui n'ait été perçu par les sens) » résume cet ensemble de phénomènes. Il indique que l'enfant est passif sur le plan psychique, à la merci de l'environnement dans lequel il se trouve et, par conséquent, sous la complète direction de l'adulte.

À cela s'ajoute l'autre postulat répandu selon lequel l'enfant est en outre comparable à un contenant vide qui doit être façonné et rempli.

Notre expérience ne minimise certainement pas l'importance de l'environnement dans la construction de l'esprit. Il est connu que notre pédagogie accorde à l'environnement une si grande importance qu'elle en fait même la base centrale de toute la construction pédagogique. Il faut aussi souligner que nous considérons les sensations d'une façon plus fondamentale et systématique que toutes les autres méthodes d'éducation. Il y a pourtant une différence essentielle entre le vieux concept de l'enfant passif et la réalité : c'est l'existence de la sensibilité intérieure de l'enfant. Il y a une période sensible très prolongée qui dure presque jusqu'à l'âge de cinq ans et qui rend l'enfant capable de s'approprier les images de son environnement d'une façon vraiment prodigieuse. L'enfant est un observateur qui enregistre activement les images au moyen de ses sens, ce qui est autre chose que de les recevoir comme le ferait un miroir. On peut remarquer qu'il le fait grâce à une impulsion intérieure, à un sentiment spécial, et qu'il choisit par conséquent les images. Cette constatation est amplifiée par James quand il affirme que personne ne voit jamais un objet dans son intégralité, avec tous ses détails, mais que chaque individu n'en voit rien qu'une partie, en fonction de ses propres sentiments et intérêts. C'est pour cela qu'un même objet peut être décrit de manière très différente par diverses personnes qui l'auraient observé. Ses exemples étaient excellents, il disait notamment : « Si vous convoitez une robe neuve qui vous plaît beaucoup, vous vous surprenez à observer dans la rue les robes des personnes élégantes avec une attention toute particulière, au point de courir le danger d'être renversé par une voiture. »

On pourrait se demander quelles peuvent être les préoccupations qui incitent le jeune enfant à choisir parmi la multitude infinie d'images qu'il trouve autour de lui. Il est évident que l'enfant ne peut pas encore avoir cette préoccupation d'origine extérieure, citée par James, parce qu'il n'a pas encore d'expérience. L'enfant part de rien et devient précisément l'être actif qui doit avancer tout seul. La base autour de laquelle agissent intérieurement les périodes sensibles, c'est la raison. Les raisonnements germent peu à peu comme quelque chose de vivant qui croît et qui se concentre, grâce aux images prises dans l'environnement.

C'est une force irrésistible, une énergie primordiale. Les images s'organisent aussitôt au service des raisonnements, et c'est au départ dans ce but que l'enfant absorbe les images. Il en est avide, et même insatiable. On constate depuis toujours que l'enfant a une attirance irrésistible pour la lumière, les couleurs vives et les sons ; il en jouit avec une vivacité flagrante. Mais ce que nous voulons montrer, c'est le phénomène intérieur, à savoir son raisonnement en état de germination. Il n'est pas nécessaire de rappeler que les conditions psychiques de l'enfant sont dignes de respect et méritent notre soutien. À l'origine, l'enfant part du néant, pour créer ce qui caractérise la supériorité de l'homme, c'est-à-dire la raison. C'est sur cette voie qu'il avance, bien avant que ses petits pieds ne soient capables de marcher sur le chemin où il mènera son corps.

Un exemple éclaire mieux qu'une discussion et c'est à cet effet que je vais raconter un cas impressionnant.

Il s'agit de celui d'un enfant âgé de quatre semaines, qui n'était encore jamais sorti de chez lui depuis sa naissance. La nurse le tenait dans ses bras lorsque se présentèrent à lui, simultanément, son père et son oncle qui vivaient dans la même maison. Les deux hommes avaient à peu près la même stature et le même âge. En les voyant côte à côte, le petit eut un mouvement de surprise et presque d'épouvante. Les deux hommes, qui avaient des notions de notre psychologie, cherchèrent alors à aider l'enfant pour lui éviter de s'inquiéter. Ils restèrent devant lui, mais en se séparant, l'un allant vers la droite, l'autre vers la gauche, tout en restant dans son champ de vision. Le petit enfant se tourna pour regarder l'un des deux avec une préoccupation évidente puis, après l'avoir fixé, lui sourit.

Mais, soudainement, d'un mouvement rapide, il redressa la tête et son regard prit une expression plus que préoccupée, voire épouvantée, tout en cherchant l'autre des yeux, avant de le regarder longuement à son tour. Ce n'est qu'après un long moment qu'il se mit à lui sourire.

Il répéta plusieurs fois cette alternance d'expressions inquiètes et souriantes, puis, après une vingtaine de mouvements de tête de gauche à droite, son jeune cerveau perça enfin ce mystère pour la première fois, en comprenant qu'il s'agissait de deux hommes différents. C'étaient les deux seuls hommes qu'il n'avait jamais vus jusqu'alors ; chacun d'eux lui avait souvent fait des câlins, l'avait pris dans ses bras, lui avait adressé des paroles affectueuses et il avait bien compris que c'était un être différent de toutes les femmes de la maison ; il avait compris qu'il y avait au monde un être différent de sa maman, de sa nurse et du groupe féminin qu'il avait l'occasion d'observer à la maison, mais, n'ayant jamais vu les deux hommes en même temps, il s'était fait l'idée qu'il n'existait qu'un seul homme.

D'où sa stupeur en voyant que cet homme, qu'il avait catalogué au prix de grands efforts, se dédoublait.

Il venait de découvrir sa première erreur. Pour la première fois, à quatre semaines, la défaillance de la raison humaine s'était présentée à son esprit qui était en train de lutter, engagé dans le processus de l'incarnation.

Dans un autre contexte où les adultes n'auraient eu aucune notion du fait que la vie psychique de l'enfant commence dès la naissance, l'incident serait peut-être passé inaperçu. Et l'enfant n'aurait pas trouvé précieuse l'aide que les deux hommes lui donnèrent en lui facilitant la tâche, lui permettant de faire l'effort de la prise de conscience.

Voici des exemples concernant des enfants plus âgés : une petite fille de sept mois, assise par terre sur un tapis, jouait avec un coussin sur lequel des fleurs et des enfants étaient imprimés dans des couleurs vives. La petite fille, avec un enthousiasme exubérant, sentait les fleurs et embrassait les images d'enfants. Une femme ignorante, à qui l'enfant était confiée, interpréta ces gestes en pensant que l'enfant s'amusait à sentir et à embrasser toute sorte de choses. Aussi s'empressa-t-elle de lui donner différents objets en lui disant : « Sens celui-ci, embrasse celui-là » ; et ainsi, cet esprit embryonnaire qui était en train de s'organiser, qui reconnaissait les images, accomplissant dans la joie et la tranquillité un travail de construction intérieure, se retrouva confus. Son effort mystérieux vers l'ordre intérieur venait de recevoir un coup acéré de la part d'un adulte irréfléchi. C'était comme une vague marine détruisant les châteaux de sable et les dessins tracés sur le sol d'une plage.

Les adultes peuvent freiner ce travail intérieur, et même l'entraver, quand ils interrompent brusquement les réflexions des petits enfants, sans chercher à comprendre leur expression. Ils le font parfois en cherchant un moyen de les distraire, ou lorsqu'ils prennent la main d'un enfant et l'embrassent pour le divertir ou essayer de l'aider à s'endormir, sans tenir compte du travail psychique qui est en train de se développer en lui. L'adulte, inconscient de cette œuvre mystérieuse, peut agir en brisant le désir premier de l'esprit de l'enfant.

Il est vraiment nécessaire que l'enfant puisse conserver avec clairvoyance les images qu'il capture, car c'est grâce à la clarté et à l'éclat d'impressions distinctes les unes des autres que l'enfant peut former son intelligence.

L'une des expériences les plus intéressantes a été menée par un éminent spécialiste de l'alimentation artificielle des enfants de moins d'un an. Il avait fondé une clinique très importante et ses études avaient révélé que, en plus de la nourriture, le facteur individuel devait être pris en compte; il ne pouvait pas recommander un substitut au lait maternel parmi tant d'autres, comme étant l'aliment excellent pour les enfants, puisque, jusqu'à un certain âge, un aliment peut être bon pour un enfant et mauvais pour un autre. Sa clinique était l'exemple le plus parfait en son genre, autant sur les plans scientifique qu'esthétique. Les effets de ces aliments artificiels sur la santé des petits étaient merveilleux jusqu'à l'âge de six mois, mais à partir de là, les petits commençaient à tomber malades. C'était un vrai mystère, car l'alimentation artificielle est encore plus facile à partir de ce moment-là. Dans la même clinique, le professeur avait installé un dispensaire pour les mères défavorisées qui ne pouvaient pas allaiter leurs enfants et qui devaient par conséquent avoir recours à des aliments artificiels, tout en bénéficiant des conseils dispensées par la clinique. Eh bien, ces enfants ne tombaient pas malades après six mois, contrairement aux enfants internés. Après de nombreuses observations, le professeur se rendit compte que certains éléments psychiques devaient influencer ce phénomène inexplicable; et à peine cette réflexion lancée, il put vérifier que les enfants de plus de six mois souffraient dans sa clinique «d'ennui et de manque de nourriture psychique». Il commença dès lors à les divertir, à égayer leurs vies, les faisant marcher, non seulement sur la terrasse de la clinique, mais dans des endroits divers et variés, et ils retrouvèrent tous la santé qu'ils avaient perdue.

Un grand nombre d'expériences ont été menées et il en résulte une certitude absolue: les enfants recueillent dès la première année de vie les impressions sensorielles de leur environnement avec tant de clarté, qu'ils reconnaissent déjà des images représentées sur des figures, sur une surface plane et en perspective. On peut, de plus, affirmer que de telles impressions, une fois enregistrées, ne présentent plus pour eux un intérêt vif et immédiat.

Dès le début de sa seconde année d'existence, l'enfant n'est déjà plus attiré avec la même fascination irrésistible propre aux périodes sensibles par les objets voyants et de couleurs clinquantes ; mais il montre en revanche une préférence pour les toutes petites choses, qui pour nous passent inaperçus. On dirait que ce qui l'intéresse, c'est l'invisible : ce qui se trouve aux confins de la conscience.

J'ai pu constater cette sensibilité pour la première fois chez une petite fille de quinze mois. J'entendais venir du jardin des éclats de rire gais et joyeux, inhabituels pour de tout jeunes enfants. Elle était sortie toute seule et s'était assise sur les briques de la terrasse. Tout près d'elle, il y avait un massif de géraniums en fleurs, sous un soleil quasi tropical. Mais l'enfant ne le regardait même pas. Elle avait le regard tourné vers le sol, où il n'y avait rien. Il s'agissait sûrement d'une de ces énigmes enfantines. Je m'approchai tranquillement et regardai sans rien percevoir. Alors, la jeune enfant m'expliqua avec des mots chargés d'émotion : « Il y a là une toute petite chose qui bouge. » En effet, suivant cette indication, je vis un insecte presque imperceptible et microscopique, de la même couleur que celle de la brique, qui courait avec une grande agilité. Ce qui avait tant impressionné l'enfant, c'était qu'un être si petit puisse exister, qu'il puisse bouger et courir si vite. Sa merveilleuse surprise lui procurait une joie exubérante, bien plus grande que celles qu'éprouvent généralement les enfants : « elle riait avec un éclat de rire d'adulte » et cette joie n'était nullement provoquée par le soleil, la luminosité, les fleurs, ni les couleurs.

J'eus une impression identique auprès d'un enfant à peu près du même âge : la maman avait accumulé pour lui une véritable collection de cartes illustrées en couleurs. L'enfant semblait très motivé par le fait de me les montrer et m'apporta le volumineux paquet de cartes. « Auto », me dit-il à sa façon, en un mot monosyllabique, grâce auquel je compris pourtant qu'il s'agissait de me montrer l'image d'une automobile. Cette splendide collection comportait une grande variété de belles images avec lesquelles la maman avait l'intention d'instruire et de distraire son jeune enfant. Elle comportait de magnifiques images d'animaux tropicaux : des girafes, des lions, des ours, des singes, des oiseaux et des animaux domestiques susceptibles d'intéresser un petit enfant : des moutons, des chats, des ânes, des chevaux, des vaches, ainsi que de petites scènes et des paysages où se trouvaient à la fois des animaux, des maisons et des personnages. Mais le plus curieux était que dans cette riche collection, il n'y avait pas la moindre automobile. « Je ne vois aucune automobile », dis-je à l'enfant. Alors, il chercha une carte qu'il me remit triomphalement : « La voilà... » Il s'agissait d'une scène de chasse qui représentait, au centre, un très beau chien braque. Plus loin, en perspective, on voyait le chasseur avec le fusil sur l'épaule ; dans un coin, au loin, une maison au bord d'une ligne sinueuse qui devait sans doute représenter une route et, à l'extrémité de cette ligne, un point sombre. L'enfant m'indiqua du doigt ce petit point, en disant : « Automobile. » En effet, dans des dimensions presque invisibles, on pouvait reconnaître que ce point représentait une voiture. C'était donc la difficulté de la voir, et le fait qu'une machine puisse être représentée en de si petites proportions, qui rendaient l'image si intéressante pour l'enfant, digne d'être montrée et partagée.

Je pensai que cette grande variété d'images n'avait pas servi à apporter la moindre connaissance à l'enfant. Je choisis une image qui représentait le long cou et la tête d'une girafe et je commençai à lui expliquer : « Regarde, le cou est si long, si curieux... » « Girafe », répondit sérieusement l'enfant. Et je n'eus pas le courage de continuer.

On dirait qu'il existe vers l'âge de deux ans une période pendant laquelle la nature fait faire à l'intelligence des progrès successifs, afin que l'enfant acquière des connaissances complètes sur toutes choses.

Je vais donner quelques exemples tirés de ma propre expérience. Une fois, j'ai eu envie de montrer à un petit garçon d'environ vingt mois un beau livre illustré, un livre pour adultes. C'était *L'Évangile* illustré par Gustave Doré, qui avait choisi de reproduire des peintures classiques, comme *La Transfiguration* de Raphaël.

Je choisis l'image de Jésus qui appelle les enfants et je commençai à expliquer :

« Il y a un enfant dans les bras de Jésus, d'autres petits appuient leur tête contre son corps, tous l'entourent et lui les aime... »

Le visage de l'enfant ne manifestait pas le moindre intérêt ; d'un air indifférent, je tournai la page à la recherche d'autres illustrations, lorsque l'enfant me dit brusquement : « Dort. »

Je compris alors l'expression de l'énigme enfantine.

Qui dort ?

« Jésus, répondit énergiquement l'enfant en faisant le geste de rechercher la page de cette illustration, Jésus dort. »

Sur l'image, Jésus était debout, regardant l'enfant qui était à ses pieds, et pour cette raison, il avait les paupières baissées, ses yeux avaient donc l'air endormi. L'attention de l'enfant s'était concentrée sur cet aspect, qu'aucun adulte n'avait remarqué.

Je continuais avec l'explication de la gravure de la *Transfiguration du Christ* de Raphaël, en disant : « Regarde, Jésus se lève sur la Terre et les gens prennent peur ; regarde comme cet enfant lui adresse un regard suppliant, comme cette femme lui tend les bras... » Je commençais à comprendre que mes explications n'étaient pas adaptées à la mentalité de cet enfant et que l'illustration n'était pas bien choisie. Mais cela m'intéressait de provoquer une réponse énigmatique et de comparer ce que voient un enfant et un adulte en regardant une composition allégorique aussi complexe. Mais alors, une sorte de grognement sortit de sa bouche, comme pour dire : « Eh bien, passons », je n'observais aucune expression d'intérêt chez l'enfant. Et, alors que je me mis à feuilleter des pages, l'enfant joua avec une petite médaille suspendue à son cou, qui représentait un lapin, puis il prononça finalement le mot « lapin ». « Il se sera distrait avec sa médaille », pensai-je, lorsque le garçon intervint soudainement avec une grande énergie pour tourner les pages jusqu'à ce qu'il retrouve la même gravure. En effet, dans la figure de la Transfiguration, il y a un petit lapin sur le côté. Qui donc l'aurait repéré ?

Les enfants et les adultes ont bien évidemment des personnalités très différentes d'un point de vue psychique, il ne s'agit pas d'une personnalité en évolution allant progressivement d'un minimum vers un maximum.

Quand les maîtres, dans les écoles maternelles ou dans les premières classes élémentaires, essayent d'expliquer ce qu'est un objet commun aux enfants de trois ou quatre ans, comme s'ils n'avaient jamais rien vu et venaient d'arriver au monde, les enfants doivent se sentir comme une personne qui entend parfaitement et qu'on prendrait pour une sourde. Les gens crient et répètent les mêmes mots que ceux qui ont déjà été entendus, et la personne, au lieu de répondre, finit par protester : « Mais je ne suis pas sourd ! »

L'adulte a cru que les enfants étaient uniquement sensibles aux objets voyants, aux couleurs vives, aux bruits forts, etc. Certains pensent que ceux-ci constituent des *stimuli* puissants pour l'attention ; nous avons tous vu des enfants attirés par les gens qui chantent, les cloches qui sonnent, les drapeaux et les bannières qui se déploient au vent ou les lumières vives. Mais ces attractions fortes, venant de l'extérieur, sont épisodiques : elles détournent l'attention, attirent extérieurement avec force, dispersent leurs *stimuli* sensoriels. Bien que la comparaison ne soit pas exacte, lorsque nous lisons un livre intéressant et que, soudain, une musique forte se fait entendre sous notre balcon, nous nous levons et courons nous pencher, motivés par la curiosité. Si quelqu'un observait un adulte en train de lire en silence, profondément concentré sur sa lecture, et qu'il le voyait ainsi se lever pour se pencher et écouter la musique, il en conclurait que les hommes sont particulièrement stimulés par les sons. C'est de cette manière que nous avons observé les petits. Mais le fait qu'une forte stimulation externe attirant l'attention de l'enfant soit épisodique et dépende de chaque cas spécifique, fait qu'elle n'est pas reliée à la partie constructive profonde, qui appartient à la vie intérieure de l'enfant. Les manifestations de cette dernière peuvent être repérées lorsque nous avons la possibilité d'observer les enfants s'intéressant à de petites choses avec une admiration minutieuse, alors qu'elles n'ont apparemment pas d'intérêt évident. Celui qui observe la petitesse d'un objet s'y intéresse nécessairement, et ne le perçoit plus comme une impression sensorielle, mais comme l'expression d'un intellect d'amour.

L'esprit de l'enfant est pratiquement inconnu des adultes; il leur apparaît comme une énigme, parce qu'ils ne le jugent que sous l'angle de l'impuissance pratique et non du point de vue de la puissance psychique en elle-même. Il nous faut penser qu'il existe toujours une cause à toute manifestation de l'enfant. Il n'y a pas un phénomène qui n'ait ses propres raisons d'être. Il est bien facile d'admettre que chaque réaction mystérieuse, chaque moment difficile vécu par l'enfant, est un caprice! Ce caprice doit prendre à nos yeux l'importance d'un problème à résoudre, d'une énigme que l'on doit déchiffrer. C'est certes difficile, mais extrêmement intéressant; et surtout, c'est une nouvelle attitude qui représente une élévation morale pour l'adulte. En effet, cette mission le transforme en investigateur, plutôt que d'être un dominateur aveugle et tyrannique vis-à-vis de l'enfant.

Je citerai à ce propos la conversation d'un groupe de dames réunies dans un salon. La maîtresse de maison avait permis à son petit garçon de dix-huit mois environ de rester auprès d'elles. Il jouait tout seul bien tranquillement. On parlait de livres à l'usage des tout petits enfants. « Il y en a de bien sots, illustrés de manière grossière, disait la jeune maman. J'en ai un, intitulé *Sambo*. Sambo est un petit enfant noir. Le jour de sa fête, ses parents lui font divers cadeaux: une ombrelle, des pantalons, des caleçons, des souliers et une petite veste aux couleurs éclatantes, et on lui prépare un déjeuner succulent, tandis que Sambo, impatient d'arborer ses nouveaux atours, les revêt et sort de la maison sans crier gare. Sur le chemin, il rencontre des animaux féroces, et il lui faut, pour les amadouer, céder à chacun d'entre eux une partie de ses vêtements neufs. La girafe prend l'ombrelle, le tigre, les souliers, etc., et le pauvre Sambo s'en retourne chez lui tout nu et en larmes. Mais tout se termine bien grâce au pardon de ses parents et à la joie d'un bon repas, autour d'une table magnifiquement dressée, comme on le voit sur la dernière image. »

La dame montrait le livre illustré qui passait de main en main, lorsqu'on entendit soudainement l'enfant qui disait : « Non ! Lola ! » Tout le monde fut surpris ! Voilà que se présentait une de ces énigmes enfantines. Le bébé avait parlé et répétait énergiquement son affirmation mystérieuse : « Non ! Lola ! »

« Lola, dit la mère, c'est le nom de la nurse qui n'est restée que quelques jours avec le petit. » Mais l'enfant se mit à appeler cette Lola encore plus fort, d'une manière qui ressemblait bien à un caprice inconsolable. On lui montra alors le livre de Sambo et l'enfant indiqua la dernière page de couverture, qui représentait le petit garçon noir qui pleurait. Et l'on comprit que « Lola », dans son langage enfantin, approximatif, correspondait en fait au mot espagnol *llora*, qui signifie « il pleure ».

En effet, la fin du livre ne représentait pas la scène joyeuse et gaie de l'excellent déjeuner, mais Sambo qui pleurait au dos de la couverture. Personne n'avait remarqué cette dernière image. Tout paraissait maintenant logique dans la protestation de l'enfant, qui était intervenue quand sa maman avait dit : « Tout finit dans la joie... »

Pour l'enfant, il était évident que le livre finissait, au contraire, sur les larmes de Sambo. L'enfant avait mieux observé le livre que sa mère, ayant enregistré scrupuleusement la dernière image. Et le plus impressionnant, ce n'était pas que l'enfant ait pu prononcer un mot correctement, mais qu'un enfant qui ne parlait pas encore ait pu suivre tout le fil d'une si longue conversation.

Il est évident que la personnalité psychique de l'enfant est bien différente de la nôtre. Elle ne passe pas graduellement du minimum au maximum.

L'enfant voit les détails infimes et précis des choses, et doit donc nous considérer comme inférieurs à lui puisque nous ne voyons dans les images que nos synthèses mentales, qui lui sont inaccessibles ; il doit nous considérer comme des incapables, comme des gens qui ne savent pas observer. Sans doute, dans son jugement, ne nous attribue-t-il aucune exactitude ; il nous voit passer avec indifférence, avec inconscience, devant des détails extrêmement intéressants. S'il pouvait s'exprimer, il nous révélerait certainement qu'en son for intérieur, il n'a aucune confiance en nous ; pas plus que nous n'en avons en lui d'ailleurs, parce qu'il est étranger à notre façon de concevoir les choses.

Et c'est pour cela qu'adultes et enfants ne se comprennent pas.

10

Les conflits sur le chemin du développement

Le conflit entre l'adulte et l'enfant commence quand celui-ci arrive au point de son développement où il peut commencer à agir.

Personne ne pouvait jusqu'alors l'empêcher d'entendre ni de sentir, c'est-à-dire de faire la conquête sensorielle de son monde.

Mais à partir du moment où l'enfant agit, marche, touche aux objets qui l'entourent, voici que le tableau se présente sous un angle tout à fait différent. C'est alors que, en dépit de l'amour réel et profond que l'adulte éprouve pour son enfant, un instinct de défense se développe en lui contre ce dernier.

Mais les états psychiques de l'enfant et de l'adulte sont si différents l'un de l'autre, que la vie en commun leur est presque impossible, si l'on n'a pas recours à certaines concessions. Il n'est pas difficile de comprendre que ces adaptations se font au complet désavantage de l'enfant, car il se trouve dans un état d'infériorité sociale ; la répression des actions de l'enfant, dans une ambiance où règne l'adulte, devient absolument fatale, du fait que l'adulte, inconscient de cette attitude de défense, n'est conscient que de son amour et de sa généreuse abdication... Sa défense inconsciente n'affleure à la conscience que masquée : l'anxieuse avarice pour la défense des objets de l'adulte s'érige en « devoir de bien élever l'enfant pour qu'il acquière de bonnes habitudes ». Et la crainte du jeune perturbateur devient la « nécessité d'un repos abondant de l'enfant au bénéfice de sa santé ».

Dans les milieux populaires, la mère se contente, pour se défendre, de nombreux cris, taloches et injures, expédiant l'enfant dehors pour jouer dans la rue, sans que cela porte préjudice aux caresses affectueuses et aux baisers sonores, témoignages de l'amour qu'elle porte à l'enfant.

Dans les familles très distinguées, ces mascarades se revêtent d'attitudes morales bien vues par la haute société, sous couvert de divers sentiments tels que l'amour, le sacrifice, le devoir, le contrôle des actes extérieurs. Toutefois, les mères de ces milieux-là ont d'autres moyens de se débarrasser de leurs enfants encombrants : elles les confient à des nurses qui les emmènent se promener et les incitent à dormir beaucoup.

La patience, l'amabilité et jusqu'à la soumission des mères envers ces nurses sont une espèce de compromis tacite par lequel elles leur laissent tout passer, à condition que l'enfant, considéré comme gênant, ne vienne pas perturber la tranquillité des parents, ni détruire leurs objets personnels.

Dès que l'enfant, sorti victorieux de sa chrysalide, réussit à animer ses instruments d'action et jouit de sa victoire, le voilà qui se retrouve face à une formidable armée de puissants géants qui l'empêchent d'entrer dans le monde. Cette situation dramatique nous rappelle l'exode des peuples primitifs quand ils voulurent se libérer de l'esclavage, avançant dans des lieux inconnus et inhospitaliers, comme le fit le peuple hébreu, guidé par Moïse. Quand les souffrances éprouvées dans le désert semblaient enfin toucher à leur fin, se transformant en bien-être à l'approche d'une oasis, ce n'était finalement pas l'hospitalité espérée qui les accueillait, mais la guerre ; et le souvenir amer de la résistance des Amalécites contre le peuple errant hanta les Hébreux d'un épouvantable fantasme de guerre imaginaire. Et c'est ce qui les fit errer durant quarante années dans le désert, au cours desquelles tant tombèrent d'épuisement.

C'est une loi élémentaire de la nature : ceux qui jouissent d'un environnement bien établi se défendent contre l'envahisseur. Entre les peuples, cette loi prend une violence extrême. Mais le besoin cruel, qui engendre cette impulsion de défense, reste caché dans les profondeurs de l'âme humaine. La manifestation la plus imprévue de cette loi se produit quand le peuple des adultes bien établis défend sa tranquillité contre le peuple conquérant des nouvelles générations. Mais le peuple envahisseur ne se résigne pas pour autant. Il combat désespérément, parce qu'il lutte pour sa vie.

Cette lutte, masquée par le camouflage de l'inconscient, se livre entre l'amour des parents et l'innocence des enfants.

Pour l'adulte, il est bien commode de dire : « L'enfant ne doit pas remuer, il ne faut pas qu'il touche à nos affaires ; il ne doit ni parler ni crier ; il faut qu'il se nourisse et dorme. » Ou bien : « Il faut que l'enfant aille se promener avec une étrangère qui ne ressent pas d'amour pour lui. » Poussé par la force d'inertie, l'adulte choisit la voie la plus pratique : il cherche à faire dormir l'enfant.

Personne ne remet en question le fait que le sommeil soit utile.

Mais l'enfant est un être capable d'observation. Ce n'est pas un dormeur par nature. Il a besoin d'un temps de sommeil normal et nous devons certainement veiller scrupuleusement à ce que ce besoin soit satisfait. Mais il faut faire la distinction entre le sommeil normal de l'enfant et le sommeil artificiel que nous cherchons à provoquer chez lui. Il est bien certain qu'un être dont la volonté est puissante peut persuader un être faible et que la suggestion s'infiltre en commençant son œuvre par le sommeil ; celui qui veut persuader commence par engourdir l'être faible. L'adulte, inconsciemment, fait dormir l'enfant par suggestion.

Ces mêmes adultes, représentés par les mères ignorantes ou les professionnels de gardes d'enfants comme les nurses, condamnent les enfants, ces êtres si vifs, au sommeil. Et pas uniquement les petits bébés de quelques mois, mais aussi les enfants de trois ou quatre ans, voire davantage, également contraints à dormir plus que nécessaire. Ce n'est pas autant le cas pour les enfants de milieu populaire, qui courent toute la journée dans la rue, sans fatiguer leurs mères, échappant ainsi au péril du sommeil. Il est bien connu que les enfants du peuple sont moins nerveux que ceux des classes privilégiées. Et pourtant, l'hygiène préconise de « longues périodes de sommeil », faisant l'éloge de la vie végétative. Je me souviens d'un enfant de sept ans qui me confia n'avoir jamais vu les étoiles, parce qu'on l'avait toujours fait dormir avant la tombée de la nuit.

Il me disait : « J'aimerais aller en haut d'une montagne une nuit et me coucher par terre pour regarder les étoiles. »

Beaucoup de parents se vantent d'avoir si bien habitué leurs enfants à s'endormir de bonne heure, le soir, de manière à pouvoir sortir en soirée.

Le lit des enfants qui savent déjà se mouvoir seuls est différent du berceau qui a une forme empreinte de beauté et de moelleux, et différent du lit des grandes personnes, conçu pour s'étendre confortablement et dormir. Ce lit d'enfant est comme une cage haute avec des barreaux de fer où les parents font descendre leurs enfants pour leur fournir un gîte forcé ; ces lits sont surélevés pour que les adultes puissent manipuler les bébés sans prendre la peine de se pencher ; ils peuvent ainsi y abandonner le petit être, même s'il pleure, sans qu'il puisse se faire mal.

On fait l'obscurité autour de l'enfant de manière à ce que, quand vient l'aube, la lumière du jour ne le réveille pas.

Une des premières formes d'aide à la vie psychique de l'enfant consiste à réformer son lit et les habitudes relatives au long sommeil qu'on lui impose, en dépit des lois de la nature. L'enfant doit avoir le droit de dormir quand il a sommeil, et de s'éveiller quand il n'a plus besoin de dormir, en se levant quand il en a envie. Aussi donc conseillons-nous, comme certaines familles le font déjà, d'abolir le classique lit d'enfant et de le remplacer par un matelas très bas, quasiment au ras du sol, sans barreaux, et sur lequel l'enfant peut s'étendre et se lever selon sa volonté.

Les petits lits bas, situés presque au niveau du sol, sont économiques, comme toutes les modifications qui facilitent la vie psychique de l'enfant, puisque celui-ci a besoin de choses simples. Et les quelques objets qui ont été créés pour lui ont été complexifiés par des objets qui entravent son développement. De nombreuses familles ont adopté cette réforme en plaçant un petit matelas sur le sol, sur une épaisse couverture ou un tapis de grande taille. Les enfants vont spontanément s'y coucher le soir, tout joyeux, et se lèvent le matin spontanément, sans réveiller personne. Ces exemples démontrent les erreurs profondes existant dans l'organisation de la vie des enfants, et montrent comme l'adulte, soi-disant pour le bien des enfants, va inconsciemment à l'encontre des besoins de celui-ci, en suivant ses propres instincts de défense, alors qu'il pourrait facilement les surmonter.

De cet état de faits, il résulte que l'adulte devrait interpréter les besoins de l'enfant pour les comprendre en lui préparant un environnement approprié. C'est ainsi qu'une nouvelle ère de l'éducation pourra s'ouvrir, celle de l'aide à la vie. Il est absolument nécessaire que s'achève l'époque où l'adulte considérait l'enfant comme un objet qui se prend et se transporte n'importe où quand il est petit, et qui, lorsqu'il est plus grand, n'a qu'à suivre et obéir. Cette idée fausse est un obstacle invincible à la rationalisation de la vie de l'enfant. Il faut bien que l'adulte soit persuadé qu'il doit occuper une place secondaire, en s'efforçant de comprendre l'enfant avec le désir ardent de devenir son auxiliaire. Telle est l'orientation éducative que devraient suivre les mères et les éducateurs. Si la personnalité de l'enfant doit être aidée dans son développement par la personnalité de l'adulte, qui est puissante, il faut que l'adulte sache être indulgent ; et, s'appuyant sur le guide qu'est l'enfant pour lui, considère comme un honneur le fait de pouvoir le comprendre et le suivre.

11

Marcher

Renoncer à ses propres besoins et s'adapter à ceux de l'être en voie de formation, telle est la ligne de conduite qui devrait être celle de l'adulte.

Les animaux supérieurs s'adaptent d'instinct aux conditions de leurs petits : il est très intéressant d'observer que quand un jeune éléphant est conduit par sa mère dans le groupe des adultes, le grand troupeau des pachydermes ralentit sa marche pour que le petit puisse les suivre ; et quand celui-ci est fatigué et qu'il s'arrête, tous ralentissent le pas.

Le sentiment de sacrifice en faveur de l'enfant existe dans certaines formes de civilisation. Un jour, j'observais un Japonais qui emmenait son enfant d'un an et demi à deux ans se promener. Tout à coup, le petit s'immobilisa et entoura de ses petits bras l'une des jambes de son père ; celui-ci s'arrêta aussitôt devant l'enfant, qui se mit à tourner en rond autour de la jambe choisie pour son jeu ; quand l'enfant eut terminé son exercice, il recommença lentement sa promenade. Au bout d'un instant, le petit s'assit sur le bord du trottoir ; le père s'arrêta à côté de lui ; sa physionomie était sérieuse et naturelle ; il ne faisait rien là d'exceptionnel : c'était tout simplement un papa qui promenait son enfant.

C'est ainsi que devraient être perçues les promenades, comme des occasions de permettre au petit enfant de s'exercer à la marche, si essentielle, précisément à cette époque de sa vie où son organisme doit assimiler tant de coordinations motrices pour établir son équilibre et surmonter cette difficulté immense, réservée aux êtres humains, qui consiste à marcher en ne s'aidant que de ses deux jambes.

Bien que le corps de l'homme et celui des mammifères soient composés d'organes correspondants, l'homme doit marcher sur deux membres au lieu de quatre. Même le singe, qui a les membres supérieurs beaucoup plus longs, peut s'aider de ses mains pour marcher. L'homme est le seul individu qui ne compte que sur deux de ses membres pour «se déplacer en équilibre», plutôt qu'«en s'appui». Les mammifères marchent en levant simultanément deux membres opposés dans le sens de la diagonale, de manière à ce que leur corps ait toujours deux points d'appui. Mais l'homme qui marche s'appuie alternativement sur un seul pied puis sur l'autre, un seul à la fois. Cette difficulté a été compensée par la nature qui l'a doté d'un instinct et de l'effort individuel.

L'enfant doit perfectionner sa marche «en marchant». Son premier pas, cet événement attendu avec une joie ineffable par toute la famille, est précisément une conquête de la nature; il correspond au passage de la première à la deuxième année d'existence. C'est, pour ainsi dire, la naissance de l'homme actif qui se substitue à l'homme passif. Il s'agit pour l'enfant du début d'une nouvelle existence. La physiologie a considéré la mise en place de cette fonction comme un critérium de développement normal. Mais, par la suite, c'est l'«exercice de l'enfant» qui entre en jeu: la conquête de l'équilibre et de la marche assurée résulte de longs exercices et, par conséquent, de l'effort individuel. On sait déjà que l'enfant se met à marcher en suivant un élan irrésistible et courageux. Il avance avec une véritable témérité, comme un soldat courageux qui s'élance à l'assaut, sans se soucier des risques qu'il encourt. C'est bien pour cela que l'adulte l'entoure de protections qui constituent pour lui de vrais obstacles; l'adulte retient le petit à l'intérieur d'un parc pour enfants, ou bien l'enferme dans une poussette où il est continuellement promené, même quand ses jambes sont robustes depuis longtemps.

Pendant la promenade, c'est toujours l'enfant qui doit s'adapter au pas de l'adulte; il a des jambes plus courtes, moins de résistance aux longues marches, et l'adulte ne renonce pas pour autant à son propre rythme, et ce même lorsque cet adulte est une « nurse », c'est-à-dire une personne censée être spécialement dédiée aux soins d'un enfant. C'est toujours l'enfant qui doit s'adapter au rythme de la nurse et non l'inverse. La nurse avance de son pas normal jusqu'au lieu qu'elle a choisi comme but de promenade, poussant la petite voiture dans laquelle l'enfant est transporté comme on apporterait de beaux fruits au marché. Ce n'est qu'une fois arrivée à son but, dans un beau parc par exemple, qu'elle s'assiéra, sortira l'enfant de la poussette et qu'elle le laissera se promener auprès d'elle en le surveillant. Dans tout ce comportement, l'objectif recherché est la protection du corps de l'enfant et de sa vie végétative face au danger extérieur ; mais aucun de ses besoins les plus essentiels, c'est-à-dire ses besoins de construction et sa vie de relation, n'est envisagé.

L'enfant de dix-huit mois à deux ans est capable de parcourir des kilomètres à pied. Il peut emprunter des passages difficiles, avec des obstacles et des escaliers. Cependant, il marche avec un but très différent du nôtre. L'adulte marche pour atteindre un lieu et se dirige directement vers celui-ci, suivant un rythme établi qui se développe quasi mécaniquement. L'enfant, lui, marche pour développer ses propres fonctions. Il a une mission créative à accomplir. Il est lent, son rythme n'est pas encore établi ; il n'a pas encore de but précis, mais les choses qui l'entourent l'attirent. L'aide que devrait lui apporter l'adulte serait de renoncer à son propre rythme et à ses propres buts.

J'ai connu, à Naples, une jeune famille dont le dernier-né avait dix-huit mois. Pour rejoindre la plage en été, elle devait parcourir un kilomètre et demi, par un chemin qui descendait d'une colline, et qui était impraticable en poussette. Les jeunes parents voulaient emmener le petit, mais c'était trop fatigant de le porter dans les bras. L'enfant trouva la solution en parcourant à pied ce long trajet, mais en s'arrêtant fréquemment devant des fleurs, en s'asseyant de temps en temps sur l'herbe douce des prés, ou en contemplant un animal. Un jour, il resta plus d'un quart d'heure sans avancer, intéressé par un âne qui paissait. Et ainsi, chaque jour, l'enfant descendait et remontait sans fatigue apparente ce chemin long et accidenté.

J'ai connu deux enfants en Espagne, âgés de deux à trois ans, qui faisaient des promenades de plus de deux kilomètres ; consacrant parfois plus d'une heure à descendre et monter des escaliers rapidement, dotés de marches très étroites.

Certains parents auraient pu qualifier cela de « caprice ».

Une dame m'interrogea un jour sur les caprices d'une petite fille ; cette enfant, qui marchait à peine, criait en voyant l'escalier et avait de véritables accès de mauvaise humeur quand on la prenait dans les bras pour les descendre.

Cette dame craignait de mal interpréter ce comportement, parce qu'il lui semblait illogique que son enfant s'agitât et pleurât précisément en empruntant les escaliers. Elle pensait qu'il s'agissait là d'une simple coïncidence. Or il était clair que l'enfant désirait monter et descendre les escaliers « toute seule ». Ce passage attrayant, plein de points d'appui et de lieux pour s'asseoir, la séduisait évidemment plus que les herbes hautes des prairies dans lesquelles ses petits pieds s'enfonçaient et où ses mains ne trouvaient aucune prise ; mais les prairies étaient les seuls endroits où cette enfant était autorisée à évoluer, quand elle n'était ni portée dans les bras ni conduite dans sa poussette.

Il est facile d'observer que les enfants cherchent à se mouvoir et à marcher ; des escaliers en plein air sont un lieu de délices pour les enfants qui les montent, les descendent, s'y asseyent, se relèvent et s'y laissent glisser. La capacité que les enfants des rues ont à se faufiler à travers les obstacles, à éviter les dangers, à courir, voire à grimper au dos des véhicules, illustre un potentiel bien différent de l'inertie craintive et paresseuse qui domine chez les enfants des classes sociales élevées. Aucune des deux classes sociales n'a aidé ses enfants dans leur développement : les uns restent abandonnés dans un environnement inadéquat et plein de dangers de l'adulte ; les autres ont été réprimés en vue d'être soustraits aux dangers de cet environnement ; ils sont relégués derrière des obstacles protecteurs.

L'enfant, élément essentiel de la conservation et de la construction de l'homme, est comparable au Messie, dont les prophètes disaient qu'il n'avait pas un endroit où reposer sa tête.

12

La main

Le mouvement de la main

Il est curieux de constater que les deux grandes étapes considérées par la physiologie comme les critères du développement normal de l'enfant sont basées sur le mouvement : ce sont l'initiation à la marche et au langage. La science a considéré ces deux fonctions motrices comme une espèce d'horoscope permettant de prédire l'avenir de l'individu. Ces deux manifestations signalent, en effet, sa première victoire sur ses instruments d'expression et d'activité. Si le langage est une des caractéristiques de l'homme, puisque c'est l'expression de sa pensée, la marche, elle, est commune à tous les animaux.

Les animaux, à la différence des végétaux, « déplacent leurs corps dans l'espace » et lorsque ces mouvements se réalisent au moyen d'organes spécifiques, comme les articulations, marcher devient alors la caractéristique fondamentale. Et, bien que chez l'homme le « déplacement dans l'espace » ait une valeur inestimable qui lui permet d'envahir la terre entière, la marche n'est pas le mouvement qui caractérise l'être intelligent.

Le véritable « caractère moteur » en lien avec l'intelligence est le mouvement de la main, au service de l'intelligence, pour la réalisation du travail. La présence de l'homme aux époques préhistoriques est révélée par les pierres taillées qui constituaient son premier instrument de travail, preuve d'une nouvelle ère dans l'histoire biologique des êtres vivants sur Terre. Le langage humain constitue un document du passé une fois qu'il a été enregistré grâce à un laborieux travail de la main sur la pierre. Parmi les caractéristiques morphologiques du corps et les fonctions de déplacement, on distingue la «liberté de la main», c'est-à-dire la possibilité de dédier les membres supérieurs à d'autres fonctions qu'au «déplacement dans l'espace», en se convertissant en organes exécutifs de l'intelligence. C'est ainsi qu'au cours de l'évolution des êtres vivants, l'homme adopte une nouvelle position, ce qui témoigne de l'unité fonctionnelle qui existe entre sa personnalité psychique et son mouvement.

La main est un organe élégant et de structure très complexe, qui permet à l'intelligence de se manifester et à l'homme d'établir des relations particulières avec son environnement : il peut se dire qu'il est en mesure de «prendre possession de l'environnement avec ses mains», en le transformant à l'aide de son intelligence, accomplissant ainsi sa mission, dans l'immense cadre de l'univers.

Il serait donc logique de prendre en considération, pour examiner le développement psychique de l'enfant, l'origine des deux expressions du mouvement que l'on pourrait qualifier d'intellectuelles : l'apparition du langage et le commencement de l'activité des mains qui aspire au travail.

L'homme, guidé par un instinct subconscient, a donné de l'importance à ces deux manifestations motrices de l'intelligence, et les a réunies comme étant les deux «caractéristiques» propres et exclusives au genre humain ; mais il les a uniquement affectées à des symboles en lien à la vie sociale de l'adulte. Par exemple, quand un homme et une femme se marient, ils échangent leur parole et unissent leurs mains. Quand on se fiance, on donne sa parole ; quand on se marie, on donne sa main. En s'engageant, on prononce des mots et on fait un geste de la main. Jusque dans les rites, en plus de l'expression énergique de l'*ego*, la main intervient. Pilate, pour exprimer le fait qu'il déclinait toute responsabilité, répétait le rituel de se laver les mains ; et en effet, il s'est matériellement lavé les mains devant la foule. Le prêtre catholique, pendant la messe, avant de commencer le moment le plus intime de sa fonction sacrée, déclare : «Je me laverai les mains entre les innocents» et il se les lave concrètement. Il ne s'est pas simplement lavé les mains, il les a également purifiées, avant de s'approcher de l'autel.

Tout ceci démontre que dans le subconscient de l'humanité la main a senti les manifestations de l'*ego* intérieur. Que peut-on imaginer de plus sacré et merveilleux que le développement chez l'enfant de ce «mouvement humain»? Aucune manifestation ne devrait être accueillie avec plus d'expectation solennelle.

Le moindre mouvement de cette petite main vers les objets extérieurs, l'effort que représente l'élan de l'*ego* pour pénétrer dans le monde devrait remplir l'adulte d'une profonde admiration. Or l'homme a peur de ces petites mains, tendues vers les objets qui l'entourent, sans valeur et sans importance, et ce sont ces objets qu'il s'attache à protéger contre l'enfant. Son souci est de répéter constamment: «Ne touche pas», comme on répète: «Ne bouge pas, tais-toi!» Et, du fait de ce souci, une défense s'organise dans les ténèbres de son subconscient, une défense qui cherche l'aide des autres hommes, comme s'il lui fallait lutter de façon occulte contre une puissance qui attaque son bien-être et sa propriété.

Tout le monde comprend que, pour que l'enfant voie et entende, c'est-à-dire pour qu'il puisse recueillir du milieu les éléments nécessaires à ses premières constructions mentales, il faut bien que ces éléments préexistent. En effet, quand il se meut de manière constructive, se servant de ses mains pour exercer un travail, l'enfant a besoin d'objets extérieurs à manipuler; autrement dit, il faut qu'il trouve dans l'environnement des «motifs d'activité». Mais, dans l'environnement familier, ces besoins de l'enfant n'ont pas été pris en considération. C'est pour cela que tous les objets qui entourent l'enfant sont la propriété de l'adulte, destinés à son propre usage. Ce sont des objets tabous qui lui sont interdits. L'interdiction de toucher résout le problème vital du développement de l'enfant. Si l'enfant touche les objets, il est puni et condamné par l'adulte. S'il réussit à s'emparer de ce qui est à sa portée, il ressemble à un petit chien affamé qui aurait trouvé un os dans la maison et qui irait se cacher dans un coin pour se nourrir de cet aliment, alors qu'il ne suffirait même pas à ses besoins vitaux.

Or, l'enfant ne se meut pas au hasard. Il construit les coordinations nécessaires à l'organisation de ses mouvements, guidé par son *ego*, qui le dirige depuis l'intérieur. Ce « moi intérieur » est l'organisateur et le coordonnateur potentiel qui établit l'unité entre la personnalité psychique naissante et les organes d'expression, au prix de continuelles expériences intégrées. Il est donc important que ce soit l'enfant qui choisisse spontanément ses actes et qu'il les exécute lui-même. Mais ce mouvement constructif a des caractéristiques bien déterminées : il ne s'agit pas d'impulsions désordonnées et aléatoires. Il ne s'agit pas de courir, de sauter, de manier des objets au hasard, semant le désordre et la destruction d'objets. Le mouvement constructeur prend la forme d'actions que l'enfant a vu s'accomplir autour de lui. Ces actions qu'il tente d'imiter sont toujours celles qui se réfèrent à l'usage de tel ou tel objet ; l'enfant cherche à faire avec les mêmes objets ce qu'il a vu les adultes faire. C'est pour cela que ces activités sont liées aux us et coutumes des différents milieux familiaux et sociaux. L'enfant veut laver et essuyer la vaisselle ou le linge, boire de l'eau ou bien se laver, se peigner, s'habiller, etc. S'agissant là d'un phénomène universel, on l'a appelé « imitation » et on dit que « l'enfant fait ce qu'il a vu faire ». Mais une telle interprétation n'est pas exacte : cette imitation est bien différente de celle qu'exécute le singe de façon immédiate. Les mouvements constructeurs de l'enfant lui sont dictés par son psychisme et sont fondés sur une connaissance. La vie psychique doit être réactive et elle préexiste toujours pour cela aux mouvements qui sont en lien avec elle : quand un enfant veut se mouvoir, il sait d'avance ce qu'il veut faire ; et ce qu'il veut faire est une chose connue qu'il a déjà vu faire. On peut en dire autant sur le développement du langage. L'enfant assimile la langue qui est parlée autour de lui et quand il prononce un mot, c'est qu'il l'a appris en l'entendant et qu'il l'a mémorisé. Mais il s'en sert selon ses propres besoins du moment.

Cette connaissance du mot entendu dans son environnement et l'usage qu'il en fait, ce n'est pas de l'imitation, comme celle d'un perroquet parlant : il ne s'agit pas d'une imitation immédiate, mais d'une observation enregistrée ou d'une connaissance acquise. La mise en service de cette connaissance est un acte indépendant. Cette différence est capitale, parce qu'elle nous permet de comprendre un aspect des relations entre l'adulte et l'enfant, et de saisir l'activité de l'enfant de façon plus précise.

Les actions élémentaires

Bien avant que l'enfant ne réussisse à exécuter des actions ayant une finalité claire, comme celles qu'il a vu accomplir par les adultes, il commence à agir avec ses propres gestes, employant les objets d'une façon souvent inintelligible pour les adultes ; cela arrive spécialement aux enfants âgés entre dix-huit mois et trois ans. Par exemple, j'ai vu un enfant d'un an et demi qui, ayant trouvé chez lui une pile de serviettes sur une chaise, bien repassées et empilées les unes au-dessus des autres, en avait pris une et, la soutenant bien soigneusement par en dessous pour qu'elle ne se dépliât pas, l'avait transportée dans le coin de la pièce diamétralement opposé pour l'y déposer par terre en disant : « Un ! » Puis il était ensuite revenu sur ses pas, marchant en diagonale dans la même direction, ce qui témoignait de l'existence d'une certaine sensibilité à l'orientation chez cet enfant. De retour au lieu initial, il prit une autre petite serviette, de la même manière, et la transporta en suivant le même chemin et, la déposant sur celle qu'il avait déjà posée sur le sol, répéta le mot : « Un ! » Et il continua ainsi jusqu'à ce qu'il ait transporté toutes les serviettes. Bien que la pile de serviettes ne fût plus dans la position parfaite dans laquelle l'avait laissée la femme de chambre, elles étaient tout de même assez bien pliées et superposées. Par chance pour le petit, aucun membre de la famille n'avait assisté à cette étrange manœuvre. Que de fois les petits enfants voient un adulte s'approcher d'eux en criant : « Arrête ! Arrête ! Laisse cela tranquille ! » Que de fois ces vénérables petites mains sont brutalement tapées pour apprendre à ne toucher à rien !

Un autre exemple de travail élémentaire fascinant pour les enfants consiste à enlever et à remettre le bouchon d'une bouteille, surtout s'il est en cristal taillé, reflétant les couleurs de l'arc-en-ciel, comme c'est le cas, par exemple, sur les flacons de parfum. Ce travail d'ouvrir et de fermer une bouteille semble être une de ces actions élémentaires favorites; il est attrayant aussi de soulever et de rabattre le couvercle d'une grosse boîte, d'un poêle ou encore d'ouvrir et de fermer la petite porte d'une table de nuit. On conçoit qu'une guerre puisse éclater entre les adultes et les enfants au sujet de ces objets interdits aux enfants, parce qu'il s'agit de la commode la plus raffinée de Maman ou du bureau de Papa, ou encore d'un précieux petit meuble du salon. La réaction «capricieuse» surgit alors très fréquemment. Mais ce n'est ni ce flacon en particulier, ni cet encrier que l'enfant veut: il se satisferait parfaitement d'objets faits pour lui et qui lui permettraient d'exercer les mêmes mouvements.

Ces gestes, ainsi que d'autres du même genre, qui semblent ne pas avoir de but logique, peuvent être considérés comme les premiers balbutiements de l'homme travailleur. C'est à cette période de préparation que sont destinés quelques-uns des objets de notre matériel, tels que les encastrements solides[1], qui ont obtenu un succès universel.

On admet facilement qu'il faut laisser l'enfant agir, mais en pratique, on rencontre des obstacles complexes et profondément enracinés dans l'âme de l'adulte. Car celui-ci, tout en voulant laisser à l'enfant la liberté de toucher et de déplacer les objets, ne peut résister à certaines impulsions qui finissent par prendre le dessus.

Une jeune femme de New York qui avait été formée à nos idées essayait de les mettre en pratique pour élever son adorable petit garçon de deux ans et demi. Elle le vit un jour qui transportait un pichet rempli d'eau de sa chambre jusqu'au salon, sans aucune raison apparente. Elle repéra la tension et l'effort de cet enfant qui se déplaçait avec difficulté, semblant se répéter continuellement à lui-même: «*Be carefull, be carefull!* (Fais attention, fais attention!)» Le pichet était très lourd, si bien qu'au bout d'un moment, la maman ne put résister au désir d'aider le petit en lui prenant le pichet des mains et en le posant là où il allait l'apporter. Vexé, le petit se mit à pleurer. Et sa maman, désolée d'avoir peiné son enfant, se justifia en disant qu'elle trouvait inhumain que le petit se fatigue et perde

---

1. Ce qui correspond au matériel appelé «emboîtements cylindriques».

tant de temps à exécuter une action qui pouvait être réalisée en quelques instants.

« Je me rends compte que j'ai mal agi », me disait cette dame, en me demandant conseil, comme s'il s'agissait d'une maladie dont elle souhaitait guérir rapidement. J'eus recours à l'autre aspect de la question, à ce sentiment de défense des objets, qu'on pourrait appeler l'« avarice vis-à-vis de l'enfant ». Et je lui dis : « Avez-vous un service de tasses de porcelaine fine ? Demandez à votre enfant de transporter un des éléments légers de ce service et observez ce qui se passe. » La dame suivit mon conseil et me raconta par la suite que son enfant avait soigneusement transporté ces petites tasses délicates, s'arrêtant à chaque instant, les apportant saines et sauves à la destination indiquée. La maman avait été partagée entre la joie de voir son petit garçon travailler aussi bien et le souci qu'elle s'était fait pour ses tasses. L'enfant avait pu accomplir ce travail qui le passionnait et dont sa santé psychique dépendait.

Un autre jour, je mis un chiffon à poussière entre les mains d'une enfant d'un an et demi et ce fut pour elle l'occasion d'un travail charmant. Tout en restant assise, elle époussetait tous les objets brillants. Mais il y avait chez sa mère une espèce de défense et d'obstacle qui ne lui permettait pas de confier à sa fille un objet si contraire à ce qu'elle considérait comme les besoins d'un jeune enfant.

La première manifestation de l'instinct de travail chez l'enfant est le phénomène le plus bouleversant pour l'adulte qui a saisi son importance. Celui-ci comprend qu'une immense renonciation s'impose à lui et qu'il s'agit d'une véritable mortification de sa personnalité, d'une transformation de son environnement. Or tout cela est incompatible avec son activité sociale. L'enfant n'a pas sa place dans la société de l'adulte. Mais lui en interdire l'accès, comme on le fait aujourd'hui, équivaut à réprimer son développement, comme si on le condamnait à rester muet.

La solution de ce conflit se trouve dans la préparation de l'environnement pour pouvoir accueillir les manifestations supérieures de l'enfant. Quand il prononce ses premiers mots, il n'est pas nécessaire de préparer quoi que ce soit pour lui et son balbutiement entre dans la maison comme un son mélodieux des plus appréciés. Mais le travail de sa petite main, qui est comme le tâtonnement de l'homme travailleur, requiert des « motifs d'activité » sous forme d'objets qui lui sont adaptés. On voit alors des petits enfants accomplir des actions qui réclament des efforts impressionnants, qui semblent matériellement impossibles à fournir. En écrivant cela, j'ai sous les yeux la photographie d'une toute petite Anglaise qui transportait un de ces pains en forme de prisme, comme on en voit couramment en Angleterre, si grand que les deux bras de la petite fille ne suffisaient pas à le soulever ; l'appuyant contre son corps pour avancer, elle était forcée de s'arc-bouter en arrière pour maintenir son équilibre, sans être en mesure de voir où elle posait ses pieds. On perçoit, sur la photographie, l'émotion du chien qui l'accompagnait sans la perdre de vue, tendu, prêt à s'élancer pour l'aider. Plus loin, on voit des adultes faire un effort pour ne pas courir jusqu'à l'enfant et lui prendre le pain des mains.

Il arrive à de tout petits enfants de déployer une habileté extraordinaire, une exactitude si précoce qu'elle en est réellement surprenante. Si un environnement a été préparé pour eux, ils arrivent à assumer des fonctions sociales très complexes dans le monde de l'enfance.

13

Le rythme

L'adulte qui n'a pas encore considéré l'activité de la main enfantine comme un besoin vital, et qui n'y reconnaît pas la première manifestation d'un instinct de travail, empêche le travail de l'enfant. Cet obstacle ne vient pas forcément d'une défense de l'adulte ; il peut y avoir d'autres causes. L'une d'entre elles est que l'adulte envisage toujours le but extérieur de ses propres actes et règle sa vie en fonction d'une sorte de constitution mentale : il s'agit pour lui d'atteindre un objectif par le moyen le plus direct, c'est-à-dire en un minimum de temps possible, grâce à une sorte de devise mentale qu'on peut appeler la « loi de l'effort minimum ». En voyant les énormes efforts que l'enfant déploie pour exécuter une action que l'adulte considère inutile ou futile et qu'il pourrait accomplir en un instant et avec plus de perfection, il est tenté de l'aider et d'interrompre ce spectacle qui le gêne.

Et l'enthousiasme que l'adulte observe chez le petit pour des choses si insignifiantes, lui semble grotesque et incompréhensible. Si un enfant observe qu'un napperon est placé sur une petite table de façon désordonnée et qu'il se souvient comment il doit être placé, il essayera de le disposer exactement comme il l'a vu et le fera avec toute l'énergie et l'enthousiasme dont il est capable. Se souvenir : c'est le grand travail de son esprit et le fait de remettre une chose à sa place, comme il l'a repéré, est l'action triomphante de son état de développement. Mais il ne pourra le faire qu'en l'absence de l'adulte, lorsque celui-ci ne s'apercevra pas de l'effort que l'enfant fournit.

Si l'enfant essaye de se coiffer, l'adulte, au lieu d'être saisi d'admiration devant cette tentative, sent ses prérogatives attaquées ;

il voit seulement que l'enfant ne se peigne ni bien ni vite, et qu'il n'atteindra jamais son but, alors que l'adulte pourrait le faire beaucoup mieux. C'est alors que l'enfant, en train d'accomplir avec enthousiasme cet acte constructeur de sa personnalité, voit cet immense adulte qui semble atteindre le plafond et qui lui paraît si puissant qu'il ne pourrait lui résister, venir vers lui pour lui prendre le peigne des mains en lui disant qu'il va le coiffer lui-même. Et il en est de même quand le petit enfant s'efforce et se donne du mal pour s'habiller ou se chausser. Toute tentative est interdite. L'adulte s'irrite, non seulement parce que l'enfant essaye en vain d'accomplir une action, mais aussi à cause de son rythme, de sa façon de se mouvoir, si différente de la sienne.

Or le rythme n'est pas comme une opinion que l'on abandonne quand elle est surannée ou que l'on adopte quand elle est nouvelle : le rythme du mouvement fait partie intégrante de l'individu ; c'est un caractère qui lui est propre, au même titre que la forme de son corps. Si le rythme se trouve en harmonie avec d'autres rythmes similaires, il ne peut changer ni s'adapter à d'autres rythmes différents sans grandes souffrances.

Si nous sommes, par exemple, en compagnie d'un paralytique et que nous devons marcher avec lui, nous ressentons une certaine angoisse ; lorsque nous le voyons porter lentement un verre à sa bouche pour boire en risquant d'en renverser le contenu, nous ressentons une souffrance incontrôlée du fait du contraste qu'il y a entre ce rythme et le nôtre, souffrance à laquelle nous essayons d'échapper, en substituant notre rythme au sien, c'est-à-dire en aidant le paralytique.

Quelque chose de similaire se passe entre l'enfant et l'adulte lorsqu'une défense inconsciente nous incite à l'empêcher d'exécuter des mouvements lents, exactement comme quand nous chassons une mouche inoffensive de la main parce qu'elle nous dérange.

L'adulte peut supporter le mouvement qui représente la souplesse, le rythme accéléré de l'enfant ; il peut dans ce cas supporter le désordre et les troubles que l'enfant provoque dans l'environnement, en « s'armant de patience », parce qu'il s'agit de choses claires et extérieures ; et la volonté de l'adulte est toujours capable d'agir sur les actes conscients. Mais quand le rythme de l'enfant est lent, il intervient alors irrésistiblement pour y substituer le sien. Au lieu de l'aider dans ses besoins psychiques les plus essentiels, l'adulte se substitue à l'enfant dans toutes les actions que celui-ci voudrait accomplir lui-même, lui refusant ainsi toute possibilité d'activité, devenant l'obstacle le plus puissant au développement de sa vie. Les plaintes désespérées de l'enfant, considérées comme des « caprices », lorsqu'il ne veut pas se laisser laver, coiffer, ni habiller, sont les explosions d'un premier drame intime des luttes humaines. Qui pourrait supposer que cette aide inutile apportée à l'enfant est la racine de toutes les répressions et, pour cela même, la cause des dommages les plus dangereux que l'adulte puisse lui occasionner.

Les Japonais ont une conception curieuse de l'enfer pour l'enfant.

Leur culte des morts consiste à déposer des petits objets et des jouets sur la tombe des enfants, afin d'aider ceux-ci à se délivrer, dans l'au-delà, des tourments que les démons essayent continuellement de leur infliger : quand l'enfant est en train de faire une construction, un démon se jette sur lui et démolit son travail. Les petits jouets déposés par les parents pieux permettent aux enfants de recommencer leurs constructions.

C'est un des exemples les plus impressionnants de l'interprétation du subconscient dans la vie future.

14

La substitution de la personnalité

La volonté de l'adulte

La substitution de l'adulte à l'enfant ne consiste pas seulement à agir à la place de celui-ci ; elle peut être l'infiltration de la volonté puissante de l'adulte dans celle de l'enfant ; ce n'est plus, dans ce cas, l'enfant qui agit, mais l'adulte qui agit à travers lui.

Quand Charcot a démontré, dans son fameux institut de psychiatrie, la substitution de la personnalité chez les hystériques au moyen de la suggestion, il a laissé une impression profonde. Ses conclusions ébranlaient en effet des concepts fondamentaux qu'on croyait immuables : à savoir que l'homme était le maître de ses propres actions. Or on a démontré expérimentalement qu'un sujet pouvait être influencé à l'extrême, à tel point que sa propre personnalité disparaît au profit de celle de la personne qui le suggestionne.

De tels phénomènes, bien que réservés à la clinique et à des expériences très limitées, ouvrent toutefois une voie nouvelle aux recherches et aux découvertes.

C'est sur ces phénomènes que reposent en psychanalyse les études sur le dédoublement de la personnalité et sur les états psychiques, ainsi que l'approfondissement des recherches sur le subconscient. La période de l'enfance est spécialement prédisposée à la suggestion, précisément quand la conscience est en voie de formation et lorsque la sensibilité envers les éléments extérieurs en est à un stade de création. L'adulte peut alors s'insinuer, s'infiltrer subtilement, animant de sa propre volonté cette sublime propriété de la volonté de l'enfant qu'est son mouvement.

Il arrive dans nos écoles que, en montrant aux enfants comment accomplir un exercice, on y mette trop de passion et que l'on exécute les mouvements avec trop d'énergie ou trop peu d'attention, ce qui éteint chez les enfants à la fois la faculté de pouvoir juger et celle d'agir selon leur propre personnalité. On dirait qu'un mouvement se détache de l'*ego* qui devrait le diriger, comme s'il avait été saisi par un autre *ego*, étranger et plus puissant. Cet *ego* étranger a eu cet immense pouvoir de dérober la personnalité infantile de ses propres organes. Ce n'est pas volontairement que l'adulte suggestionne. Il le fait sans le vouloir et sans le savoir, sans avoir été confronté au problème.

Je vais donner quelques exemples. Je vis un jour un enfant de deux ans environ qui mettait une paire de souliers sales sur un couvre-lit blanc. D'un mouvement spontané (je dirais même impulsif, mais non mesuré), je pris les souliers et les mis dans un coin de la pièce en disant : « C'est très sale ! » Et puis, de la main, je fis le geste d'épousseter les saletés déposées par les souliers sur le couvre-lit. À la suite de cet incident, chaque fois qu'il voyait une paire de souliers, le petit courait les prendre et les déplaçait en disant : « C'est sale ! » puis il allait passer sa main sur le lit, bien que les chaussures n'aient eu aucun contact avec lui.

Voici un autre exemple : un jour, une famille reçut un colis qui fut accueilli avec joie par la mère. Celle-ci ouvrit le paquet et y trouva un petit mouchoir très fin qu'elle tendit à sa petite fille ainsi qu'une petite corne qu'elle porta à ses lèvres, la faisant sonner ; la fillette s'écria alors avec joie : « Musique ! » Pendant un certain temps, à chaque fois que la petite fille recevait un mouchoir, elle s'agitait joyeusement en disant : « Musique. »

Les actes interdits sont particulièrement propices à l'infiltration d'une volonté extérieure dans les actes de l'enfant, quand la volonté de l'adulte n'agit pas assez violemment pour provoquer une réaction. Cela se produit tout particulièrement dans les classes sociales éduquées et instruites, car l'auto-contrôle y est maintenu par des nurses sophistiquées. Je citerai le cas éloquent d'une enfant de près de quatre ans qui se trouvait seule dans le chalet de sa grand-mère. Un jour, l'enfant manifesta le désir d'ouvrir, dans le jardin, le robinet d'un bassin, pour admirer le jet d'eau qui se trouvait en son centre ; mais, au moment d'exécuter ce geste, elle retira aussitôt sa main. La grand-mère l'encourageait à le faire, mais la fillette lui répondait : « Non, la nounou ne veut pas. » Alors, la grand-mère essaya de persuader l'enfant, lui donnant son plein consentement, lui faisant remarquer qu'elles étaient chez elle. L'enfant souriait de plaisir et de satisfaction à l'idée de voir le jet d'eau ; mais, bien qu'elle étendît plusieurs fois son bras en direction du robinet, elle le retirait précipitamment sans l'ouvrir. Cette obéissance au commandement de la nurse absente était si puissante chez cette enfant que l'affectueuse persuasion de la grand-mère ne put rien contre cette force mystérieuse et lointaine.

Un cas similaire est celui de cet enfant de sept ans environ qui, alors qu'elle était assise, s'élançait soudainement vers un point qui l'attirait au loin ; mais il lui fallait rétrograder et se rasseoir, mue comme par une sorte d'oscillation invincible de sa volonté. Qui était le « maître et seigneur » ? Qui dirigeait ce petit être ? On ne le savait plus ; même l'enfant l'avait oublié.

L'amour de l'environnement

On peut dire que la capacité de suggestion d'un enfant est l'exagération d'une de ses fonctions constructrices. C'est cette sensibilité intérieure très particulière que nous avons appelée l'« amour de l'environnement ». L'enfant, qui observe les choses avec passion, est attiré par elles. Mais ce sont surtout les actes des adultes qui l'attirent ; il veut les connaître et les reproduire. Et c'est là que l'adulte pourrait remplir une sorte de mission, celle d'être l'inspirateur des actes de l'enfant : un livre ouvert dans lequel l'enfant pourrait découvrir le guide de ses propres mouvements et apprendre ce qui lui est nécessaire pour bien faire. Mais, pour réaliser cet idéal, il faudrait que l'adulte soit toujours calme, agissant lentement, afin que son action soit clairement perceptible, dans tous ses détails, pour l'enfant qui observe. Mais si l'adulte s'abandonne à son propre rythme, rapide et efficace, il risque de s'insinuer dans l'âme de cet enfant et de se substituer à lui par suggestion.

Les objets eux-mêmes, sensoriellement attrayants, peuvent avoir une puissance de suggestion, en réclamant l'activité de l'enfant, en commandant de l'extérieur. Je citerai, à ce propos, une expérience intéressante du professeur Levine, illustrée par son cinéma psychologique. Son but était d'étudier la différence de comportement entre des enfants déficients et des enfants normaux scolarisés dans nos écoles (dans des conditions et à des âges équivalents) en présence des mêmes objets : sur une longue table étaient présentés divers objets, parmi lesquels se trouvaient quelques éléments de notre matériel.

Un groupe d'enfants entre d'abord. Attirés par la table, ils sont intéressés et se montrent vifs, souriants et joyeux, semblant contents de se trouver au milieu de tant d'objets.

Chacun d'eux prend un objet et travaille, puis en prend un autre, et ainsi de suite, faisant une quantité d'expériences. C'est le premier plan du film.

Un autre groupe d'enfants entre. Ils se meuvent lentement, s'arrêtent, regardent autour d'eux ; ils prennent un objet, l'examinent longtemps puis semblent rester passifs. C'est ainsi que se termine le deuxième plan du film.

Lequel de ces deux groupes est composé d'enfants déficients ? Et lequel d'enfants normaux ? Les déficients sont les enfants vifs, joyeux, qui touchent à tout, passant d'une chose à l'autre rapidement, voulant tout expérimenter. Ce sont eux qui donnent au public l'impression d'être les enfants intelligents, parce que tout le monde est habitué à considérer comme intelligents les enfants vifs, gais et qui passent vite d'une chose à l'autre.

On voit, au contraire, les enfants normaux se déplacer de façon calme ; ils restent tranquilles et se fixent sur un objet, comme s'ils réfléchissaient. Le calme, les mouvements lents et mesurés et l'attitude réflexive sont les caractéristiques de l'enfant normal.

L'expérience produite dans les deux plans de ce film contraste avec les idées que l'on a en général, parce que dans l'environnement courant, les enfants intelligents agissent comme les déficients du premier film. L'enfant normal, lent et réfléchi, est d'un nouveau type, mais il montre que ses mouvements sont contrôlés, produits par l'*ego* et que sa raison le guide. La raison domine sur la suggestion qui procède d'une chose et en dispose librement. Ce n'est pas le fait de bouger beaucoup qui est important, mais de se dominer soi-même. L'important n'est pas que l'individu se meuve de n'importe quelle manière et dans n'importe quel but, c'est qu'il ait réussi à coordonner et maîtriser sa motricité. La possibilité de se mouvoir sous l'influence de son *ego*, et non du fait de la seule attraction des objets, amène à la concentration sur une seule chose, ce qui est un phénomène d'origine intérieure.

Le mouvement délicat et sensible est le seul qui soit normal : c'est l'aspect synthétique d'un ordre qui peut s'appeler la discipline intérieure. La discipline des actes extérieurs est alors l'expression d'une discipline intérieure, organisée autour d'un certain ordre. Quand cela ne se produit pas, le mouvement échappe à la direction de la personnalité ; il peut être accaparé par la volonté d'autrui ou rester en proie aux sollicitations extérieures, comme une barque à la dérive.

La volonté extérieure discipline difficilement les actes, faute d'organisation intérieure. On peut donc dire que l'individualité est brisée. On pourrait presque comparer l'enfant qui a perdu l'opportunité de se développer selon sa nature à un homme qui, ayant atterri dans le désert avec un ballon, verrait ce dernier se faire emporter par le vent, le laissant complètement seul : l'individu ne pourrait rien faire pour le remplacer ni rien voir autour de lui. C'est ainsi que se retrouve l'homme, lorsqu'il se construit dans la lutte entre l'adulte et l'enfant : une intelligence obscurcie, qui ne s'est pas développée et dont les moyens d'expression déréglés sont la proie des éléments.

15

Le mouvement

Il est nécessaire de souligner l'importance du mouvement dans la construction de la psyché. On a commis une grave erreur en considérant le mouvement comme une des diverses fonctions du corps, sans distinguer suffisamment l'essence de cette fonction de toutes les autres fonctions de la vie végétative, comme la digestion, la respiration, etc. En pratique, le mouvement est considéré comme quelque chose qui aide au bon fonctionnement du corps, favorisant la respiration, la digestion et la circulation.

Mais le mouvement, qui est une fonction prépondérante et caractéristique du monde animal, a aussi une influence sur les fonctions intérieures, c'est-à-dire sur les fonctions de la vie végétative. Il s'agit, pour ainsi dire, d'un caractère qui précède à toutes les fonctions. Mais ce serait une erreur de considérer le mouvement uniquement d'un point de vue physique. Le sport, par exemple, n'apporte pas seulement une amélioration de la santé physique; il insuffle des valeurs, de la confiance en soi, élève la morale et suscite un immense enthousiasme des foules, et cela signifie que ses résultats d'ordre psychique sont bien supérieurs à ceux d'un point de vue uniquement physique.

Le développement de l'enfant, qui se caractérise par l'effort et l'exercice individuel, ne se présente pas seulement comme un simple phénomène naturel, en relation avec l'âge, mais comme quelque chose qui dérive aussi des manifestations psychiques. Il est essentiel que l'enfant puisse recueillir les images et les maintenir claires et ordonnées, parce que l'*ego* construit sa propre intelligence, grâce à la vigueur de ses énergies sensitives qui la guident. C'est au moyen de ce travail intérieur et caché que la raison se construit; c'est précisément ce qui distingue l'homme, cet être rationnel, cet individu qui, en raisonnant et en exerçant son jugement, peut diriger, et qui, quand on le dirige, se met en mouvement.

Face à l'enfant, l'adulte prend l'attitude de celui qui attend que sa raison se développe avec le temps, c'est-à-dire avec l'âge. Et comme il n'est pas conscient des fatigues de l'enfant qui réalise sa croissance au moyen de ses propres efforts, il ne lui apporte aucune aide. Il attend simplement que surgisse l'être rationnel pour confronter sa propre raison à celle de l'enfant. Il oppose surtout des obstacles à la volonté de l'enfant, quand celle-ci s'exprime avec des mouvements.

Pour être compris dans son essence, il faut considérer le mouvement comme l'incarnation fonctionnelle de l'énergie créatrice; c'est lui qui élève l'homme au sommet de son espèce, et qui anime son appareil moteur, instrument au moyen duquel il agit dans l'environnement extérieur, lui permettant de réaliser son propre cycle et d'accomplir sa propre mission.

Le mouvement n'est pas seulement l'expression de l'*ego*, il est aussi le facteur indispensable à la construction de la conscience, et c'est le seul moyen tangible qui établisse des rapports clairs entre l'*ego* et la réalité extérieure. Par conséquent, le mouvement est le facteur essentiel dans la construction de l'intelligence, qui se nourrit et vit des expériences réalisées dans l'environnement extérieur. Les idées abstraites elles-mêmes naissent d'une maturation des contacts avec la réalité, et la réalité s'exprime par le mouvement. Les idées les plus abstraites, comme celles de l'espace et du temps, sont conçues par l'esprit au moyen du mouvement. Celui-ci est donc le trait d'union entre l'esprit et le monde; c'est l'instrument spirituel qui réalise doublement l'action: dans la conception intérieure exacte et dans l'exécution extérieure. L'organe du mouvement représente ce qu'il y a de plus complexe dans le genre humain. Les muscles sont si nombreux qu'il ne lui est pas possible de les utiliser tous. De telle sorte que l'on peut affirmer que l'homme dispose toujours d'une réserve d'organes inemployés. En effet, les personnes qui, dans l'exercice de leur profession, réalisent des travaux manuels délicats, utilisent et mettent en fonction certains muscles que les danseurs n'emploient pas, et vice versa. On peut donc dire que l'individualité se développe en n'utilisant qu'une partie d'elle-même.

Il faut pourtant qu'il y ait une activité suffisante des muscles pour qu'ils se maintiennent à l'état normal, et ce de la même façon chez tous les hommes ; c'est la base sur laquelle s'édifient ensuite les infinies possibilités individuelles. Mais si cette quantité normale d'activité ne se maintient pas complètement en action, l'énergie individuelle s'en trouve diminuée.

Si on laisse inertes des muscles qui devraient normalement fonctionner, cela suscite non seulement une dépression physique, mais aussi une dépression morale. La rééducation des mouvements dérive donc toujours d'énergies spirituelles.

Mais ce qui fait mieux comprendre l'importance du mouvement, c'est de connaître la relation directe qu'il y a entre la fonction motrice et la volonté. Toutes les fonctions végétatives de l'organisme, bien qu'elles soient liées au système nerveux, sont indépendantes de la volonté. Chaque organe a sa propre fonction fixe, qui s'exécute de façon constante ; les cellules et les tissus ont acquis une structure adaptée aux fonctions qu'ils doivent remplir. On pourrait les comparer à des ouvriers tellement spécialisés qu'ils sont incapables de faire quelque chose d'étranger à leur spécialité. La différence fondamentale qu'il y a entre ces éléments et les fibres musculaires réside dans le fait que, bien que dans les fibres musculaires les cellules soient aptes à réaliser leur travail spécialisé, elles ne fonctionnent pas continuellement par elles-mêmes, mais elles restent dans l'attente d'un ordre pour agir et, sans cet ordre, elles n'agissent pas. On pourrait les comparer à des soldats qui attendent les ordres de leurs supérieurs et qui se préparent par la discipline et la promptitude à l'obéissance.

Les cellules dont nous avons précédemment parlé, qui ont des fonctions déterminées telles que produire du lait ou de la salive, fixer l'oxygène, éliminer les substances nocives, ou combattre les micro-organismes, participent toutes ensemble, par leur travail perpétuel, à maintenir l'économie organique ; elles agissent de la même manière que les organisations du travail au sein de l'organisation sociale.

L'adaptation de ces cellules à un travail déterminé est essentielle pour le bon fonctionnement de l'ensemble.

À l'opposé, les multiples cellules musculaires doivent être libres, agiles et rapides, pour être toujours prêtes à obéir à un ordre.

Mais pour savoir obéir, elles doivent y avoir été préparées, et comme cette préparation se fait par le biais de longs exercices, pour coordonner les différents groupes qui doivent agir de concert et exécuter précisément les indications et les ordres, il est indispensable que cet exercice ait lieu.

Cette organisation parfaite repose sur une discipline qui permet à un ordre venu de l'intérieur d'atteindre tous les points périphériques de l'individu ; c'est dans ces conditions que l'organisme dans son ensemble peut accomplir de véritables miracles.

À quoi servirait la volonté sans son instrument ?

C'est grâce au mouvement que la volonté se répand dans toutes les fibres et se réalise. Nous assistons aux efforts que fait l'enfant et aux luttes qu'il soutient pour atteindre cet objectif. L'aspiration, ou plutôt l'impulsion de l'enfant tend à perfectionner et dominer cet instrument sans lequel il n'est rien. Sans lui, il ne serait rien de plus qu'une image de l'homme en manque de volonté. Dans ce cas, non seulement il ne pourrait pas communiquer au monde les fruits de son intelligence, mais son intelligence ne donnerait même pas de fruits. L'organe de cette fonction qu'est la volonté n'est pas seulement un instrument d'exécution, mais aussi d'élaboration.

Une des manifestations les plus inattendues et par conséquent des plus surprenantes des enfants qui agissent librement dans nos écoles, fut la passion et l'exactitude avec laquelle ils faisaient leur travail. Chez l'enfant qui évolue librement, les actions qu'il entreprend se manifestent non seulement en imprimant les images visibles de l'environnement, mais aussi par le désir d'exactitude qu'il ressent dans l'exécution des actions. L'esprit apparaît alors tendu vers l'existence et la réalisation de soi. L'enfant est un découvreur : un homme qui vient d'une nébuleuse, comme une créature indéfinie et rayonnante qui cherche à prendre forme.

16

L'incompréhension

Il est évident que tant que l'adulte n'est pas conscient de l'importance de l'activité motrice de l'enfant, il se contente d'empêcher cette activité qu'il considère perturbatrice.

Mais il n'est pas normal que les scientifiques et les éducateurs n'aient pas mis en évidence à quel point l'activité est d'une importance suprême dans la construction de l'homme. Alors même que le mot « animal » contient l'idée d'animation, c'est-à-dire d'activité, et que la différence qu'il y a entre les végétaux et les animaux réside dans le fait que les premiers sont soumis à la terre et que les seconds peuvent se déplacer, comment peut-on alors admettre que soit restreinte l'activité du mouvement de l'enfant ?

Les expressions de cette attitude générale de l'adulte émanent de son subconscient lorsqu'il dit : « L'enfant est une plante, c'est une fleur », autrement dit : « Il doit rester calme. » Il parle aussi de lui en disant que c'est un « ange », c'est-à-dire un être qui se déplace et qui vole, mais en dehors du monde où se tiennent les hommes.

C'est ainsi que se manifeste la mystérieuse cécité de l'âme humaine, dans des limites qui surpassent les frontières étroites que Freud reconnaît comme les « taches oculaires », qu'il qualifie de cécité partielle, et qui existe dans le subconscient de l'humanité.

Cet aveuglement est extrêmement profond, car même la science, avec ses méthodes systématiques conçues pour découvrir ce que l'on ne connaît pas encore, est passée juste à côté de cette évidence majeure concernant la vie humaine, sans parvenir à la révéler. Tout le monde est d'accord pour souligner l'importance des sens dans la construction de l'intelligence. Personne ne doute du fait que l'intelligence d'un sourd-muet ou d'un aveugle rencontre des difficultés difficilement surmontables dans son développement, parce que l'ouïe et la vue sont les portes de l'intelligence, c'est-à-dire que ce sont les sens intellectuels. Et il est universellement reconnu que l'intelligence des sourds-muets et des aveugles, dans des conditions intrinsèques identiques, reste inférieure à celle des hommes qui jouissent de l'usage de tous leurs sens[1]. Tout le monde reconnaît les souffrances des aveugles et des sourds, bien qu'elles ne soient pas des souffrances physiques, et sait par conséquent qu'elles sont tout à fait compatibles avec une excellente santé. Personne n'aurait l'idée absurde de supposer qu'en privant artificiellement les enfants de la vue ou de l'ouïe, ceux-ci absorberaient plus rapidement la culture intellectuelle et la moralité sociale. On ne serait pas tenté de dire qu'il est nécessaire de se tourner vers les aveugles et les sourds pour améliorer la civilisation.

Mais il est difficile de convaincre les gens de cette idée : « Le mouvement a une importance considérable dans la construction intellectuelle et morale de l'homme. » En se construisant lui-même, si l'homme néglige les organes qui concourent à l'activité et au mouvement, il peut subir des retards dans son développement et demeurer à un degré inférieur de manière permanente, en raison de l'absence de l'un des sens intellectuels[2].

Les souffrances de l'homme « prisonnier de la chair » sont différentes, plus dramatiques et plus profondes que les douleurs de l'homme aveugle et sourd-muet. Bien que les aveugles et les sourds soient uniquement privés de certains éléments de l'environnement, qui se trouvent être des moyens externes de développement, leur âme possède une telle énergie d'adaptation que le surdéveloppement d'un autre sens réussit dans une certaine mesure à combler le manque d'un autre. En revanche, comme le mouvement est lié à la personnalité même et que rien ne peut se substituer à lui, l'homme qui ne peut pas bouger s'offense lui-même et renonce

---

1. Il est nécessaire de relativiser ce propos maintenant que l'on sait que l'intelligence des sourds-muets et des aveugles se développe en compensant leur handicap par d'autres qualités plus développées que la moyenne (N. d. T.).
2. Soit la vue ou l'ouïe, comme c'est explicité plus haut.(N. d. T.)

à la vie. Il s'enferme dans un abysse sans issue et se transforme en un condamné à perpétuité, comme les personnages bibliques expulsés du paradis terrestre, qui, couverts de honte, se dirigeaient en pleurant vers les immenses souffrances d'un monde inconnu[3].

Quand on parle de «muscles», l'idée de quelque chose de mécanique nous vient aussitôt à l'esprit; on pense au véritable mécanisme d'une machine de conduite, ce qui nous éloigne du concept que nous avons à l'esprit, qui est très éloigné de la matière et par conséquent des mécanismes.

Vouloir donner au mouvement une importance supérieure à celle des sens intellectuels dans le cadre du développement de l'intelligence et par conséquent du développement intellectuel de l'homme, cela semble remettre fondamentalement en cause des idées dominantes.

Il y a pourtant bien des mécanismes jusque dans les yeux et les oreilles. Rien n'est plus parfait que l'œil, cet «appareil photographique sublimé par la vie». Et la constitution de l'ouïe représente un art extrêmement raffiné, constitué de cordes et de membranes vibrantes formant un véritable «jazz-band», dans lequel même le tambour ne fait pas défaut.

Mais dès que l'on parle de l'importance qu'ont ces magnifiques instruments dans la construction de l'intelligence humaine, on ne pense pas à eux comme à des appareils mécaniques, mais comme à des outils qu'on utilise. C'est grâce à ces merveilleux instruments vitaux que l'*ego* entre en relation avec le monde, les utilisant selon ses propres besoins psychiques. La vision des spectacles naturels, tels qu'un lever de soleil, la beauté de la nature ou l'enchantement que procurent la vision des œuvres d'art, les impressions sonores du monde extérieur, l'harmonie des voix de l'homme qui parle, la musique: toutes ces impressions multiples et permanentes fournissent à l'*ego* les délices de la vie psychique et lui donnent les

---

3. Là encore on peut nuancer ce propos de nos jours car les handicaps moteurs sont également compensés.

aliments nécessaires à sa conservation. L'*ego* est le véritable agent, l'unique arbitre, celui qui jouit de toutes ces impressions.

Si ce n'était pas l'*ego* qui voyait et qui en profitait, à quoi serviraient les mécanismes des organes sensoriels ?

Voir et entendre n'a pas d'importance en soi, mais c'est en voyant et en entendant que la personnalité de l'*ego* se forme, croît, profite et se maintient.

On peut avoir un raisonnement similaire en ce qui concerne le mouvement. Celui-ci profite sans aucun doute d'organes mécaniques, bien qu'il ne s'agisse pas de mécanismes aussi rigides et fixes que la membrane du tympan, par exemple, ou la lentille cristalline de l'œil. Le problème fondamental de la vie humaine et, par conséquent, de l'éducation, est de faire en sorte que l'*ego* parvienne à animer et à maîtriser ses propres instruments moteurs, de sorte que l'*ego*, dans ses actions, obéisse à un élément supérieur aux réalités communes et aux fonctions de la vie végétative ; cet « élément », qui est en général l'instinct, mais qui chez l'homme appartient à l'esprit créateur, fait partie de l'intelligence.

Si l'*ego* ne peut bénéficier de ces conditions fondamentales, il se désagrège, comme un instinct qui parcourrait le monde en errant, séparé du corps qu'il est censé animer.

17

L'intelligence de l'amour

Toutes les missions de la vie qui se développent selon ses lois et qui mettent les êtres en harmonie affleurent à la conscience sous forme d'amour. On peut dire que celui-ci est le contrôle du salut et le signe de la santé.

L'amour n'en est évidemment pas la cause, mais l'effet, de la même manière que les étoiles reçoivent la lumière d'un astre majeur. C'est l'instinct qui est le moteur, la poussée créatrice de vie ; mais l'instinct, en réalisant la création, engendre l'amour, qui envahit ainsi la conscience de l'enfant ; celui-ci se réalise à travers l'amour.

En effet, cette poussée irrésistible qui unit l'enfant aux choses grâce aux périodes sensibles, peut être considérée comme un amour de son environnement. Ce n'est pas l'amour au sens où on l'emploie communément pour évoquer un sentiment émotif, mais c'est un amour de l'intelligence qui voit, absorbe et se construit en aimant. Cette inspiration qui pousse les enfants à observer, on pourrait la nommer avec l'expression dantesque d'« intelligence de l'amour ».

C'est bien une forme d'amour que cette capacité que l'enfant a d'observer d'une manière si minutieuse et enthousiaste des éléments de l'environnement qui nous semblent complètement insignifiants. N'est-ce pas une caractéristique de l'amour, cette sensibilité qui permet de voir ce que d'autres ne perçoivent pas ? Comment repérer des détails que les autres ne savent pas apprécier et découvrir les qualités particulières qui semblent cachées et que seul l'amour peut déceler ? C'est pour cela que l'intelligence de l'enfant absorbe avec amour et jamais avec indifférence ; l'amour lui permet de voir ce qui est invisible. Cette absorption active, ardente, minutieuse et constante de l'amour est une caractéristique propre à l'enfance.

Cela est apparu à l'adulte comme de la vivacité, de la joie, de l'intensité de vie. Et il l'a admis comme une caractéristique de l'enfant sans y reconnaître l'amour, c'est-à-dire l'énergie spirituelle, la beauté morale qui accompagnent la création.

L'amour de l'enfant est encore dépourvu de contradictions : il aime parce qu'il assimile, parce que la nature lui commande de le faire de cette façon. Et cette assimilation l'absorbe tant qu'elle fait partie de sa propre vie et qu'elle se crée ainsi d'elle-même.

Pour l'enfant, dans son milieu ambiant, l'adulte est un objet particulier d'amour : l'enfant reçoit de lui des objets ainsi que des aides matérielles et il apprend de lui, avec un amour intense, ce dont il a besoin pour se former. L'adulte est un être vénérable et de sa bouche jaillissent, comme d'une source spirituelle intarissable, les mots qui lui serviront de guides pour construire son propre langage. Les paroles de l'adulte sont, pour l'enfant, un stimulant surnaturel.

C'est l'adulte qui, par ses actes, indique à l'enfant qui vient du néant, comment se meuvent les hommes : pour l'enfant, imiter l'adulte, c'est entrer dans la vie. Les actes et les paroles de l'adulte le bouleversent et le fascinent, jusqu'à le pénétrer, telle une suggestion. C'est pour cela que l'enfant est si sensible à l'adulte, au point de permettre que ce soit l'adulte qui vive et agisse en lui. L'anecdote de l'enfant qui avait posé ses souliers usés sur le couvre-lit est une démonstration de ce que peut être l'obéissance devenue suggestion. Ce que lui dit l'adulte reste gravé dans sa mémoire, comme si un burin l'avait gravé dans la pierre. Ce mot « musique » que la maman avait reçu dans un paquet en est un exemple. Aussi l'adulte devrait-il mesurer tous les mots qu'il prononce devant l'enfant, parce que celui-ci est avide d'apprendre et que c'est un collectionneur d'amour.

L'esprit de l'enfant est, de façon enracinée, disposé à obéir à l'adulte. Ce n'est que lorsque l'adulte lui demande de renoncer en sa faveur aux directives du moteur qui le construit selon des lois inaltérables, que l'enfant peut ne pas obéir. C'est comme si, au moment de la poussée des dents, on lui demandait de l'interrompre et d'empêcher ses dents de sortir. Les caprices et la désobéissance de l'enfant sont les reflets d'un conflit vital entre sa poussée créatrice et son amour de l'adulte qui ne le comprend pas. Quand, au lieu de l'obéissance, celui-ci rencontre le caprice, il doit toujours penser à ce conflit et à la défense d'un acte vital, nécessaire au développement de l'enfant.

Il est nécessaire de comprendre que l'enfant veut obéir et qu'il aime. L'enfant aime l'adulte par-dessus tout et paradoxalement, on entend souvent dire : « Comme les adultes aiment les enfants ! » On dit aussi : « Comme les maîtres aiment les enfants ! » On dit qu'il faut enseigner aux enfants à aimer ; il doit aimer sa mère, son père, ses maîtres ; il lui faut aimer tous les hommes du monde, ainsi que les animaux, les plantes et toutes les choses.

Qui donc le lui enseignera ? Qui sera ce maître d'amour ? Sans doute celui qui traite de caprices toutes les manifestations de l'enfant et qui cherche à se défendre contre l'enfant et à protéger ce qu'il possède ? Il est évident que celui-là ne peut pas être ce maître d'amour, parce qu'il n'a pas cette sensibilité qu'on appelle l'« intelligence de l'amour ».

C'est, au contraire, l'enfant qui l'aime. Il désire que l'adulte soit tout proche, présent. Et il s'évertue à attirer son attention sur lui : « Regarde-moi… reste près de moi… »

Quand il va se coucher le soir, l'enfant appelle la personne qu'il aime et la supplie de ne pas l'abandonner. Quand nous passons à table, le tout-petit enfant, celui qui est encore au biberon, voudrait venir avec nous, rester là, tout près, non pour manger, mais pour nous regarder. L'adulte passe à côté de cet amour mystique sans s'en apercevoir. Et ce petit être qui nous aime grandira et s'éloignera. Qui donc nous aimera jamais comme lui ? Qui nous appellera jamais, au moment d'aller se coucher, en disant affectueusement : « Reste avec moi… » plutôt que de dire sur un ton indifférent : « Bonsoir. Bonne nuit » ? Et qui aura un tel désir de nous regarder pendant que nous prenons notre repas, tout en restant à jeun ? Nous nous protégeons contre cet amour qui passera. Et nous n'en trouverons plus de pareil. Nous disons dans l'agitation : « Je n'ai pas le temps. Je ne peux pas. J'ai beaucoup à faire. » Et nous pensons en nous-mêmes : « Il faut que ce petit se corrige, sans quoi nous serons ses esclaves. » Ce que nous voulons, c'est nous libérer de lui, pour faire ce qui nous plaît, pour ne pas renoncer à notre confort.

Un caprice terrible est celui qui consiste à éveiller ses parents, le matin, quand ceux-ci dorment encore. La nurse, quand les conditions sociales le permettent, doit avant tout empêcher cela. La nurse est en effet la gardienne du sommeil matinal des parents.

Pourtant, qu'est-ce donc, si ce n'est de l'amour, qui pousse l'enfant, à peine éveillé, à chercher ses parents ?

Et c'est pour cela que l'enfant saute de son lit très tôt, comme doivent le faire les êtres purs, dès que le soleil se lève. Il va à la recherche de ses parents qui dorment encore, comme pour leur dire : « Préparez-vous à vivre de manière saine. Il y a déjà de la lumière ; c'est le matin. » Et il n'y va pas comme un enseignant, il y court, tout simplement pour retrouver ceux qu'il aime. Certes, la chambre est encore sombre, complètement fermée pour que la lumière de l'aube ne soit pas dérangeante ; l'enfant avance en trébuchant, le cœur serré par la peur de l'obscurité ; mais il surmonte tout et arrive tout doucement à toucher ses parents. Le père et la mère le grondent : « Je t'ai dit de ne pas me réveiller le matin. – Mais je ne t'ai pas réveillé, dit l'enfant, je t'ai seulement touché. Je voulais seulement te faire un bisou. »

C'est comme s'il disait : « Je ne voulais pas te réveiller matériellement, mais seulement appeler ton esprit. »

Oui, l'amour de l'enfant est très important pour nous. Le père et la mère dorment toute la vie ; ils ont tendance à dormir sur toutes choses et il est nécessaire qu'un être neuf les secoue et les anime avec une énergie fraîche et vive, qu'ils n'ont plus en eux. Il faut qu'un être agisse différemment et vienne leur dire chaque matin : « Tu dois vivre une autre vie. Apprends à vivre mieux. » Oui : vivre mieux, sentir le souffle de l'amour.

L'homme dégénérerait sans l'enfant qui l'aide à s'élever. Si l'adulte ne cherche pas à se renouveler, une carapace dure finira par recouvrir son esprit et par le rendre insensible : et il perdra son cœur de cette manière insensée. Cela nous fait penser aux paroles du Jugement dernier lorsque le Christ dit, en s'adressant aux condamnés, qui sont les personnes qui n'ont pas saisi les opportunités d'amélioration qu'elles ont rencontrées au cours de leur vie :

« Insensés, pourquoi ne m'avez-vous pas guéri lorsque vous m'avez trouvé malade ?

Et ceux-ci répondirent :

– Mais quand t'avons-nous vu malade, Seigneur ?

– Chaque fois que vous avez rencontré un pauvre, un malade, c'était moi. Insensés, pourquoi, lorsque j'étais en prison, ne m'avez-vous pas rendu visite ?

– Oh, Seigneur ! Mais quand as-tu été en prison ?

– Je vivais en chaque prisonnier. »

Dans la dramatique description de l'Évangile, il semble que l'adulte doive aider le Christ caché en chaque personne pauvre, en chaque condamné, en chaque homme qui souffre. Mais si cette admirable scène évangélique s'appliquait à notre cas, on verrait que le Christ aide tous les hommes sous la forme d'un enfant.

« Je t'ai aimé, je suis venu te réveiller le matin, et tu m'as repoussé.

– Seigneur ! Mais quand es-tu venu chez moi le matin pour me réveiller ? Et quand t'avons-nous repoussé ?

– L'enfant de tes entrailles qui est venu t'appeler, c'était moi. Celui qui te suppliait de ne pas le laisser, c'était moi ! »

Ah ! Insensés ! C'était le Messie ! C'était le Messie qui est venu nous réveiller et nous enseigner l'amour ! Et nous, nous avons cru qu'il s'agissait d'un caprice d'enfant et c'est ainsi que nous avons perdu notre cœur.

II

DEUXIÈME PARTIE

18

L'éducation de l'enfant

L'importance de l'environnement

Nous devons regarder en face cette vérité impressionnante : l'enfant a une vie psychique qui est passée inaperçue du fait de la délicatesse de ses manifestations, au point que l'adulte risque d'en briser inconsciemment les élans.

L'environnement de l'adulte n'est pas fait pour l'enfant ; il est composé d'une série d'obstacles au travers desquels celui-ci développe des réactions de défense, des déformations, et qui font de l'enfant une victime de suggestion. Comme c'est sur cette apparence extérieure de l'enfant que sa psychologie a été étudiée et que ses caractères ont été jugés afin de servir de fondements à l'éducation, il faut radicalement réviser cette science. Nous avons constaté que sous chacune des réponses qui nous surprennent chez l'enfant, se trouve une énigme à déchiffrer ; chacun de ses caprices est dû à une cause profonde et ne doit pas être interprété comme une réaction superficielle ; c'est l'explosion d'un caractère supérieur, essentiel, qui cherche à se manifester. C'est comme si une tempête empêchait l'âme de l'enfant de sortir de son recoin secret pour se révéler à l'extérieur.

Il est évident que tous ces camouflages masquent l'âme véritable de l'enfant, cachée derrière les efforts qu'il soutient pour réaliser sa vie ; ces caprices, ces luttes, ces déformations ne peuvent pas nous donner l'idée d'une personnalité. Ils ne représentent qu'une somme de caractères. Il doit pourtant exister une personnalité dans l'embryon qu'est l'enfant et dont le développement psychique suit un plan constructif. Il s'agit d'un homme cultivé, d'un enfant inconnu, d'un être vivant séquestré, qu'il faut libérer.

Tel est le devoir le plus urgent de l'éducation ; et, dans ce sens, libérer revient à connaître ; il s'agit donc de mettre en lumière ce qui est encore inconnu.

La différence essentielle entre les recherches en psychanalyse et cette psychologie de l'enfant inconnu réside avant tout dans le fait que le secret du subconscient de l'adulte reste emprisonné dans l'individu même. C'est à l'individu qu'il faut s'adresser pour l'aider à démêler un écheveau qui s'est enchevêtré à force d'adaptations complexes et difficiles, sous des symboles et des distorsions organisées au cours d'une longue vie. Le secret de l'enfant, au contraire, est à peine caché. C'est sur l'environnement qu'il faut agir pour libérer ses manifestations ; l'enfant se trouve dans une période de création, il suffit d'ouvrir la porte. Ce qui est en voie de création, passant du néant à l'existant et qui ce faisant transforme le potentiel en réel, ne peut pas être à l'origine de complications et, s'il s'agit d'une énergie en expansion, elle n'a aucune difficulté à se manifester.

Ainsi, en préparant un milieu adapté au développement vital, la manifestation psychique naturelle se produit spontanément, en révélant le secret de l'enfant. Si on ne tient pas compte de ce principe, le danger est évident : tous les efforts que l'on fournit pour l'éducation risquent de s'engager dans un labyrinthe sans issue.

La véritable éducation repose sur ce principe : il s'agit tout d'abord d'aller à la découverte de l'enfant et de réaliser sa libération. C'est en cela que réside le problème de l'existence : il faut avant tout exister. Vient ensuite le problème suivant, la question de l'aide à apporter à l'enfant et qui doit se poser tout au long de son parcours vers l'âge adulte.

Ces deux problèmes ont une base commune : l'environnement, qui facilite l'expansion de l'être en voie de développement, en réduisant les obstacles au minimum. L'environnement recueille les énergies parce qu'il offre les moyens nécessaires au développement des activités. Mais l'adulte fait partie de cet environnement ; il faut qu'il s'adapte aux besoins de l'enfant avec un objectif: d'une part, ne pas être un obstacle pour l'enfant et, d'autre part, ne pas se substituer à lui dans les diverses activités que celui-ci a à mener avant d'atteindre la maturité.

Notre méthode d'éducation se caractérise précisément par l'importance centrale qu'elle attribue à l'environnement.

La figure du maître a été une des innovations qui ont suscité le plus d'intérêt et le plus de discussions: ce maître passif, qui élimine ce qui pourrait constituer un obstacle à l'activité de l'enfant, qui se complaît à gommer sa propre autorité pour favoriser l'activité de l'enfant, et qui est tout à fait satisfait de le voir agir seul et progresser, sans s'en attribuer personnellement le mérite. Il s'inspire pour cela des sentiments de saint Jean Baptiste: «Lui, il faut qu'il grandisse; et moi, que je diminue.» Une autre caractéristique essentielle de notre méthode est le respect de la personnalité de l'enfant, à un degré encore jamais atteint par les autres méthodes d'éducation.

Ces trois points essentiels ont été développés dans des institutions éducatives connues à l'origine sous le nom de «Maisons des enfants», un nom qui rappelle le concept de l'environnement familial.

Ceux qui ont suivi ce mouvement d'éducation savent combien il a été discuté et combien il l'est encore. Ce qui a le plus suscité de réactions, c'est cette inversion des rôles entre le maître et l'enfant: le maître sans chaire, sans autorité et presque sans enseignement direct à l'enfant; et l'enfant, devenu le centre de l'activité, qui apprend seul, libre dans le choix de ses occupations et libre de ses mouvements. Quand notre démarche n'était pas qualifiée d'utopique, elle semblait pour le moins exagérée.

En revanche, l'autre concept, celui de l'environnement matériel adapté aux proportions du corps de l'enfant, fut accueilli avec bienveillance. Ces pièces claires, lumineuses, aux fenêtres basses et décorées de fleurs, aux petits meubles de toutes sortes, comme dans l'ameublement d'une belle maison moderne; ces petites tables, ces petits fauteuils, ces jolis rideaux, ces armoires basses à la portée de l'enfant qui peut y déposer et y prendre les objets qu'il souhaite, tout cela a véritablement généré une grande amélioration pratique dans la vie des enfants. Et je crois que la majorité des «Maisons des enfants» conservent ce critère extérieur comme élément essentiel.

Aujourd'hui, après de longues recherches et de nombreuses expériences, nous avons le sentiment qu'il est nécessaire de parler de cette méthode en mettant ses origines en lumière d'une façon notoire.

Ce serait une erreur inadmissible de croire que l'observation éventuelle des enfants ait pu engendrer une idée audacieuse, celle de supposer qu'il existe une nature cachée dans l'enfant et que de cette intuition auraient émergé une école spéciale et une nouvelle méthode d'éducation. Il n'est possible d'observer que ce que l'on connaît. Il est par conséquent impossible d'attribuer, sur une simple intuition, deux natures distinctes à l'enfant et de chercher à le démontrer par l'expérimentation. Ce qui est inconnu doit se révéler du fait de sa propre énergie: il n'y a pas d'aveugle plus incrédule que celui qui se met tout à coup à voir, parce qu'il rejette ce qui est nouveau, comme le ferait tout un chacun, et il est nécessaire que cette «nouveauté» soit présentée avec une ténacité persistante, jusqu'à ce qu'elle soit reconnue et acceptée avec vigueur. C'est cette force avec laquelle celui qui est convaincu accueille la nouvelle lumière, l'observe avec enchantement, puis lui consacre sa vie avec un enthousiasme qui nous fait croire qu'il en a été le créateur, alors qu'il a simplement été sensible à ses manifestations. Vient alors le moment de reconnaître et de réaliser ce qui a été magistralement évoqué dans l'Évangile:

«Le Royaume des Cieux ressemble à un marchand qui cherche de belles perles. S'il en trouve une de grande valeur, il va, il vend tout ce qu'il a et il l'achète.» Le plus difficile pour nous est de nous apercevoir d'une découverte, puis de nous persuader de la réalité d'une nouveauté. C'est précisément devant ce qui est nouveau que se ferment les portes de notre perception.

Le champ de l'esprit est comme un salon distingué de la haute société, fermé aux inconnus; pour y pénétrer, il faut être présenté par un habitué. «Passer du connu à l'inconnu.» Il faut que le nouveau enfonce la porte fermée ou entre furtivement lorsque la porte est par hasard restée entrouverte. C'est alors que cet inconnu provoque une surprise extraordinaire, un vrai bouleversement. Quand Volta s'est aperçu que la fameuse grenouille, bien que morte et sans peau, s'agitait encore, il est certain qu'il fut envahi d'émotion et d'incrédulité lors de ses premières vérifications. La question de la résurrection appliquée à ces animaux insignifiants devait lui paraître insensée. Mais il retint pourtant le phénomène et découvrit ainsi l'électricité. Il est fréquent qu'un fait insignifiant puisse nous ouvrir des horizons illimités, parce que l'homme est un chercheur par nature, mais si ces faits insignifiants ne sont ni découverts, ni enregistrés, alors le progrès n'est pas possible.

Dans les champs de la physique et de la médecine, il faut acquérir de sérieuses notions sur ce qui constitue un phénomène nouveau. La découverte initiale de faits inconnus, inattendus et qui sont par conséquent considérés comme inexistants constitue ce qu'on appelle un phénomène nouveau. Un fait en soi est toujours objectif et, pour autant, il ne dépend pas d'une intuition. Quand il s'agit de démontrer l'existence d'un fait nouveau, il faut tout d'abord prouver que celui-ci existe en soi ; il faut donc l'isoler. Vient ensuite un second temps, celui lors duquel on étudie les conditions nécessaires pour que ce phénomène se manifeste, afin de chercher à le reproduire et à l'analyser. Une fois résolus ces problèmes fondamentaux, on peut étudier ledit phénomène, c'est-à-dire commencer les recherches et, en trouvant de nouveaux éléments sur cette nouvelle voie, parvenir à vraiment découvrir ce que l'on recherchait. La recherche doit avoir une sorte d'anti-chambre : c'est le moment de l'apparition. Ensuite, une autre forme d'étude est destinée à reproduire le phénomène, à le maîtriser, afin qu'il ne disparaisse pas comme une vision, mais qu'il se transforme en une réalité, en une propriété tangible, et, par conséquent, en une valeur réelle.

La première « Maison des enfants » offre l'exemple d'une découverte initiale qui, à partir de faits insignifiants, a pu ouvrir des horizons illimités.

Les origines de notre méthode

Certaines de mes notes, retrouvées parmi de vieux documents, décrivent les origines de notre méthode de la manière suivante :

Quelles sont ces origines ?

Le 6 janvier 1907, on inaugura la première école pour petits enfants normaux de 3 à 6 ans, je ne puis dire avec ma méthode, car celle-ci n'existait pas encore, mais on inaugura cette école où elle allait naître peu de temps après. Cette classe accueillait alors une cinquantaine de jeunes enfants très pauvres, d'apparence simple et timide ; plusieurs d'entre eux pleuraient. Presque tous étaient enfants d'analphabètes et se trouvaient dès lors confiés à mes soins.

Le projet initial était de réunir les enfants des locataires du voisinage, dans un quartier ouvrier, pour éviter qu'ils ne restent livrés à eux-mêmes dans les rues et dans les escaliers, à dégrader les murs et à semer le désordre. C'est dans le cadre de ce projet qu'une salle fut mise à disposition dans la maison même et que je fus chargée de cette institution « qui pouvait avoir un bel avenir. »

Avec une sensation indéfinissable, je sentais confusément en moi qu'une œuvre de grande envergure commençait, dont tout le monde parlerait ; et c'est ce qui fut annoncé avec emphase le jour de l'inauguration.

Les paroles de la liturgie qui, en ce jour de l'Épiphanie, furent lues dans les églises, semblaient être un présage et une prophétie : « Tandis que la terre était couverte par les ténèbres, apparut l'étoile de l'Orient, dont l'éclat conduisit la foule. » Tous ceux qui assistèrent à l'inauguration furent étonnés et se demandaient : pourquoi le Dr Montessori donne-t-elle autant d'importance, et d'une façon si exagérée, à cet asile pour enfants pauvres ?

Je commençai mon travail comme l'aurait fait une paysanne qui aurait mis de côté de bonnes semences, et à qui on serait venu offrir une terre féconde où la semer librement. Mais il n'en fut pas ainsi : à peine avais-je remué les mottes de cette terre que je trouvai de l'or à la place du grain. La terre cachait un trésor précieux. Je n'étais déjà plus la paysanne que je croyais être, j'étais comme le talisman qu'Aladin tenait entre ses mains, j'avais, sans le savoir, une clé capable d'ouvrir un coffre renfermant d'immenses trésors cachés.

En effet, mon action auprès de ces enfants normaux m'apporta une série de surprises. Il est très intéressant de connaître cette fabuleuse aventure.

Il est bien certain que des moyens qui avaient donné d'excellents résultats auprès d'enfants déficients, devaient constituer un fondement solide pour favoriser le développement d'enfants normaux ; tout ce qui avait remporté un succès dans le traitement d'esprits affaiblis, dans la rééducation d'intelligences entravées, contenait les principes d'une hygiène intellectuelle en mesure d'aider les esprits normaux à se construire d'une façon vigoureuse et droite. Tout cela n'a rien de miraculeux et la théorie sur l'éducation qui en est issue est ce que l'on peut produire de plus positif et de plus scientifique pour persuader les esprits équilibrés et prudents. Mais il faut avouer que les premiers résultats me surprirent considérablement, suscitant mon admiration, tout en me plongeant régulièrement dans la plus grande incrédulité.

Ces objets, que je présentais aux enfants normaux, n'avaient pas du tout le même effet que celui qu'ils avaient eu sur les enfants déficients : tandis que les enfants normaux étaient tout de suite séduits par les objets, j'avais dû exercer toute ma force de persuasion pour inviter les enfants déficients à s'en préoccuper. L'enfant normal était attiré par un objet, fixait sur lui toute son attention et se mettait à travailler sans répit, avec une concentration surprenante. Ce n'est qu'une fois son travail terminé qu'il semblait satisfait, heureux et reposé. C'est une impression de repos qui émanait de ces petits visages sereins, de ces yeux d'enfants brillants de contentement, après qu'ils eurent accompli un travail spontané. Ces objets[1] étaient comme la clé d'une pendule : quand on l'a remontée pendant quelques instants, elle continue à marcher toute seule pendant de longues heures. L'enfant, après avoir travaillé, se sentait plus fort, plus paisible qu'avant son travail. Il me fallut longtemps pour ne plus être dubitative et me convaincre que je ne me faisais pas

---

1. Le matériel que l'on appelle aujourd'hui le matériel Montessori (N. d. T.).

d'illusion. À chaque nouvelle expérimentation qui me confirmait la véracité de ces faits, je me disais intérieurement : « Je ne le crois pas encore pour l'instant, je le croirai par la suite. » Et je suis ainsi restée incrédule pendant une longue période, tout en étant régulièrement émue et surprise. Combien de fois la maîtresse des enfants a-t-elle reçu mes reproches, quand elle m'expliquait ce que les enfants avaient fait ? « Ne me racontez pas de fantaisies », lui disais-je souvent avec sévérité ; et je me souviens que la maîtresse me répondait sans s'offenser, émue aux larmes : « Vous avez raison ; quand je vois ces choses, je pense que ce doit être les saints anges qui inspirent ces enfants. »

Avec beaucoup d'émotion, un jour, en posant ma main sur mon cœur, comme pour l'encourager à persister dans sa foi, et en pensant respectueusement à ces enfants, je me suis dit : « Qui es-tu ? Peut-être que j'ai rencontré ces enfants qui furent entre les bras du Christ ? Ceux qui lui ont inspiré les paroles divines : "Celui qui reçoit un de ces enfants en mon nom, c'est moi qu'il recevra" ; "Si vous ne devenez pas comme des petits enfants, vous n'entrerez pas dans le Royaume des Cieux" ».

C'est ainsi que le hasard me les fit rencontrer. C'étaient des enfants timides et plaintifs, si peureux qu'ils n'osaient même pas prononcer quelques mots. Leurs figures étaient sans expression, leurs yeux semblaient égarés. De fait, c'étaient de pauvres enfants abandonnés, qui vivaient dans des maisons délabrées et sombres, sans soins, sans être stimulés, visiblement sous-alimentés. Ils avaient un besoin urgent de nourriture, d'air et de soleil. C'étaient de vraies fleurs étiolées, défraîchies : des âmes cachées dans des enveloppes hermétiques.

Il serait intéressant de savoir quelles furent les conditions premières qui permirent l'impressionnante transformation de ces enfants, l'apparition d'enfants nouveaux, dont l'âme se manifesta avec une splendeur telle qu'elle diffusa sa lumière dans le monde entier.

Ce devait être des conditions singulièrement favorables, pour qu'elles puissent faire advenir la « libération de l'âme de l'enfant » ! Il faut que tous les obstacles répressifs aient été supprimés ! Mais qui donc avait pu imaginer en quoi consistaient ces obstacles répressifs ? Et quelles étaient les circonstances favorables nécessaires pour que ces âmes jusqu'alors cachées finissent par s'extérioriser ? Beaucoup de ces conditions auraient pu sembler négatives et contraires à un but aussi élevé.

À commencer par la condition des familles de ces enfants qui étaient issus des classes sociales les plus basses ; leurs parents n'étaient en effet pas de véritables ouvriers, mais des personnes qui cherchaient au jour le jour des emplois temporaires et qui, par conséquent, ne pouvaient pas s'occuper de leurs enfants. La plupart d'entre eux étaient illettrés.

Comme il était impossible de trouver une véritable maîtresse pour un tel poste sans perspective, on pensa à la fille du gardien, pour qu'elle surveille les jeunes enfants, puis on s'adressa finalement à une personne plus cultivée qui avait jadis suivi quelques études pour devenir enseignante et qui travaillait alors comme ouvrière. Elle n'avait par conséquent ni l'ambition, ni la moindre préparation, ni les idées préconçues que l'on aurait fatalement trouvées chez une enseignante de profession. Les conditions très spéciales dans lesquelles nous nous trouvions venaient de ce que nous n'étions pas véritablement une « œuvre sociale » fondée par une municipalité, avec des subventions financières pour la soutenir. Les enfants n'étaient recueillis que pour préserver l'immeuble des dégradations éventuelles qu'ils auraient pu lui faire subir et pour éviter les réparations que cela aurait fréquemment nécessitées. Il n'était pas question de s'occuper d'œuvres de bienfaisance telles que les soins médicaux pour les enfants malades, ou de fournir un repas ou de la nourriture à la population scolaire. Les seuls investissements possibles étaient les dépenses ordinaires d'un bureau aux faibles ressources, c'est-à-dire les meubles et les objets absolument nécessaires. Pour cette raison, on commença par fabriquer des meubles et par acquérir quelques objets. Sans ces éléments, il n'aurait pas été possible d'observer les enfants et d'assister à leur transformation. La Maison des enfants n'était pas une véritable école, mais une sorte d'instrument de mesure qui aurait été remis à zéro au début d'un travail. C'est ainsi que, n'ayant pas les moyens de créer une ambiance avec des bancs et des pupitres d'école, meubles qui étaient alors d'usage dans les écoles, on fabriqua un mobilier simple comme celui d'un bureau ou d'une chambre quelconque. Je fis faire en même temps un matériel scientifique exactement identique à celui que j'avais utilisé dans l'institut des enfants déficients ; ce matériel, personne n'aurait jamais pu le considérer comme du matériel scolaire du fait de cette première affectation.

Il ne faut pas s'imaginer que « l'ambiance » de la première Maison des enfants fût aimable et gracieuse comme celle que l'on trouve de nos jours dans nos institutions. Les meubles les plus importants étaient une table robuste pour la maîtresse, trônant en situation dominante et une immense armoire haute et massive dans laquelle on pouvait ranger toute sorte d'objets et dont les portes étaient fermées par une clé conservée par la maîtresse. Les tables destinées aux enfants avaient été construites dans un souci de robustesse et de durabilité. Elles étaient assez longues pour que trois enfants puissent s'y asseoir à la file ; elles étaient placées les unes derrière les autres, à l'instar des bancs classiques qu'on trouvait dans les écoles. Les seules innovations étaient les petites chaises individuelles toutes simples : une par enfant. Il n'y avait pas de fleurs, qui devaient par la suite devenir une touche caractéristique de nos écoles parce que dans la cour de notre immeuble, cultivée en jardin, il n'y avait que de petites plantes vertes et quelques arbres. Un tel ensemble ne pouvait me donner l'espoir de faire une expérimentation importante. Cependant, cela m'intéressait de développer une éducation rationnelle des sens, pour vérifier les différences de réactions entre les enfants normaux et les enfants déficients et, surtout, pour chercher une correspondance, que j'entrevoyais intéressante, entre les réactions d'enfants normaux plus jeunes et celles d'enfants déficients plus âgés.

Je n'imposai aucune obligation spéciale à la maîtresse. Je lui appris seulement à se servir du matériel sensoriel, afin qu'elle puisse le présenter aux enfants de façon exacte. Et cela lui parut facile et intéressant. Mais je ne l'empêchai pas de prendre ses propres initiatives.

De fait, je m'aperçus assez vite que la maîtresse s'était fabriqué un autre matériel : c'étaient des croix dorées en carton qui devaient servir à récompenser les enfants les plus dociles et les plus obéissants. Je voyais en effet souvent des enfants décorés de ces objets inoffensifs. Elle avait aussi pris l'initiative d'apprendre à tous les enfants à faire le salut militaire, alors que les élèves les plus âgés n'avaient pas plus de cinq ans. Mais cela semblait leur procurer une telle satisfaction et je trouvai le geste si original, que je ne dis rien à ce sujet.

C'est ainsi que débuta notre vie paisible et isolée.

Pendant longtemps, personne ne s'occupa de nous.

Les principaux événements de cette époque étaient infimes, dignes de ces contes pour enfants qui commencent toujours par : «Il était une fois...» Mes interventions étaient si simples et si élémentaires, que personne n'aurait pu les considérer d'un point de vue scientifique. Leur description complète nécessiterait pourtant un volume d'observations ou, mieux encore, de découvertes psychologiques.

19

La répétition de l'exercice

Le premier phénomène digne d'attention fut le suivant : une enfant de trois ans s'exerçait avec les petits cylindres des encastrements solides[1] qui se manipulent comme des bouchons de bouteille ; ce sont des cylindres de différents diamètres en gradation dont chacun a son emplacement parfaitement déterminé. Je fus étonnée de voir une enfant si jeune manifester un tel intérêt à répéter interminablement cet exercice. Il n'y avait aucun progrès ni dans sa rapidité ni dans son habileté d'exécution : c'était une espèce de mouvement perpétuel. Habituée à tout mesurer, je me mis d'abord à compter le nombre de fois qu'elle répétait l'exercice, puis je voulus essayer de jauger la résistance de l'étrange concentration que révélait ainsi cet enfant ; je demandai donc à la maîtresse de faire remuer et chanter tous les autres enfants. La petite fille ne se laissa pas distraire de son travail. Alors, je pris délicatement la petite chaise sur laquelle elle était assise et, avec elle dessus, je la déposai sur une petite table. D'un mouvement rapide, l'enfant avait serré l'objet qu'elle tenait entre ses genoux et elle continua son exercice sans se laisser distraire. Depuis le moment où j'avais commencé à compter, la petite avait répété l'exercice quarante-deux fois. Elle s'arrêta, comme si elle sortait d'un rêve, et sourit toute heureuse : ses yeux brillaient intensément en regardant autour d'elle. Il semblait qu'elle ne s'était même pas rendu compte des manœuvres qui avaient eu lieu et qui ne l'avaient perturbée en rien. Et, tout à coup,

---

1. Ce qui correspond au matériel appelé « emboîtements cylindriques ».

sans aucune cause apparente, elle avait mis un terme à son travail. Qu'est-ce qui s'était achevé ? Et pourquoi ?

Ce fut le premier interstice qui s'ouvrit sur les profondeurs inexplorées de l'âme enfantine. C'était une toute petite fille, qui avait cet âge auquel l'attention manque encore de stabilité, passant d'une chose à une autre, sans se poser. Et pourtant, elle avait fait preuve d'une concentration extraordinaire, son *ego* s'était soustrait à tous les stimulants extérieurs : cette concentration avait été accompagnée d'un mouvement rythmé de ses mains, autour d'un objet précis, scientifiquement gradué.

De telles manifestations de concentration se répétèrent. Les enfants ressortaient de ces périodes de concentration reposés, pleins de vie, avec l'expression d'une joie immense.

Bien que ces phénomènes de concentration qui rendent presque insensible au monde extérieur ne fussent pas très courants, ils se caractérisaient par une curieuse manière de se comporter, commune à tous et constante dans chacune de leurs actions. C'était le caractère propre du travail de l'enfant, que j'appelai plus tard la répétition de l'exercice.

En voyant travailler toutes ces petites mains si sales, je me dis qu'il fallait apprendre aux enfants à se laver les mains. J'observai que les enfants, après s'être complètement lavé les mains, continuaient à se les frotter avec passion. Ils sortaient de la classe pour aller se les laver. Des mères racontaient que les enfants disparaissaient de chez eux à la première heure du jour et qu'on les retrouvait au lavoir en train de se laver les mains : ils étaient fiers de montrer à tout le monde leurs mains propres. Si bien qu'une fois on les prit pour des mendiants ! L'exercice se répétait sans aucune finalité extérieure. C'était pour répondre à un besoin intérieur qu'ils se lavaient les mains, même quand elles étaient propres. La même chose se produisait avec d'autres activités. Plus un exercice était enseigné avec exactitude, plus il semblait devenir stimulant au point d'être sans cesse répété.

20

Le libre choix

Un autre événement a révélé pour la première fois un fait très simple. La maîtresse distribuait le matériel et le remettait en place elle-même. Elle me raconta que, tandis qu'elle se livrait à cette occupation, les enfants se levaient de leurs chaises et s'approchaient d'elle. La maîtresse les renvoyait à leur place, mais ils revenaient irrémédiablement et cela se répétait souvent. La maîtresse en avait conclu que les enfants étaient désobéissants.

Je compris, en les observant, leur désir de ranger eux-mêmes les objets et je les laissai libres de le faire. Il émergea de ce nouveau procédé une véritable vie nouvelle. Remettre les objets en ordre, parer à tout désordre éventuel, était extrêmement attrayant pour les enfants. Si un verre d'eau tombait des mains d'un enfant, tous les autres se précipitaient pour en ramasser les morceaux et essuyer le sol.

Un jour, la boîte contenant quatre-vingts tablettes de couleurs graduées tomba des mains de la maîtresse. Je me rappelle son embarras devant la difficulté à reconnaître tant de couleurs de nuances si sensiblement graduées. Mais les enfants accoururent aussitôt et, à notre stupéfaction, replacèrent rapidement toutes les tablettes, démontrant une extraordinaire sensibilité aux couleurs, que nous n'avions pas nous-mêmes.

Un matin, la maîtresse arriva en retard à l'école ; la veille, elle avait oublié de fermer l'armoire à clé. Elle trouva le meuble ouvert et de nombreux enfants rassemblés devant. Certains d'entre eux prenaient des objets et les emportaient. La maîtresse attribua cet acte à un instinct de vol. Pour elle, les enfants qui volent et qui manquent de respect méritent une sévère éducation morale. Selon moi, les enfants connaissaient assez bien les objets pour pouvoir les choisir tout seuls, et c'est en effet ce qu'ils firent à partir de ce moment-là.

Une recrudescence d'activités intéressantes et vives s'installa en conséquence : les enfants témoignaient d'intérêts particuliers et choisissaient leurs occupations. C'est pour cette raison qu'on agença une armoire basse et élégante qui parut mieux adaptée, où le matériel, tout en étant rangé, était mieux disposé et accessible aux enfants qui le choisissaient selon leurs désirs. Et c'est ainsi que le principe du libre choix accompagna celui de la répétition de l'exercice.

C'est grâce au libre choix qu'ont pu être faites toutes les observations sur les tendances et les besoins psychiques des enfants.

Une des premières conséquences intéressantes fut de voir que les enfants ne choisissaient pas tout le matériel scientifique que j'avais fait préparer, mais seulement quelques-uns des objets qui le composaient. Ils prenaient tous plus ou moins les mêmes choses, et certaines d'entre elles avec une préférence évidente. En revanche, certains objets restaient abandonnés et se couvraient de poussière.

Je les leur présentai tous, et la maîtresse, qui en expliquait l'usage, les leur proposait tous ; mais les enfants ne les reprenaient pas spontanément.

Je compris alors que, dans l'environnement de l'enfant, tout doit être mesuré en plus d'être ordonné, et que l'élimination des confusions et de ce qui est superflu engendre précisément l'intérêt et la concentration.

21

Les jouets

Bien qu'il y eût à l'école des jouets réellement splendides, mis à la disposition des enfants, ceux-ci ne les prenaient jamais. Cela me surprit tellement que je cherchai à leur montrer comment jouer avec, leur indiquant la manière dont on pouvait manipuler la dînette miniature, en faisant mine d'allumer le four de la petite cuisine de poupée. Les enfants s'y intéressaient un instant, puis s'éloignaient juste après et ne les reprenaient jamais de façon spontanée. Je compris alors que les jouets sont quelque chose d'inférieur dans la vie de l'enfant et que ce dernier n'y recourt que faute de mieux ; il y avait quelque chose de plus élevé qui, dans son âme, prévalait sur toutes les choses futiles. On pourrait en dire autant en ce qui nous concerne : jouer aux échecs ou au bridge est très agréable dans nos moments d'oisiveté, mais ce ne serait plus le cas si nous étions obligés d'y jouer tout au long de la vie. Quand une occupation urgente et élevée nous appelle, nous oublions le bridge. Or l'enfant a toujours des occupations urgentes et élevées qui l'appellent.

Chaque minute qui passe lui est précieuse, puisqu'elle représente le passage d'un état inférieur à un état supérieur. En fait, l'enfant grandit et se développe sans cesse ; tout ce qui a trait aux moyens de développement est fascinant pour lui et lui fait oublier l'activité oisive.

22

Récompenses et punitions

En entrant un jour à l'école, je vis, au milieu de la salle, un enfant assis tout seul sur une petite chaise et qui ne faisait rien. Il portait sur la poitrine la pompeuse décoration préparée par la maîtresse en récompense. Celle-ci me raconta que l'enfant avait été puni. Elle me dit aussi que peu de temps avant de l'avoir puni, elle avait récompensé un autre enfant, en lui accrochant une croix dorée sur le torse. Mais cet autre enfant, en passant auprès du petit puni, lui avait donné sa croix, comme un objet inutile et encombrant pour un enfant qui voulait travailler.

L'enfant puni regardait la décoration avec indifférence, puis regardait tranquillement autour de lui, sans se montrer peiné par le poids du châtiment. Ce cas annulait d'emblée la valeur des récompenses et des punitions. Mais nous voulions pousser l'observation plus avant et ce fut après une longue expérimentation que nous en avons eu la confirmation, parce que ce phénomène se répétait constamment, au point que la maîtresse finit par ressentir une espèce de gêne en distribuant des récompenses et des punitions aux enfants, parce qu'ils ne faisaient pas de cas ni aux unes ni aux autres.

Dès lors, on ne distribua plus ni récompense ni punition. Ce qui nous avait le plus surpris avait été le dédain pour les récompenses.

Il y avait eu un réveil de la conscience, un sens de la dignité, qui n'existait pas auparavant.

23

Le silence

J'entrai un jour en classe en portant dans mes bras un petit enfant de quatre mois que j'avais pris des bras de sa mère, en traversant la cour. Le bébé était tout serré dans ses langes, comme il était encore d'usage chez les gens du peuple ; il ne pleurait pas ; sa figure était joufflue et rose. Le silence de ce petit être me fit une grande impression et je voulus partager mon sentiment avec les enfants : « Il ne fait aucun bruit », dis-je, et j'ajoutai en plaisantant : « Regardez comme ses pieds sont immobiles... Aucun de vous ne saurait en faire autant. » J'observai alors avec étonnement une tension chez les enfants qui me regardaient : tous placèrent leurs pieds joints et immobiles. On eût dit qu'ils étaient suspendus à mes lèvres et que ce que je leur disais résonnait profondément en eux. « Mais comme sa respiration est délicate ! continuai-je. Aucun d'entre vous ne pourrait respirer comme lui, sans faire le moindre bruit... » Et les enfants, surpris et immobiles, retinrent leur souffle. À cet instant précis, un silence absolu régna. Le tic-tac de l'horloge devint perceptible alors qu'on ne l'entendait pas d'habitude. Il semblait que ce bébé avait apporté une atmosphère de silence intense, comme il n'en existe pas dans la vie ordinaire.

Pendant ces instants, personne ne faisait le moindre mouvement. De là naquit le désir de retrouver ce silence ; et les enfants voulurent le reproduire. Ils s'y empressèrent donc, on ne peut dire avec enthousiasme parce que cela impliquerait quelque chose d'impulsif qui se traduit extérieurement, alors que cette manifestation correspondait, au contraire, à un désir profond ; mais ils s'immobilisèrent, contrôlant jusqu'à leur respiration. Et ils restèrent ainsi, dans une attitude sereine de méditation. Lentement, au milieu d'un silence impressionnant, on entendait de très légers bruits, comme celui d'une goutte d'eau tombant au loin ou comme le chant ténu d'un oiseau.

C'est de cette façon que naquit notre exercice de silence.

Un jour, il me vint à l'idée de profiter du silence pour faire des expériences sur l'acuité auditive des enfants. Je pensais les appeler par leur nom, à voix basse, à une certaine distance, comme on a l'habitude de le faire lors des examens médicaux. Celui qui entendait prononcer son nom devait venir à mes côtés, en marchant sans bruit. Avec cinquante enfants, cet exercice de longue attente exigeait une patience que je croyais impossible : c'est pour cela que j'avais apporté des bonbons et des chocolats pour récompenser les enfants lorsqu'ils arrivaient près de moi. Mais les enfants refusèrent les bonbons. Ils semblaient dire : « Ne gâte pas notre impression sublime ; notre esprit est encore en train de se délecter ; ne nous distrais pas. »

Je compris ainsi que les enfants étaient aussi sensibles au silence qu'à cette voix douce qui les appelait imperceptiblement. Et ils venaient lentement, en marchant sur la pointe des pieds, avec précaution, pour ne rien heurter ; et leurs pas ne s'entendaient pour ainsi dire pas.

Il fut clair, par la suite, que chaque exercice de mouvement dont l'erreur peut être contrôlée comme dans ce cas précis, par le bruit dans le silence, aide l'enfant à se perfectionner. Et de cette manière, la répétition de l'exercice permet de rendre l'exécution des actions très précises, comme il ne serait pas possible de le faire par le biais d'un enseignement dédié.

Nos enfants apprirent donc à se déplacer entre les obstacles sans les heurter, à courir avec légèreté sans faire le moindre bruit, devenant souples et agiles, jouissant de leur perfection. Ils jouissaient de plus de leur perfection. Ce qui les intéressait, c'était de découvrir leurs propres possibilités, et de les exercer dans ce monde mystérieux où se déroule la vie.

Il me fallut beaucoup de temps pour que je me laisse convaincre du fait que le refus des bonbons avait une raison d'être. Les bonbons, c'est-à-dire les gourmandises données comme récompense ou pour le plaisir, étaient pour les enfants un aliment superflu et aléatoire. Ce phénomène me parut tellement extraordinaire que je voulus répéter l'expérience avec insistance, parce que tout le monde sait qu'une des caractéristiques des jeunes enfants est d'être friands de gourmandises. J'apportai donc des bonbons ; les enfants les refusaient ou les mettaient dans leur poche. Je pensai alors que, parce qu'ils étaient très pauvres, ils voulaient les rapporter à leur famille et je leur dis : «Ces bonbons sont pour toi, et ceux-là, tu peux les emporter chez toi.» Ils les acceptaient, mais ils les mettaient tous dans leur poche et n'en mangeaient aucun. Ils appréciaient pourtant le cadeau, car, une fois, un de ces enfants, retenu au lit, fut si reconnaissant de recevoir la visite de la maîtresse, qu'il ouvrit un tiroir, en sortit un bonbon qu'on lui avait donné en classe et le lui offrit. Le bonbon était resté là pendant plusieurs semaines comme une tentation et l'enfant ne l'avait pas touché. Ce phénomène fut si général parmi les enfants que, dans les écoles qui s'ouvrirent par la suite, de nombreux visiteurs le constatèrent ; ce fait fut commenté dans de nombreux livres à l'époque. Il s'agit là d'un fait psychique spontané et naturel. Personne n'avait soudain décidé de leur enseigner la pénitence et de supprimer les chocolats. Il ne serait venu à l'idée de personne d'affirmer que «les enfants n'ont pas envie de jouer ni de manger des bonbons». Quand on plaisante, ce n'est pas sur des choses de ce genre. Il y eut des anecdotes étranges et répétées, comme celle qui fit le tour du monde : une personnalité vint un jour à l'école et elle distribua des biscuits en forme de figures géométriques. Les enfants, au lieu de les manger, les regardaient intéressés, en disant : «Ça, c'est un cercle ; ça, c'est un rectangle !» Une autre anecdote est celle du petit enfant qui regardait sa maman faire la cuisine ; celle-ci prit une plaquette de beurre qui était entière et l'enfant s'exclama : «C'est un rectangle !» La maman coupa un coin et l'enfant lui dit : «Et là, tu as coupé un triangle et il te reste un trapèze». Mais il ne lui dit pas la phrase attendue en de telles circonstances : «Donne-moi du pain et du beurre !»

24

La dignité

Un jour, il me vint à l'idée de faire une leçon un peu humoristique sur la manière de se moucher. Et, après avoir imité différentes façons de se servir du mouchoir à cet effet, je terminai en montrant comment on se mouche discrètement, de façon à faire le moins de bruit possible et en dissimulant le mouchoir poliment, de manière à ce que le geste soit élégant. Les enfants m'écoutaient et me regardaient avec une profonde attention ; ils ne riaient pas ; et je me demandais en moi-même quelle était la raison d'un tel succès inattendu. À peine eus-je terminé qu'un grand applaudissement éclata, comme quand un artiste reconnu reçoit une ovation au théâtre. Je restai véritablement stupéfaite. Je n'aurais jamais cru que de si jeunes enfants eussent pu se transformer en un public enthousiaste, ni qu'une telle énergie puisse être déployée par de si petites mains. Je pris alors conscience que je venais de toucher un point sensible chez ce petit monde. Les enfants souffrent dans ce domaine d'une sorte d'humiliation continuelle, un dénigrement qui est un signe de mépris permanent. Les enfants se sentent toujours taquinés sur ce sujet, surtout chez les gens du peuple, où on les affuble fréquemment d'un sobriquet qui fait allusion à cette infériorité. Tout le monde leur crie dessus, tout le monde les offense, et on finit par leur coudre ostensiblement un mouchoir sur le tablier, afin qu'ils ne le perdent pas. Et ce mouchoir est comme un stigmate, comme un horrible drapeau. Mais personne ne leur avait jamais appris patiemment comment on devait se moucher, autrement qu'en les réprimandant. Or il faut donner de la valeur à leur point de vue, autrement dit, il est important de comprendre que les enfants sont extrêmement sensibles à tous les gestes de mépris qu'on leur destine et qui les humilient. Cette leçon leur rendait justice, les rachetait à leurs propres yeux et leur permettait de s'élever en société.

C'est ainsi que j'interprétai leur enthousiasme. L'expérience me prouva par la suite que les enfants ont un profond sentiment de leur dignité personnelle ; leur âme peut souffrir de blessures profondes, au-delà de ce que l'adulte peut imaginer.

L'anecdote ne se termina pas ainsi ce jour-là. Alors que j'étais sur le point de m'en aller, les enfants se mirent à crier : « Merci, merci pour la leçon ! » Et quand je sortis, ils me suivirent dans la rue, en une procession silencieuse, jusqu'à ce que je leur dise : « Sur le chemin du retour, courez sur la pointe des pieds et faites attention de ne pas vous cogner sur le coin du mur. » Ils repartirent aussitôt, disparaissant derrière le portail comme s'ils s'étaient envolés. J'avais touché la dignité sociale de ces jeunes enfants défavorisés.

Quand nous recevions de la visite, les enfants se comportaient avec dignité et amour-propre ; ils savaient diriger leur travail et recevoir les visiteurs avec un enthousiasme cordial.

Pour une occasion particulière, la visite d'une personne importante fut annoncée, qui avait signifié qu'elle voulait être seule avec les enfants pour les observer. Je fis mes recommandations à la maîtresse : « À cette occasion, permettez que les choses se passent spontanément. » Et je dis en m'adressant aux enfants : « Demain, vous recevrez une visite, j'espère que vous souhaitez que cette personne pense de vous : ces enfants sont les plus beaux du monde. » Par la suite, je demandai des nouvelles de cette visite. « Ce fut un réel succès, me dit la maîtresse, les enfants ont avancé une chaise au visiteur et lui ont gentiment dit : "Asseyez-vous", tandis que d'autres le saluaient : "Bonjour." Quand le visiteur fut parti, tous les enfants s'étaient penchés par les fenêtres en se pressant et en criant : "Merci pour la visite, toutes nos salutations." – Mais pourquoi tant de compliments et de préparations ? Je vous avais bien demandé de ne rien faire d'extraordinaire, de laisser les choses se faire naturellement », dis-je à la maîtresse qui me répondit : « Je ne leur ai rien dit, ce sont eux... » Et elle ajouta : « Je ne pouvais pas en croire mes yeux, étaient-ce les anges qui inspiraient ces petits?...» Puis elle m'expliqua que les enfants avaient travaillé avec exactitude, que chacun avait pris un objet différent et qu'ils avaient passé un moment tranquille, ce qui avait impressionné le visiteur.

Pendant longtemps, j'ai gardé des doutes à ce sujet, et je tourmentais la maîtresse pour qu'elle ne fasse aucuns préparatifs dans de telles circonstances. Mais je finis par être convaincue : les enfants avaient leur dignité, leur amour-propre et ils savaient mener leurs travaux scolaires et recevoir de la visite avec gratitude et un enthousiasme cordial. Ils honoraient leurs visiteurs et étaient fiers de montrer le meilleur d'eux-mêmes. Ne leur avais-je pas dit : «Je suppose que vous voudriez que l'on pense de vous : ce sont les plus beaux enfants du monde»? Cependant ce n'étaient pas mes recommandations qui les avaient poussés à agir ainsi. Il suffisait de leur dire : «Il va y avoir de la visite», comme lorsqu'on annonce quelqu'un dans un salon, pour que tout ce petit monde, conscient et responsable, gracieux et digne, accomplisse sa tâche. Je compris que les enfants n'éprouvaient aucune timidité. Il n'y avait aucun obstacle entre leur âme et l'environnement. Leur éclosion était naturelle et parfaite, comme celle d'une fleur de lotus qui ouvre sa corolle blanche jusqu'aux étamines pour recevoir les rayons caressants du soleil, en exhalant un parfum délicieux. Aucun obstacle : voilà le point essentiel. Rien à cacher, rien à dissimuler, rien à craindre. Tout simplement. Leur désinvolture découlait d'une parfaite et immédiate adaptation à l'environnement.

Ils avaient une âme agile et vive, toujours détendue, qui irradiait une lumière spirituelle chaleureuse et qui dissolvait les difficultés opprimantes de l'adulte avec lequel elle entrait en contact. Ces enfants accueillaient tout le monde avec amour. C'est ainsi que diverses personnalités se mirent à leur rendre visite, pour recevoir d'eux des impressions neuves et revigorantes. C'est ainsi qu'une vie sociale intense commença à se développer.

C'était étrange de voir des sentiments hors du commun naître chez ces visiteurs.

Parfois, des dames très élégantes rendaient visite aux enfants, ornées de précieux bijoux, comme si elles allaient à une réception.

Elles appréciaient l'admiration ingénue des enfants, totalement dénuée d'envie, et étaient heureuses de la façon dont ils la leur exprimaient.

Ils caressaient les belles étoffes ainsi que les mains délicates et parfumées de ces dames. Un jour, un enfant s'approcha d'une de ces femmes qui était en deuil et appuya sa petite tête contre elle, puis il lui prit une main et la tint longtemps entre les siennes. Cette dame raconta que personne ne l'avait jamais réconfortée aussi intensément que ces enfants.

Une autre fois, la fille de notre président du Conseil des ministres voulut accompagner l'ambassadeur de la République d'Argentine pour une visite de la Maison des enfants. L'ambassadeur avait spécialement demandé que sa visite ne soit pas annoncée, afin de percevoir cette spontanéité dont il avait tant entendu parler. Mais, en arrivant à la Maison, il apprit que c'était un jour de congé et que l'école était fermée. Quelques enfants, qui étaient dans la cour, s'approchèrent de lui et dirent tout naturellement : « Peu importe que ce soit férié, nous sommes tous à la maison et le concierge a la clé. »

Tous s'activèrent alors et appelèrent leurs camarades, firent ouvrir la porte et se mirent au travail. Leur exceptionnelle spontanéité fut ainsi démontrée de façon indiscutable.

Les mères des enfants étaient sensibles à ces événements et elles venaient me faire des confidences sur leur intimité familiale.

« Ces enfants de trois ou quatre ans, me racontaient-elles, nous disent des choses qui nous vexeraient si elles ne venaient pas de nos propres enfants. Ils nous disent, par exemple : "Vous avez les mains sales. Il faut les laver. Il faut aussi nettoyer les taches de vos vêtements." Comme ces recommandations viennent de nos enfants, nous ne nous offensons pas. Ils nous avertissent comme cela arrive dans les songes. »

Et ces personnes du peuple devinrent par la suite plus ordonnées et plus soignées : elles firent disparaître les vieilles marmites cassées des rebords de leurs balcons. Peu à peu, les carreaux de leurs fenêtres se mirent à briller, et des géraniums en fleur les ornaient dans les cours intérieures.

25

La discipline

Malgré l'aisance et la tranquillité qui caractérisaient la manière d'être des jeunes enfants, ils donnaient l'impression d'être extraordinairement disciplinés. Chacun d'eux travaillait tranquillement, absorbé par sa propre occupation. Ils évoluaient avec légèreté pour aller changer de matériel ou pour ranger leur travail. Ils sortaient de classe, jetaient un coup d'œil dans la cour, puis revenaient rapidement. Ils obéissaient aux désirs qu'exprimait la maîtresse avec une rapidité surprenante. Celle-ci leur disait : « Vous faites exactement tout ce que je vous dis et cela me fait sentir une responsabilité pour chaque mot que je prononce. »

En effet, lorsqu'elle demandait l'exercice du silence, elle n'avait pas le temps de terminer sa suggestion que les enfants étaient déjà immobiles.

Malgré cette dépendance apparente, ils agissaient selon leur propre initiative, disposant eux-mêmes de leur temps. Ils prenaient tout seuls le matériel, mettaient de l'ordre dans l'école et, quand la maîtresse arrivait en retard ou sortait en laissant les enfants seuls, tout suivait bien son cours. C'est même en cela que résidait le principal point d'attraction des gens qui les observaient : l'ordre et la discipline étaient intimement liés à la spontanéité des enfants.

D'où venait cette discipline parfaite, active, même quand elle se manifestait dans le plus profond silence, cette obéissance qui régnait et qui anticipait toute injonction ?

Le calme qui régnait dans la classe quand les enfants travaillaient était stupéfiant. Personne ne l'avait provoqué. Personne, d'ailleurs, n'aurait pu l'obtenir de l'extérieur.

Ces enfants étaient aussi profondément axés sur leur orbite que les étoiles qui tournent sans jamais changer l'ordre de leur trajectoire, en continuant à briller pour l'éternité. La Bible parle d'elles avec un langage qui s'adapte à ces phénomènes enfantins: «Les étoiles appelées dirent: nous sommes là; et elles brillèrent pleines de joie.» Une discipline naturelle de ce type semble dépasser ce que l'on connaît et se manifester comme un élément faisant partie d'une discipline universelle qui régit le monde. C'est cette discipline-là qui est évoquée dans les Psaumes, quand ils évoquent qu'elle fut perdue parmi les hommes. Et on a l'impression que c'est sur cette discipline naturelle que devrait reposer une autre discipline, celle dont les motifs sont extérieurs et immédiats comme la discipline sociale. C'est vraiment en cela que résidait le principal objet de surprise chez les personnes qui observaient nos enfants; c'est le point qui donnait le plus à réfléchir, parce qu'il semblait contenir quelque chose de mystérieux: l'ordre et la discipline étaient si étroitement unis qu'ils engendraient la liberté.

26

L'apprentissage de l'écriture et de la lecture

Je reçus un jour une délégation de deux ou trois mères. Elles venaient me demander d'apprendre à lire et à écrire à leurs enfants. Ces femmes étaient illettrées. Et, voyant que je résistais (car c'était une entreprise qui m'était étrangère), elles tentèrent de me convaincre avec insistance.

C'est alors que je m'apprêtais à vivre mes plus grandes surprises. Je commençai par montrer à des enfants de quatre à cinq ans quelques lettres de l'alphabet que je fis découper par la maîtresse dans du papier de verre, afin de les faire toucher du bout des doigts dans le sens de l'écriture ; je rassemblai ensuite sur une table les lettres dont les formes étaient voisines entre elles, pour que les mouvements de la petite main qui devait les toucher soient le plus uniformes possible. La maîtresse aimait exercer les enfants à ce travail et s'appliqua beaucoup à cette initiation qui s'avère primordiale.

L'enthousiasme des enfants nous surprit. Ils organisaient des processions, brandissant en l'air les petites cartes avec les lettres, comme on lèverait des drapeaux, en poussant des cris de joie. Pourquoi cela ?

Je surpris un jour un enfant qui se promenait tout seul en disant : « Pour écrire Sofia, il faut un S, un O, un F, un I, un A » et il répétait les sons qui composent ce mot. Il était donc en train de faire un travail, analysant les mots qu'il avait en tête en cherchant les sons qui les composaient. Il faisait cela avec la passion d'un explorateur sur le point de faire une découverte sensationnelle ; il comprenait que ces sons correspondaient à des lettres de l'alphabet. De fait, qu'est-ce que l'écriture alphabétique, sinon la correspondance d'un signe à un son? Le langage écrit n'est que la traduction littérale du langage parlé. Toute l'importance du progrès de l'écriture alphabétique se trouve en ce point de coïncidence, par lequel ces deux langages se développent parallèlement. Au début, le langage écrit découle du langage parlé, comme des gouttelettes éparses, détachées, qui forment ensemble un cours d'eau séparé, c'est-à-dire les mots et le raisonnement.

C'est un véritable secret, une clé qui, une fois découverte, redouble une richesse acquise, et permet à la main de s'emparer d'un travail vital, presque aussi inconscient que le langage parlé, créant un autre langage qui le reflète avec toutes ses particularités. La main et l'esprit participent de concert à ce travail.

La main peut alors donner une impulsion qui transformera ces gouttes en une seconde chute d'eau. Tout le langage peut déferler parce qu'un cours d'eau, une cataracte, n'est rien d'autre qu'un ensemble de gouttes d'eau.

Une fois l'alphabet établi, le langage écrit en découle de lui-même, logiquement, comme une conséquence naturelle. Il faut simplement pour cela que la main sache tracer les signes correspondants. Mais les signes alphabétiques sont de simples symboles. Ils ne représentent aucune image et sont par conséquent très faciles à tracer. Je n'avais pourtant jamais réfléchi à tout cela lorsque, dans la Maison des enfants, se produisit notre plus grand succès.

Un jour, un enfant se mit à écrire. Sa surprise fut telle qu'il se mit à crier de toutes ses forces: «J'ai écrit! J'ai écrit!» Ses camarades se rassemblèrent autour de lui, intéressés, admirant les mots que leur compagnon avait tracés sur le sol avec un morceau de craie blanche.

«Moi aussi! Moi aussi!» crièrent d'autres enfants en se dispersant. Ils allèrent chercher des instruments d'écriture: quelques-uns se réunirent autour d'une ardoise, d'autres se couchèrent par terre et c'est ainsi que le langage écrit commença à se propager comme une véritable explosion.

Cette activité insatiable était comparable à une cascade. Les enfants écrivaient partout, sur les portes, sur les murs et même, à la maison, sur les croûtes de pain. Ils avaient environ quatre ans. L'initiation à l'écriture était survenue de façon imprévue. La maîtresse me disait par exemple : « Cet enfant a commencé à écrire hier, à trois heures. »

Nous assistions véritablement à un miracle. Mais quand nous présentions des livres aux enfants (et beaucoup de personnes qui avaient eu vent du succès de l'école nous avaient offert de très beaux livres illustrés), ils les accueillaient avec froideur : ils les considéraient comme des objets contenant de belles images mais qui ne les distrayaient pas de cette chose passionnante qu'est l'écriture. Ces enfants n'avaient évidemment jamais vu de livres et, pendant un certain temps, nous cherchâmes à attirer leur attention vers ceux-ci. Mais il ne fut même pas possible de leur faire comprendre ce qu'était la lecture. Les livres furent donc relégués dans l'armoire en attendant des temps meilleurs. Les enfants lisaient l'écriture manuscrite, mais s'intéressaient rarement à ce qu'écrivaient les autres. On eût dit qu'ils ne savaient pas lire ces mots-là. Et quand je lisais à haute voix les derniers mots écrits, beaucoup d'enfants me regardaient étonnés, comme pour me demander : « Comment peut-elle le savoir ? »

Ce fut près de six mois plus tard que les enfants commencèrent à comprendre ce qu'était la lecture, en l'associant à l'écriture. Les enfants devaient suivre des yeux ma main qui traçait des signes sur le papier blanc : ils découvrirent alors que je leur transmettais ainsi mes pensées comme si j'étais en train de leur parler. Dès qu'ils l'eurent clairement compris, ils commencèrent à se saisir des morceaux de papier sur lesquels j'avais écrit, les emmenant dans un coin de la pièce pour essayer de les lire mentalement sans prononcer le moindre son. Nous nous rendions compte qu'ils avaient compris, quand un sourire venait soudainement éclairer leur petit visage contracté par l'effort, ou quand ils faisaient un petit sursaut, comme animés par un ressort caché ; ils se mettaient alors en action, parce que chacune de mes phrases écrites était un « ordre », comme j'aurais pu leur en donner de vive voix : « Ouvre la fenêtre », « Viens près de moi », etc. Et c'est ainsi que la lecture s'implanta. Elle se développa par la suite, jusqu'à la lecture de phrases longues, qui ordonnaient des actions complexes. Il semblait que le langage écrit fût simplement envisagé par les enfants comme une autre façon de s'exprimer, se transmettant comme le langage parlé, d'une personne à une autre.

Quand nous recevions des visiteurs, bon nombre des enfants qui avaient jusqu'alors multiplié les formules de politesse à l'excès, demeuraient maintenant silencieux. Ils se levaient et écrivaient au tableau : «Asseyez-vous», «Merci de votre visite», etc.

Un jour, on parlait d'une catastrophe survenue en Sicile où un tremblement de terre avait entièrement détruit la ville de Messine, provoquant des centaines de milliers de victimes. Un enfant de cinq ans se leva et alla écrire au tableau, commençant ainsi : «Je regrette...» Nous observions cette manifestation avec intérêt, en supposant qu'il voulait déplorer la catastrophe; mais il écrivit : «Je regrette... d'être si petit...» Quelle réflexion curieuse et égoïste était-ce donc là? Mais l'enfant continuait à écrire : «Si j'étais grand, j'irais les aider.» Il avait composé une petite rédaction littéraire, tout en témoignant de son bon cœur. C'était le fils d'une femme qui, pour vivre, vendait des légumes dans la rue.

Plus tard, un fait très surprenant survint. Tandis que nous étions en train de préparer un matériel spécifique pour apprendre l'alphabet imprimé aux enfants et tenter à nouveau l'épreuve des livres, ils se mirent à lire tout ce qu'ils trouvaient imprimé dans l'école; et il y avait des phrases vraiment difficiles à déchiffrer, certaines étaient même écrites en gothique sur un calendrier. À cette époque-là, certains parents nous racontèrent que, dans la rue, les enfants s'arrêtaient pour lire les enseignes des boutiques et que l'on ne pouvait plus se promener avec eux. Il était évident que les enfants s'intéressaient à déchiffrer les signes alphabétiques et non à savoir quels mots étaient écrits. Il y avait là des écritures différentes et il s'agissait de les découvrir, en cherchant le sens d'un mot. C'était un effort d'intuition, comparable à celui qui donne aux adultes le goût de rester de longues heures à étudier les écritures préhistoriques gravées sur la pierre, jusqu'à ce qu'ils déterminent leur sens et qu'ils parviennent à déchiffrer des signes déjà connus. Telle était la stimulation de cette nouvelle passion qui naissait chez les enfants.

Un excès de zèle de notre part dans l'explication des caractères imprimés aurait éteint cet intérêt et cette énergie intuitive. Une simple insistance à leur faire lire des mots dans les livres aurait eu des conséquences négatives qui, pour atteindre un objectif sans importance, auraient pu compromettre l'énergie de ces esprits dynamiques. Ainsi donc, les livres restèrent-ils encore quelque temps enfermés dans l'armoire. Ce ne fut que plus tard que les enfants entrèrent en contact avec eux, suite à un fait bien curieux. Un enfant arriva un jour à l'école, tout excité, cachant dans sa main un morceau de papier chiffonné. Il dit en secret à un camarade : « Devine ce qu'il y a sur ce morceau de papier. – Il n'y a rien, c'est un morceau de papier chiffonné. – Non ! C'est une histoire… – Une histoire là-dedans ? » Voilà qui attira de nombreux enfants. L'enfant avait récupéré la feuille dans une grande poubelle. Et il se mit à lire l'histoire.

Ils comprirent alors à quoi servaient les livres. Et à partir de ce moment, on peut dire que les livres commencèrent à être rentabilisés. Mais beaucoup d'enfants, ayant trouvé une lecture intéressante, arrachaient la feuille pour l'emporter. Que de livres ! La découverte de la valeur des livres fut perturbante ; l'ordre paisible en était troublé et il fut nécessaire de punir ces petites mains passionnées qui détruisaient par amour. Mais, même avant d'avoir lu ces livres, avant d'arriver à les respecter, les enfants, grâce à notre intervention, avaient corrigé leur orthographe et considérablement perfectionné leur écriture, au point qu'on les jugea d'un niveau équivalent à celui des enfants de la troisième classe des écoles élémentaires.

27

Parallèles physiques

Pendant tout ce temps, on n'avait rien fait pour améliorer les conditions physiques des enfants. Et pourtant personne n'aurait reconnu, du fait de leurs visages vifs et colorés, que ces enfants avaient certaines carences alimentaires et des anémies qui semblaient nécessiter des soins urgents et des aliments reconstituants. Ils étaient bien portants, comme s'ils avaient fait une cure complète d'air et de soleil.

En effet, si les causes psychiques déprimantes peuvent avoir une influence sur le métabolisme en abaissant la vitalité, il peut se produire le contraire : les causes psychiques qui exaltent l'esprit peuvent exercer une influence sur le métabolisme et, en conséquence, sur toutes les fonctions physiques. Et ceci en était une preuve. Maintenant que les énergies dynamiques de la matière sont étudiées, on ne serait plus autant impressionné, mais à cette époque, ce fut une profonde surprise.

Tous ces événements firent parler de « miracles », et les histoires de ces enfants merveilleux se répandirent de toutes parts, au point que les journaux en parlèrent avec éloquence. On écrivit des livres sur ces enfants, et des romanciers s'inspirèrent si bien d'eux, qu'en décrivant ce qu'ils avaient vu, ils semblaient évoquer un monde irréel. On parla de découverte de l'âme humaine, de miracles, voire de conversions d'enfants. Le dernier livre anglais sur ce sujet s'intitulait même : *New Children*. De nombreuses personnes vinrent de pays lointains, spécialement d'Amérique, pour constater ces phénomènes surprenants. Nos enfants pouvaient reprendre les paroles bibliques qui sont lues dans les églises le jour de la fête des rois

mages, le 6 janvier, précisément le jour anniversaire de l'inauguration de l'école : « Lève les yeux et regarde autour de toi, ils se sont
tous assemblés pour venir vers toi. La foule se dirige vers toi, depuis
l'autre rive de la mer. »

28

Conséquences

Ce récit succinct de faits et d'impressions nous laisse perplexe quant à la question de la « méthode ». On ne comprend pas bien par quelle méthode on peut obtenir de tels résultats.

Et c'est bien là que se trouve le point névralgique.

Il ne s'agit pas d'une méthode. Ce qu'on voit, c'est l'âme de l'enfant qui, libérée des obstacles, agit selon sa propre nature. Les qualités enfantines que nous avons mises en lumière appartiennent tout simplement à la vie, au même titre que le chant et la couleur des oiseaux ou que le parfum des fleurs. Elles ne sont en rien le résultat d'une « méthode d'éducation ». Cependant, il est évident que ces faits naturels peuvent subir l'influence de l'éducation, dont le but est de les protéger et de les cultiver, afin de favoriser leur développement.

De même que l'homme peut agir au moyen de la culture sur les fleurs dont les couleurs et les parfums sont naturels, le développement de certains caractères peut être facilité et les caractères primitifs qu'offre la nature peuvent être perfectionnés en force et en beauté.

Les événements survenus à la Maison des enfants sont des phénomènes psychiques naturels. Ils ne sont pourtant pas apparents, comme les phénomènes naturels de la vie végétative. La vie psychique est si versatile que ses caractères peuvent disparaître brusquement, lorsque l'environnement ne réunit pas les conditions propices ; d'autres caractères se substituent alors aux premiers. Aussi est-il nécessaire, avant de procéder à toute tentative d'éducation, d'établir dans l'environnement les conditions les plus favorables à l'éclosion des caractères normaux occultés. Il suffit d'éloigner les obstacles et c'est là la première chose à faire, la base même de l'éducation.

Il ne s'agit pas en effet de développer les caractères existants, mais de commencer par découvrir la nature, facilitant ainsi le développement du caractère normal.

En cherchant à savoir quelles sont les conditions que le hasard a réunies dans notre cas et qui ont permis la découverte des caractères normaux, on a reconnu à certaines d'entre elles une importance particulière.

L'une des conditions les plus caractéristiques a été cette ambiance tranquille et agréable qui était offerte aux enfants, et où ils n'étaient pas limités. Ces enfants, qui vivaient dans des lieux misérables, étaient particulièrement sensibles à cet espace clair et propre, où se trouvaient de petites tables neuves, de petites chaises spécialement construites pour eux et où il y avait de petits espaces verts dans une cour ensoleillée.

Une autre condition essentielle était le caractère neutre de l'adulte : les parents illettrés, la maîtresse-ouvrière, sans ambitions ni préjugés. Cette situation pourrait être considérée comme l'origine d'un état de « calme intellectuel ».

On a toujours considéré qu'un éducateur devait être calme. Mais on n'envisageait ce calme et cette sérénité que du point de vue de son caractère, c'est-à-dire de ses impulsions nerveuses. Il s'agit ici d'un calme plus profond : d'un état de vide ou, autrement dit, d'une décharge mentale dont découlent une limpidité intérieure, un détachement de toute relation intellectuelle.

Il s'agit d'une « humilité spirituelle » qui prépare l'adulte à comprendre l'enfant, et c'est en cela que devrait consister la préparation spirituelle de la maîtresse.

Une autre circonstance favorable fut de proposer aux enfants un matériel scientifique adéquat et attrayant, perfectionné pour favoriser l'éducation sensorielle. Tout cela était propice à focaliser l'attention. Et rien n'aurait pu réussir si, en enseignant à haute voix, le maître avait eu la prétention de réveiller les énergies intérieures avec des manifestations extérieures.

En résumé, les trois points extérieurs essentiels sont: l'environnement adéquat, le maître et son humilité, et le matériel scientifique.

Cherchons maintenant à relever quelques-unes des manifestations des enfants.

La plus évidente, celle qui semble presque résulter d'une formule magique permettant l'épanouissement des caractères normaux, c'est l'activité concentrée sur un travail, et s'exerçant sur un objet extérieur avec des mouvements de la main, guidés par l'intelligence. Certains caractères qui ont évidemment un mobile intérieur apparaissent alors, tels que la «répétition de l'exercice» et le «libre choix». C'est là que l'enfant apparaît: illuminé par la joie, infatigable parce que l'activité est comme un métabolisme psychique, source vitale de développement. C'est désormais son choix qui guidera tout, mettant en lien certaines expériences comme le silence; il s'enthousiasme pour certains apprentissages qui lui ouvrent la voie de la justice et de la dignité. Il absorbe intensément les moyens qui lui permettent de développer son esprit. En revanche, il refuse les récompenses, les gourmandises et les jouets. Il nous démontre, en outre, que l'ordre et la discipline sont pour lui des manifestations et des besoins vitaux. Et pourtant, c'est bien un enfant: frais, sincère, joyeux, joueur, qui crie et applaudit quand il s'enthousiasme, qui court, salue à voix haute, remercie avec effusion, appelle et se dirige directement vers les personnes pour leur manifester sa gratitude; il s'approche de tout le monde, admire tout, s'adapte à tout.

Dressons donc la liste de tout ce qu'il a choisi lui-même en prenant en compte ses manifestations spontanées. Notons ensuite ce qu'il a refusé, précédé de la mention «suppression» pour éviter des pertes de temps:

1. Travail individuel

Répétition de l'exercice
Libre choix
Contrôle des erreurs
Analyse des mouvements
Exercices de silence

Bonnes manières dans les relations sociales
Ordre dans l'environnement
Soin méticuleux de la personne
Éducation des sens
Écriture indépendante de la lecture
Écriture précédant la lecture
Lecture sans livres
Discipline dans la libre activité

2. Suppression des récompenses et des punitions

Suppression des syllabaires[1]
Suppression des leçons collectives[2]
Suppression des programmes et des examens
Suppression des jouets et des gourmandises
Suppression de la chaire du maître enseignant

Cela ne fait aucun doute : cette liste fournit les directives d'une méthode d'éducation. En résumé, c'est de l'enfant que sont venues ces directives pratiques, positives et expérimentales, pour définir une méthode d'éducation où son choix est le guide et où son élan vital sert de contrôle de l'erreur.

Il est merveilleux de remarquer que dans la mise en place d'une véritable méthode d'éducation qui s'ensuivit, lentement élaborée selon l'expérience, on préservait les directives premières, parties de rien. Cela nous fait penser à l'embryon d'un vertébré, chez qui apparaît une ligne qui s'appelle la ligne primitive : c'est au départ un véritable dessin sans substance, qui devient par la suite la colonne vertébrale. Et en analysant plus avant, on peut y distinguer trois parties distinctes : la tête, la section thoracique et la section abdominale ; et puis il y a de nombreuses particularités, qui vont

---

1. Le syllabaire est un manuel pour apprendre à lire en découpant des mots en syllabes (N.D.T.).
2. Cela ne veut pas dire qu'il n'y a aucune leçon collective dans les Maisons des enfants, mais que ce ne sont pas les seuls ou les principaux moyens d'enseignement ; la leçon collective est le plus souvent une initiative réservée aux débats.

se déterminer lentement et qui finiront par se solidifier en formant les vertèbres. Par analogie, dans ce premier dessin d'une méthode d'éducation, il existe un « tout », une ligne fondamentale de laquelle trois grands facteurs ressortent : l'environnement, le maître et le matériel ; et puis il y a en plus un grand nombre de détails qui se détermineront précisément, comme le font les vertèbres.

Il serait intéressant de suivre pas à pas cette élaboration qui semble être, pourrait-on dire, la première œuvre dans la société humaine qui ait été accomplie par l'enfant ; et cela permet d'avoir une idée de l'évolution de ces principes qui se présentèrent dès le début comme des révélations inattendues. Les développements successifs de cette singulière méthode constituent bien une évolution, parce que les phénomènes nouveaux procèdent d'un élément vital qui se développe en relation avec l'environnement. Or, celui-ci est très particulier, étant, du fait de l'adulte, une réponse active et vitale aux plans nouveaux que la vie enfantine manifeste en se développant.

La rapidité prodigieuse avec laquelle se sont multipliées les tentatives d'application de cette méthode, dans les écoles pour enfants de toutes conditions sociales et de toutes origines, a élargi le champ d'expérimentation de telle sorte qu'on a pu relever des points communs, des tendances universelles et, par conséquent, déterminer les lois naturelles qui constituent les bases fondamentales de l'éducation.

Les écoles qui s'inspirèrent de la première Maison des enfants sont particulièrement intéressantes, surtout du fait qu'elles poursuivirent la même attitude d'attente des phénomènes spontanés chez les enfants, sans que se soit encore précisée la préparation extérieure de méthodes définitives.

Un exemple impressionnant et criant en fut donné dans l'une des premières Maisons des enfants qui furent ouvertes à Rome. Les conditions étaient encore plus exceptionnelles que dans la toute première école, parce que celle-ci accueillait des enfants orphelins ayant survécu à l'un des pires tremblements de terre, celui de Messine : une soixantaine de petits enfants y avaient été recueillis alors qu'ils étaient livrés à eux-mêmes parmi les décombres. On ne connaissait ni leur nom, ni leur condition sociale. Un choc terrible les avait uniformisés : ils étaient abattus, silencieux, absents. Il était difficile de les alimenter et encore plus difficile de les faire dormir. La nuit, on entendait des cris et des plaintes. On créa pour eux une ambiance exquise et la reine d'Italie s'occupa d'eux personnellement. On construisit de petits meubles clairs, lumineux et variés ; de petites armoires, des rideaux colorés, des tables rondes extrêmement basses et de couleurs vives, au milieu d'autres tables rectangulaires, plus hautes et toujours claires ; des chaises et des petits fauteuils ; la vaisselle était très attrayante : les assiettes étaient petites, les couverts et les serviettes minuscules ; jusqu'aux savons et aux essuie-mains, tout était adapté à ces petites mains, qui avaient encore beaucoup de temps pour grandir.

Il y avait sur chaque meuble un ornement, un signe de raffinement. Il y avait de jolis tableaux aux murs et des vases de fleurs partout. Le local était un couvent des sœurs franciscaines, avec de grands jardins où des cultures étaient faites de façon rationnelle avec de larges allées. Il y avait des bassins avec des poissons rouges, des colombes... Telle était l'ambiance où les sœurs évoluaient dans le calme et le silence, avec leurs robes claires, majestueuses dans leur grand voile.

Elles enseignaient les bonnes manières aux enfants, avec une minutie qui se raffinait chaque jour. Beaucoup de sœurs appartenaient à la société aristocratique, et elles mettaient en vigueur les règles les plus minutieuses de la vie mondaine qu'elles avaient quittée, cherchant dans leur mémoire et dans leurs anciennes habitudes tous les détails dont elles se souvenaient ; il semblait que les enfants étaient insatiables de ces gestes. Ils avaient appris à se tenir à table comme des princes et à servir comme des maîtres d'hôtel de grand style. Si les repas n'avaient pas d'attrait pour eux en ce qui concerne les mets, ils en avaient par l'esprit d'exactitude, par l'exercice du contrôle de leurs mouvements et par l'élévation de leurs connaissances ; puis, peu à peu, leur bel appétit enfantin réapparut, en même temps que leur sommeil paisible. La rapide transformation de ces enfants fit une profonde impression : on les voyait transporter joyeusement des objets jusqu'au jardin, déménager tout le mobilier d'une pièce pour l'installer sous les arbres, sans rien abîmer, sans rien heurter, le visage vif et heureux.

C'est à leur sujet que fut employé pour la première fois le terme de conversion. « Ces enfants me donnent l'impression de convertis, me dit un jour une des femmes de lettres italiennes des plus distinguées. Il n'y a pas de conversion plus miraculeuse que celle qui éteint la mélancolie et l'oppression et qui transporte sur un plan de vie plus élevé. »

Cette conception donnait une forme spirituelle au phénomène inexplicable et impressionnant que tout le monde constatait. Cette qualification fut conservée longtemps, malgré son sens paradoxal : parce que l'idée de conversion semble opposée à l'état innocent de l'enfance. Il s'agissait d'un changement spirituel qui les libérait de la souffrance et de l'abandon, les menant à une véritable résurrection de joie.

La tristesse et la douleur témoignent du fait que la source des énergies vitales est éloignée et cachée, et quand les énergies sont retrouvées à nouveau, cela transforme l'être. La tristesse et la douleur disparaissent, cédant la place à la joie et à la pureté.

Et c'est bien ce qui arrivait à nos enfants : quand leur tristesse devint joie, cela entraîna la disparition de nombreux défauts, et cela fit apparaître de nouveaux caractères, dont les éclairs de lumière éblouissante émanaient des enfants eux-mêmes.

Tout avait été détruit dans l'homme, et tout était à reconstruire. Et pour ce faire, il était nécessaire de réveiller les énergies créatrices. Sans cette démonstration de notre école, grâce à ces enfants qui revenaient d'une situation si anormale, il n'aurait pas été possible de distinguer le bien et le mal. L'adulte avait son opinion toute faite ; il considérait comme bon chez l'enfant tout ce qui s'adaptait à ses propres conditions de vie, et vice versa. Dans ce jugement, les caractères naturels de l'enfant restaient dans l'ombre. L'enfant avait disparu. L'enfant était un inconnu dans le monde de l'adulte ; et le bien et le mal le cachaient également.

29

Les enfants privilégiés

Un autre type d'enfants qui bénéficient de conditions sociales exceptionnelles sont les enfants des personnes riches. On pourrait penser que les enfants riches sont plus faciles à éduquer que les enfants très pauvres de notre première école, ou que les petits rescapés du tremblement de terre de Messine. En quoi pourrait consister leur conversion ? Ils sont privilégiés, entourés des soins les plus précautionneux dont dispose la société. Mais pour éliminer ce préjugé, je me souviens de quelques pages d'un de mes anciens livres où j'expliquais naïvement les premières impressions sur les difficultés rencontrées par les maîtres qui dirigeaient nos écoles en Europe et en Amérique.

La beauté de l'environnement et la magnificence des fleurs n'ont pas d'attrait pour les enfants riches ; les allées d'un jardin ne les invitent pas à s'y promener ; et la connexion entre eux et le matériel ne s'établit pas.

La maîtresse reste désorientée, parce que les enfants ne sont pas attirés par les objets comme elle l'espérait, alors qu'elle les a choisis en fonction de leurs propres besoins.

Dans les écoles où les enfants sont très défavorisés, ils entrent immédiatement en contact avec le matériel ; mais s'il s'agit d'enfants riches, déjà rassasiés de posséder des objets très variés, comme de splendides jouets, ils se laissent rarement attirer d'emblée par les stimulants qu'on leur offre. Une maîtresse américaine, Mlle G., m'écrivait depuis Washington : « Les enfants s'arrachent les objets des mains ; si j'essaie d'en montrer un à un élève en particulier, les autres laissent tomber ce qu'ils avaient entre les mains et se rassemblent bruyamment autour de nous. Quand j'ai fini d'expliquer un exercice avec une pièce du matériel, tous les enfants se battent entre eux pour la posséder. Ils ne montrent aucun intérêt pour l'activité ; ils passent d'un objet à l'autre sans persister avec aucun d'eux. Certains sont incapables de rester tranquilles le temps nécessaire pour faire le tour avec leur doigt d'un de ces petits objets qu'on leur montre. Dans la plupart des cas, les mouvements des enfants n'ont pas de finalité. Ils courent autour de la pièce sans savoir pourquoi. Dans leurs mouvements, ils ne témoignent d'aucun respect pour les objets. Ils trébuchent contre les tables, font tomber les chaises et marchent sur le matériel : parfois, ils commencent un travail pour le laisser aussitôt, prenant un autre objet et l'abandonnant aussi sans raison. »

Mlle D. écrivait de Paris : « Il me faut avouer que mes expériences ont été vraiment décourageantes. Les enfants ne pouvaient se fixer sur aucun travail. Aucune persévérance ; aucune initiative de leur part. Ils se suivaient parfois les uns les autres, comme un troupeau de moutons. Quand un enfant prenait un objet, tous les autres voulaient l'imiter. Il leur arrivait de se rouler par terre et de renverser les chaises. »

D'une école de Rome nous parvint cette description laconique : « Les enfants se montrent désorientés dans leur travail et réfractaires à toute directive. La plus grande préoccupation est la discipline. »

Voyons maintenant des descriptions de la naissance de la discipline.

C'est ainsi que Mlle G. écrivait de Washington : « En quelques jours, cette masse nébuleuse d'enfants désordonnés commença à prendre forme. Il semble que les enfants aient tendance à s'orienter ; beaucoup d'objets qu'ils avaient méprisés au début, commençaient à réveiller leur intérêt ; et le résultat de ce nouvel intérêt fut qu'ils se mirent à agir comme des êtres indépendants, extrêmement individualistes. Il arrivait souvent qu'un objet qui absorbait toute l'attention d'un enfant n'ait aucun attrait pour un autre ; et les enfants se distinguaient entre eux par leurs manifestations d'attention.

« On ne considère la bataille définitivement gagnée que lorsqu'un enfant manifeste spontanément un réel intérêt pour un objet qu'il vient de découvrir. Cet enthousiasme peut se produire à l'improviste et avec une étonnante rapidité. Une fois, j'ai essayé d'intéresser un enfant à toutes sortes d'objets du matériel, sans aucun résultat positif ; puis, par hasard, je lui montrai les deux tablettes, l'une rouge, l'autre bleue, et j'attirai son attention sur leur différence de couleurs. Il les saisit aussitôt et, avec une espèce d'anxiété, il apprit cinq couleurs en une seule leçon. Les jours qui suivirent, il prit tous les objets du matériel qu'il avait tout d'abord dédaignés et, peu à peu, s'intéressa à chacun d'entre eux.

« Un enfant qui, au début, avait une très petite capacité de concentration, mit fin à cet état d'indifférence en s'intéressant à un des objets les plus complexes du matériel : celui des longueurs[3]. Il joua avec cette activité sans discontinuer pendant une semaine, et apprit à compter et à faire des additions simples. Il retourna ensuite vers des objets plus élémentaires, les encastrements de cylindres, et s'intéressa, par la suite, à toutes les pièces du matériel.

« Dès que les enfants trouvent un objet intéressant, le désordre disparaît d'un coup et le vagabondage de leur esprit cesse. »

La même maîtresse illustre ainsi le réveil d'une personnalité :

« Nous avions deux sœurs, l'une de trois ans et l'autre de cinq. La plus petite n'avait pas développé sa personnalité parce qu'elle suivait constamment sa sœur aînée. Par exemple, si celle-ci avait un crayon bleu, la petite n'était pas satisfaite tant qu'elle n'avait pas aussi un crayon bleu ; si la grande mangeait du pain et du beurre, la petite devait manger la même chose et il en était ainsi pour tout. À l'école, la petite ne s'intéressait à rien, suivant sa sœur et imitant tout ce qu'elle faisait. Un jour, la petite s'intéressa soudainement aux cubes roses, construisant une tour avec une attention très vive ; elle répéta cet exercice un grand nombre de fois et oublia complètement sa grande sœur. Celle-ci, étonnée, l'appela pour lui dire : "Comment se fait-il que je sois en train de tracer un cercle et que tu sois en train de faire une tour ?" Et,

---

3. Ce matériel se nomme à présent les « Barres numériques ».

à partir de ce jour, la petite révéla sa personnalité et ne fut plus le miroir de l'aînée. »

Mlle D. parle d'une enfant de quatre ans, incapable de transporter un verre d'eau sans le renverser, même lorsqu'il n'était rempli qu'à moitié ; elle évitait d'ailleurs cet exercice, sachant qu'elle était incapable de le faire. Plus tard, elle s'intéressa à un exercice quelconque du matériel et se mit dès lors à transporter des verres d'eau avec une grande facilité. Et, comme elle avait des camarades qui faisaient de l'aquarelle, elle leur apportait de l'eau à tous, sans renverser la moindre goutte.

Un autre fait véritablement curieux fut rapporté par une maîtresse australienne, Mlle B. Elle avait dans son école une petite fille qui ne parlait pas encore et qui prononçait seulement des sons inarticulés. Ses parents l'avaient fait examiner par un médecin, se demandant si elle n'était pas anormale. Un jour, cette petite fille s'intéressa aux encastrements solides, passant son temps à enlever et à remettre les petits cylindres de bois dans leurs compartiments. Après avoir répété son travail maintes et maintes fois avec un intérêt intense, elle courut vers la maîtresse en lui disant : « Viens voir ! » Mlle B. décrit la joie des enfants pendant le travail : « Les enfants étaient fiers du travail qu'ils avaient accompli. Ils sautaient et m'embrassaient joyeusement quand ils réussissaient à effectuer une opération très simple, en me disant : "J'ai tout fait par moi-même, vous n'imaginiez pas que je pouvais le faire et aujourd'hui, je l'ai exécuté mieux qu'hier !" » Elle raconte encore : « Après les vacances de Noël, à la rentrée, il se produisit un grand changement dans la classe. Il semblait que l'ordre se fût établi tout seul, sans mon intervention. Les enfants semblaient trop intéressés par leur travail pour se livrer aux actes désordonnés dont ils étaient coutumiers. Ils allaient tout seuls choisir des objets dans l'armoire, matériel qui avait auparavant semblé les ennuyer. Ils en prenaient plusieurs successivement, sans éprouver de fatigue. Une atmosphère de travail se répandit dans la classe. Les enfants qui avaient jusqu'alors pris les objets par pur caprice, éprouvaient désormais le besoin d'une espèce de règle personnelle intérieure ; ils concentraient leurs efforts sur des travaux exacts et méthodiques, éprouvant une véritable satisfaction à surmonter les difficultés. Ces travaux précis produisirent un résultat immédiat sur leur caractère. Ils devinrent maîtres d'eux-mêmes. »

L'exemple qui avait le plus impressionné Mlle. B. fut celui d'un enfant de quatre ans et demi qui avait extraordinairement développé son imagination : et ce à tel point que lorsqu'on lui donnait un objet, il n'en observait pas la forme, mais le personnifiait en lui parlant continuellement, imaginant être une personne différente de celle qu'il était, incapable de fixer son attention sur l'objet. Lorsqu'il errait mentalement de cette façon, il était incapable d'effectuer une action précise, comme de fermer un bouton. Soudain, une transformation merveilleuse s'initia chez cet enfant : « Je fus surpris de voir un changement considérable se forger en lui : il répétait l'un des exercices, qui était devenu son occupation favorite. Les autres activités suivirent. De cette façon, il parvint finalement à se calmer. »

Ces anciennes descriptions de maîtres ouvrant prématurément des écoles, avant qu'une méthode sûre ne soit déterminée, pourraient se répéter à l'infini. Des faits similaires et des difficultés identiques, bien qu'atténuées, se retrouvent chez presque tous les enfants heureux qui ont une famille intelligente et aimante, qui s'occupe d'eux. Ce sont des difficultés spirituelles liées à ce que nous appelons le bien-être. Et c'est ainsi que résonnent dans tous les cœurs ces paroles émouvantes du Christ sur la montagne : « Heureux les humbles, heureux ceux qui pleurent… »

Mais tous sont appelés, tous finissent par venir, en surmontant leurs propres difficultés. C'est pour cela que le phénomène qu'on appela « conversion » est un caractère propre à l'enfance ; il s'agit d'un changement rapide, parfois même instantané et dont la cause est toujours identique. Mais les conversions les plus différentes se produisent ainsi. Les exaltés se calment ; les opprimés réagissent et tous avancent ensemble sur la même voie de travail et de discipline. Le progrès se développe de lui-même, mû par une énergie intérieure qui réussit à s'extérioriser puisqu'elle a trouvé une porte de sortie.

La transformation prend d'abord un caractère explosif ; c'est l'annonce certaine du développement qui commence. C'est ainsi que, du jour au lendemain, l'enfant perce une première dent, fait son premier pas ; et quand la première dent est percée, on sait déjà que toute la dentition suivra ; une fois le premier mot prononcé, on sait que le langage se développera ; une fois le premier pas effectué, on sait que l'enfant apprendra pour toujours à marcher. On avait arrêté le développement, ou plutôt, on s'était trompé de chemin ; et cela arrive chez tous les enfants, de toutes les conditions sociales.

La diffusion de nos écoles dans le monde entier, dans toutes les cultures, démontre que cette conversion de l'enfant est commune à l'humanité entière. Une étude méticuleuse pourrait être faite sur une quantité innombrable de caractères qui disparaissent pour être remplacés dans ce même cadre de vie. Ainsi, à l'origine de la vie, chez les petits enfants, il y a constamment une erreur qui dévie le type psychique naturel de l'homme, donnant lieu à d'infinies déviations.

La conversion enfantine est une guérison psychique, un retour aux conditions normales. Oui, cet enfant miraculeux pour la précocité de son intelligence, ce héros qui se surpasse lui-même en trouvant l'énergie de vivre et la sérénité, ce riche qui préfère le travail discipliné aux futiles occupations de la vie, c'est l'enfant normal. Et ce qu'on a trouvé surprenant lors de son apparition, et qu'on a appelé conversion, doit simplement être considéré comme une normalisation. Il y a chez l'homme une nature cachée, une nature ensevelie, et par conséquent inconnue, qui est la vraie nature, issue de la création : la santé.

Cette interprétation n'annule cependant pas les caractères de la conversion de l'adulte ; pourtant, il peut faire machine arrière, retrouver sa nature véritable, mais un changement de cette nature lui serait si difficile qu'on ne pourrait presque pas y reconnaître un retour à la nature humaine.

Au contraire, les caractères psychiques normaux peuvent surgir facilement chez l'enfant ; cela se produit quand toutes les conditions déviées disparaissent ensemble, comme les symptômes d'une maladie dès lors que la bonne santé triomphe.

En observant les enfants à la lumière de cette découverte, on pourrait certainement découvrir des caractères normaux qui apparaissent souvent spontanément, en dépit des conditions difficiles de l'environnement ; bien que rejetés, parce que méconnus, les enfants persistent à faire de nouvelles tentatives pour surmonter les obstacles et prédominer.

On pourrait dire que les énergies normales de l'enfant lui inspirent le pardon, comme les paroles du Christ : « Tu ne dois pas seulement pardonner sept fois, mais sept fois sept fois. »

De la même manière, la nature profonde de l'enfant resurgit et ce non pas sept fois, mais sept fois sept fois, malgré la répression de l'adulte. Ce n'est donc pas un épisode passager de la vie enfantine qui attaque ces caractères normaux : c'est la lutte due à la répression continuelle de l'adulte.

30

La préparation spirituelle du maître

Le maître qui croirait pouvoir se préparer à sa mission en ne comptant que sur l'acquisition de connaissances ferrait erreur : il doit, avant tout, créer en lui certaines dispositions d'ordre moral.

Le point essentiel de la question concerne la façon dont il doit considérer l'enfant : point de vue qui ne peut être envisagé que de l'extérieur, comme s'il s'agissait d'une connaissance théorique sur la façon de l'instruire et de l'éduquer.

Il nous faut insister sur la nécessité pour le maître de se préparer intérieurement, en s'étudiant lui-même avec une constance méthodique ; il est souhaitable qu'il parvienne à corriger en lui ses défauts intrinsèques qui seraient un obstacle dans ses relations avec les enfants. Et pour découvrir ces défauts, logés dans sa conscience, il a besoin d'une aide extérieure, d'une instruction. Il faut que quelqu'un nous indique ce que nous devons voir en nous-mêmes.

C'est dans ce sens que nous disons que le maître doit être initié. Il se préoccupe beaucoup trop des « mauvaises tendances de l'enfant », de la « façon de corriger ses actes indésirables », et de l'« héritage du péché originel ».

Il devrait, au contraire, commencer par rechercher ses propres défauts, ses propres tendances au mal.

« Enlève d'abord la poutre que tu as dans l'œil, et tu pourras ensuite enlever la paille que l'enfant a dans l'œil. »

La préparation intérieure n'est pas une préparation générique. C'est tout autre chose que de « chercher sa propre perfection » comme l'entendent les religieux. Il n'est pas nécessaire, pour devenir éducateur, de chercher à être « parfait, exempt de toute faiblesse». Une personne qui cherche constamment à élever sa propre vie intérieure peut rester dans l'inconsciente des défauts qui l'empêchent de comprendre l'enfant. Il est donc nécessaire qu'on nous l'enseigne et que nous nous laissions guider. Il nous faut nous éduquer, si nous voulons éduquer.

L'instruction que nous apportons aux maîtres consiste à leur montrer l'état d'esprit qui convient le mieux à leur tâche, un peu comme le médecin indique le mal qui menace l'organisme.

Et voici un conseil efficace :

«Le péché capital qui nous domine et nous empêche de comprendre l'enfant, c'est la colère. »

Et comme un péché ne se manifeste jamais seul, mais en entraîne d'autres, un nouveau péché d'apparence noble mais qui n'en est que plus diabolique, s'associe à la colère : l'orgueil.

Nos mauvaises tendances peuvent se corriger de deux façons : l'une, intérieure, consiste à lutter contre nos propres défauts une fois que nous les avons clairement reconnus. Pour l'autre façon, extérieure, il s'agit de résister aux manifestations extérieures de nos mauvaises tendances. L'attitude extérieure est très importante, car c'est ce qui révèle la présence des défauts moraux et lance la réflexion. L'opinion du prochain vainc l'orgueil de l'individu, les circonstances de la vie, l'avarice, la réaction du fort, la colère, la nécessité de travailler pour vivre, la paresse, les conventions sociales, la luxure, la difficulté d'obtenir le superflu, la prodigalité, la nécessité de paraître digne, l'envie. Ces circonstances extérieures ne cessent d'être un avertissement continuel et salutaire. Les relations sociales servent au maintien de notre équilibre moral.

Cependant, nous ne cédons pas aux résistances sociales avec la même pureté que nous obéissons à Dieu. Si notre âme s'assujettit docilement à la nécessité de corriger avec bonne volonté les erreurs que nous reconnaissons, elle accepte moins facilement le contrôle humiliant des autres. Nous nous sentons plus humiliés de devoir céder, que d'avoir commis une erreur. Quand il est nécessaire de freiner, une défense de notre dignité mondaine nous pousse à faire comme si nous avions nous-mêmes choisi l'inévitable. La petite simulation qui consiste à dire «je n'aime pas cela» en parlant de choses qu'on ne peut avoir, est une habitude très fréquente. En opposant une résistance à cette petite simulation, nous engageons une lutte au lieu de nous engager sur une voie de perfection. Et comme l'homme ressent le besoin de s'organiser dès qu'il lutte, la cause individuelle se consolide en une lutte collective.

Ceux qui ont le même défaut tentent instinctivement de se protéger, conscients du fait que l'union fait la force.

Nous dissimulons ainsi nos erreurs en affirmant que nous avons de grands devoirs inéluctables ; c'est ainsi qu'en temps de guerre, les machines et les armes de destruction se dissimulent sous l'aspect de champs inoffensifs. Et plus les forces extérieures qui réagissent contre nos défauts sont faibles, plus nous élaborons facilement nos dissimulations défensives.

Quand l'un de nous est attaqué pour ses propres défauts, nous voyons avec quelle habileté le mal s'efforce de se cacher en nous-mêmes. Ce n'est plus notre vie que nous défendons, mais nos défauts, prompts que nous sommes à les masquer en les appelant « nécessité », « devoir », etc. Et nous nous auto-persuadons peu à peu d'une vérité que notre conscience considère comme fausse et dont il est chaque jour plus difficile de se défaire.

Le maître ou, de manière plus générale, toute personne souhaitant éduquer l'enfant doit se libérer de cette situation erronée qui fausse sa position vis-à-vis de lui-même. Le défaut fondamental, fait d'orgueil et de colère, doit se présenter à la conscience du maître dans sa vérité dénudée. La colère est le principal défaut, auquel l'orgueil offre un masque attrayant, la toge de la dignité qui peut aller jusqu'à imposer le respect.

Mais la colère est un des péchés qui se heurtent le plus facilement à la résistance du prochain. Aussi doit-on la refréner, et l'homme qui subit l'humiliation de la garder cachée finit par avoir honte d'elle.

Le fait de se trouver devant des êtres incapables de se défendre et de nous comprendre, comme les enfants, ne nous met pas en difficulté, mais nous ouvre une voie claire et dégagée. De plus, les enfants croient tout ce que nous leur disons. Et non seulement ils oublient nos offenses, mais ils vont jusqu'à se sentir coupables de tout ce dont nous les accusons.

Il est bon que l'éducateur réfléchisse profondément aux effets qu'une telle situation implique dans la vie de l'enfant. Chez celui-ci, l'injustice n'est pas perçue par la raison seule mais ressentie par son esprit, qui en est opprimé et pour ainsi dire déformé. Les réactions enfantines, comme la timidité, le mensonge, les caprices, les pleurs sans cause apparente, les insomnies et les peurs excessives représentent l'état inconscient de défense de l'enfant, dont l'intelligence ne parvient pas à déterminer la raison véritable dans ses rapports avec l'adulte.

La colère n'implique pas nécessairement la violence matérielle. De cette rude impulsion primitive dérivent d'autres formes déguisées sous lesquelles l'homme psychologiquement raffiné masque et dissimule son état.

Dans sa forme la plus simple, la colère est une réaction à la résistance déclarée de l'enfant. Mais, face aux obscures expressions de l'âme enfantine, la colère et l'orgueil s'entremêlent pour former un état complexe, assumant cette forme précise, tranquille et respectable que l'on appelle la tyrannie.

La tyrannie est au-dessus de toute discussion; elle place l'individu dans la forteresse inexpugnable de l'autorité reconnue. L'adulte domine l'enfant en vertu du droit naturel qu'il possède tout simplement du fait d'être adulte. Remettre ce droit en question équivaudrait à attaquer une forme établie et sacrée de souveraineté. Si, dans les communautés primitives, le tyran était le mandataire de Dieu, l'adulte représente Dieu en personne pour l'enfant, au sujet duquel aucune discussion n'est envisageable. Celui qui pourrait manquer à l'obéissance, à savoir l'enfant, n'a qu'à se taire. Il s'adapte à tout, il croit n'importe quoi, et ensuite il oublie tout.

S'il vient à manifester quelque résistance, ce sera difficilement une contestation directe et intentionnelle à l'action de l'adulte. Ce sera plutôt une défense vitale de son intégrité psychique, ou une réaction inconsciente de son esprit opprimé.

En grandissant, il apprendra à diriger sa réaction directement contre le tyran; mais alors, l'adulte saura le vaincre dans un règlement de comptes à coups de justifications encore plus complexes et tortueuses, en convainquant l'enfant que cette tyrannie s'exerce pour son bien.

D'un côté, le respect; de l'autre, le droit légitime à l'offense; l'adulte a le droit de juger l'enfant et de l'offenser, et ce sans égard à sa sensibilité. L'adulte peut diriger ou supprimer les exigences de l'enfant à sa convenance. Les protestations de celui-ci seront considérées comme de l'insubordination, comme une attitude dangereuse et intolérable.

Voilà un modèle de gouvernement primitif dans lequel le sujet paye son tribut sans avoir le droit d'exprimer la moindre réclamation. Il y eut des peuples qui croyaient que tout ce dont ils jouissaient était un don du souverain; il en est ainsi du peuple des enfants, qui se croit redevable de tout vis-à-vis des adultes. N'est-ce pas plutôt l'adulte qui a forgé cette croyance? Il s'est adjugé le rôle de créateur. Il croit, dans son orgueil, avoir créé tout ce qui existe chez l'enfant. Il pense que c'est lui qui le rend intelligent, bon et pieux et qui lui confère les moyens d'entrer en relation avec son environnement, avec les hommes, avec Dieu. Difficile entreprise! Pour compléter le tableau, il dénie le fait d'exercer une tyrannie. Mais un tyran a-t-il jamais confessé qu'il sacrifiait ses propres sujets?

La préparation que notre méthode exige du maître est l'examen de lui-même et le renoncement à cette tyrannie. Il lui faut chasser de son cœur la colère et l'orgueil; il doit être en mesure de s'humilier et de se revêtir de charité: voilà les dispositions d'âme qu'il doit acquérir; voilà la tare même de la balance, le point d'appui indispensable à son équilibre. C'est en cela que réside la préparation intérieure: c'est le point de départ et le point d'arrivée.

Cela ne veut pas dire que l'adulte doive approuver tous les actes de l'enfant, ni s'abstenir de juger celui-ci, ou qu'il ne doive rien faire pour développer son intelligence et ses sentiments; bien au contraire; il ne doit pas oublier que sa mission est d'éduquer, d'être positivement le maître de l'enfant.

Mais il faut qu'il y ait un acte d'humilité: la suppression d'un préjugé niché dans nos cœurs.

Ce qu'il nous faut éliminer complètement, ce n'est pas l'aide apportée par l'éducation : c'est notre état intérieur, notre attitude d'adulte, qui nous empêche de comprendre l'enfant.

31

Les déviations

En observant quels caractères disparaissent lors de la « normalisation », on est surpris de constater qu'il s'agit de presque toutes les
caractéristiques que l'on connaît chez les enfants : non seulement
celles que l'on considère comme des défauts, mais aussi celles que
l'on reconnaît comme des qualités ; non seulement le désordre, la
désobéissance, la vivacité, la gourmandise, l'égoïsme, la tendance
à se disputer, le caprice, mais aussi l'imagination créatrice, le goût
des histoires merveilleuses, le tendre attachement aux proches,
la soumission, le jeu, etc., et même les caractéristiques scientifiquement étudiées et reconnues comme étant celles qui caracté-
risent l'enfance, telles que l'imitation, la curiosité, l'inconstance
et l'instabilité de l'attention. Cela revient à dire que la nature de
l'enfant, telle qu'on la connaissait, n'est autre qu'une apparence qui
masque la nature primitive et normale. C'est la confirmation d'un
fait d'autant plus impressionnant qu'il est universel, mais ce n'est
pas un fait nouveau ; la double nature de l'homme a été reconnue
dès l'Antiquité la plus reculée : celle de l'homme lors de sa création
et celle de l'homme déchu. En effet, la déchéance de l'homme fut
attribuée au péché originel qui a affecté l'humanité tout entière.
Et, bien qu'il fût reconnu que ce péché était futile, disproportionné
avec l'immensité de ses conséquences, il était à l'origine d'un
éloignement de l'esprit créateur et des lois assignées par la création.
L'homme s'est converti, en conséquence, devenant dès lors comme
une barque à la dérive, harassé par les tempêtes, sans défense devant
les contraintes de l'environnement, ni contre les illusions de son
intelligence et c'est pour cela qu'il lui arrive de se perdre.

Ce concept, qui est la synthèse d'une philosophie de vie, présente une curieuse coïncidence lumineuse avec les faits que l'enfant illustre.

Il faut bien peu de chose pour le faire dévier. Ce qui s'insinue sous les traits de l'amour et de l'aide provient, au fond, d'une chose cachée et subtile, de la cécité de l'âme adulte, de son égoisme inconscient, qui constitue véritablement une puissance diabolique déployée contre l'enfant. Mais l'enfant en ressort toujours frais et dispos, portant en lui le plan selon lequel l'homme devrait se développer.

Si le retour à la normale est lié à un fait déterminé et unique, à savoir la concentration de l'enfant sur une activité motrice qui le met en relation avec la réalité extérieure, on peut parfaitement supposer qu'il n'y a qu'une seule raison à l'origine de toutes les déviations, c'est que l'enfant n'a pu réaliser le plan primitif de son développement, en agissant sur ce dernier à l'âge de sa formation, quand son énergie potentielle devait se développer par le biais de l'incarnation.

La possibilité d'attribuer purement et simplement une multitude de conséquences à un fait unique démontre le fait qu'elles dérivent d'une période de vie primitive, lors de laquelle l'homme n'était qu'un embryon spirituel ; et une seule cause imperceptible peut déformer tout l'être qui en dérive.

32

Les fuites

Pour interpréter les déviations, on peut s'appuyer sur le concept de l'incarnation : l'énergie psychique doit s'incarner dans le mouvement, en constituant la personnalité agissante. Si on n'a pas réussi à réaliser l'unité (du fait de la substitution de l'adulte à l'enfant, ou à cause du manque de motifs d'activité dans l'environnement), les deux éléments que sont l'énergie psychique et le mouvement, sont forcés de se développer séparément ; il en résulte l'« homme déséquilibré ». Cela s'explique par le fait que dans la nature, rien ne se crée, rien ne se perd. Et cela arrive spécialement par le biais des énergies qui, si elles se développent en dehors du but qui leur est assigné par la nature, le font en déviant. Elles dévient d'abord parce qu'elles ont perdu leur objectif et qu'elles errent dans le vide, dans le chaos. L'intelligence, qui aurait dû se construire à travers les expériences du mouvement, fuit vers la fantaisie.

Cette intelligence fugitive a d'abord cherché à se poser, mais elle n'a pas trouvé d'endroit où le faire ; elle a voulu s'accrocher aux choses et n'y est pas parvenue, errant de ce fait entre des images et des symboles. Quant au mouvement, ces enfants vifs font preuve d'une mobilité continuelle, irrépressible, désordonnée et sans but ; leurs actions ne font que s'initier sans parvenir à leur terme, parce que l'énergie passe à travers elles sans pouvoir se fixer. L'adulte punit les actes perturbateurs et désordonnés de ces enfants turbulents, ou bien les tolère patiemment, mais il admire et encourage cette fantaisie, en l'interprétant comme l'imagination et la fécondité créatrice de l'intelligence enfantine. Il faut remarquer qu'une partie du matériel de Frœbel favorise le développement de ce symbolisme.

Il incite l'enfant à découvrir dans les petits cubes et dans les barres, réunis au hasard, des ressemblances avec des chevaux, avec des châteaux ou avec des trônes princiers. En fait, le symbolisme de l'enfant l'amène à se servir de n'importe quel objet comme d'interrupteurs électriques, qui déclenchent la magique fantaisie de l'esprit : un bâton se transforme en cheval, une chaise en train, un crayon en avion. Voilà pourquoi les jouets offerts aux enfants ne permettent pas une réelle activité, mais font naître des illusions en eux. Et, cependant, ce ne sont que des images imparfaites et stériles de la réalité.

En effet, les jouets semblent être la représentation d'un environnement inutile, qui ne peut conduire à aucune concentration de l'esprit et ne présente aucun but. Ils fournissent à l'esprit des objets pour qu'il vagabonde dans l'illusion. L'activité des enfants s'anime aussitôt au contact de ces objets, comme si un souffle animateur faisait naître une petite flamme dans un brasier qui couvait sous les cendres. Mais cette petite flamme s'éteint rapidement et le jouet est alors rejeté. Les jouets sont pourtant tout ce que l'adulte a imaginé pour l'esprit de l'enfant, en cherchant à lui donner un matériel avec lequel il puisse exercer librement son activité. L'adulte, en effet, ne laisse l'enfant libre que lors de ses jeux, et uniquement avec ses jouets. Il est convaincu que ceux-ci constituent l'univers dans lequel l'enfant trouve le bonheur.

Et il n'abandonne jamais cette conviction, même si l'enfant se fatigue facilement des jouets et les casse. L'adulte se montre généreux et libéral dans ce domaine, donnant à leur distribution la valeur d'un rite. C'est l'unique liberté que le monde des adultes ait concédée à l'homme, à l'âge vénérable de son enfance, à l'époque où les directives de sa vie supérieure devraient se fixer. Ces enfants « déviés » sont considérés comme très intelligents, tout spécialement à l'école, bien qu'indisciplinés et désordonnés. Dans nos ambiances, on les voit se fixer tout à coup sur un travail ; dès lors, le vagabondage de l'esprit et le désordre des mouvements disparaissent simultanément, faisant place à un enfant calme et serein, attiré par la réalité, opérant son élévation par le travail. La normalisation a eu lieu. Les organes moteurs ont émergé du chaos à l'instant où ils ont réussi à obéir à leur guide intérieur. Dès lors, ils deviennent l'instrument d'une intelligence avide de connaître et de pénétrer la réalité de l'environnement. Ainsi, la curiosité vagabonde se transforme en un effort pour acquérir des connaissances. La psychanalyse a reconnu la partie anormale de l'imagination et du jeu et, dans une lumineuse interprétation, les a rattachés aux « fuites psychiques ».

Fuir, c'est s'échapper, c'est se réfugier, et souvent, se soustraire à une tyrannie ; ou bien, c'est une défense subconsciente de l'*ego* qui échappe à une souffrance ou à un danger, et qui se cache sous un masque.

33

Les barrières

Les maîtres constatent que dans les écoles, les enfants pleins d'imagination ne sont pas ceux qui profitent le mieux des études, comme on aurait pu s'y attendre. Ils progressent à peine ou échouent complètement. Personne, pourtant, ne doute que leur intelligence est déviée; mais on pense qu'une intelligence créative ne peut s'appliquer à des choses pratiques. C'est la preuve la plus évidente que, chez l'enfant dévié, une diminution d'intelligence se produit, puisqu'il n'est pas en possession de celle-ci et qu'il ne peut être maître de son développement. C'est le cas, non seulement quand l'intelligence a fui vers le monde des illusions, mais aussi quand l'intelligence a été réprimée ou éteinte par le découragement, c'est-à-dire qu'au lieu de s'extérioriser, elle s'est concentrée à l'intérieur. Le niveau de l'intelligence moyenne des enfants déviés est inférieur à celui de l'intelligence des enfants normalisés. La faute en incombe aux déviations qu'on pourrait comparer, bien qu'imparfaitement, à des luxations des articulations ou des os, déviés de leur véritable position; et on comprend alors le soin délicat qu'il faut prodiguer à l'enfant pour le corriger et l'aider à se normaliser. On emploie, au contraire, l'agression directe dans l'enseignement intellectuel, aussi bien que dans la correction du désordre. Une intelligence déviée ne peut être contrainte à un travail forcé sans rencontrer, ou même sans provoquer, un phénomène psychologique de défense très intéressant.

Il ne s'agit pas de cette défense désormais connue en psychologie et qui est liée aux actes extérieurs, telle que la désobéissance ou la paresse. C'est, au contraire, une défense psychique, tout à fait indépendante de la volonté ; c'est un phénomène absolument inconscient qui empêche de recevoir des idées qui voudraient s'imposer de l'extérieur et, par conséquent, de comprendre ces idées.

C'est le phénomène que les psychanalystes désignent par le nom éloquent de *barrières psychiques*. Les maîtres devraient reconnaître ces faits graves. C'est une espèce de rideau qui recouvre l'esprit de l'enfant et le rend toujours plus sourd et plus aveugle psychiquement. Cette fonction défensive si intime pourrait s'exprimer comme si l'âme subconsciente disait au monde extérieur : « Vous parlez, mais je n'écoute pas ; vous insistez, mais je n'entends pas. Je ne peux construire mon univers, parce que je suis en train de construire une muraille de défense, afin que vous ne puissiez plus pénétrer. »

Cette œuvre lente de défense prolongée amène l'enfant à agir comme si ses facultés naturelles étaient perdues ; et il n'est alors plus question de bonne ou de mauvaise volonté. Les maîtres, en présence d'enfants qui ont des barrières psychiques, les jugent peu intelligents, et par nature incapables de comprendre certaines matières, telles que les mathématiques par exemple ; ou bien ils reconnaissent une impossibilité à corriger leur orthographe. Si les barrières concernent souvent certaines matières scolaires ou même toutes, on peut prendre des enfants intelligents pour des déficients ; et quand ils ont redoublé plusieurs fois certaines classes, ils risquent d'être relégués définitivement avec les enfants arriérés.

Le plus souvent, la barrière psychique n'est pas irrémédiable ; mais elle s'entoure d'éléments qui agissent à distance, connues en psychanalyse sous le nom de « répugnances ». Répugnance à une discipline particulière, puis répugnance à un certain type d'études, ou à l'école, ou encore à la maîtresse, ou aux camarades. Il n'y a dès lors plus d'amour ni de cordialité, jusqu'au moment où l'enfant se met à avoir peur de l'école, au point d'être complètement isolé.

Rien n'est plus fréquent que de porter toute sa vie le poids d'une barrière psychique construite pendant l'enfance. Un exemple est la répugnance caractéristique que beaucoup de personnes conservent toute leur vie durant vis-à-vis des mathématiques ; ce n'est pourtant pas lié à une difficulté de compréhension : un obstacle intérieur se dresse au seul nom de la matière en question et suscite la fatigue avant même de permettre à l'activité de commencer.

J'ai connu une petite fille italienne, assez intelligente, qui faisait des fautes d'orthographe vraiment inconcevables, compte tenu de son âge et de sa culture. Toute tentative de correction était inutile. Les exercices semblaient augmenter ses erreurs. La lecture des auteurs classiques restait sans effet. Mais un jour, à ma grande surprise, je la vis écrire en un italien correct et très pur. C'est un épisode que je ne pourrais décrire avec précision, mais il est certain que le langage parfaitement correct préexistait en elle. Cependant une force occulte l'avait tyranniquement gardé prisonnier en elle et avait longtemps projeté une pluie d'erreurs vers l'extérieur.

34

Guérisons

On pourrait se demander lequel des deux phénomènes de déviation est le plus grave entre les fuites et les barrières. Dans nos écoles qui facilitent la normalisation, les fuites de l'imagination se sont montrées faciles à guérir. Cela peut être illustré par une comparaison. Lorsque quelqu'un fuit un endroit parce qu'il n'y trouve pas ce qu'il faut pour satisfaire ses besoins, et même s'il s'agit de tout un peuple qui migre parce qu'un pays ne lui offre plus un cadre propice, on peut toujours s'imaginer qu'il réintégrerait son foyer si on changeait les conditions de cet environnement.

En effet, un des phénomènes les plus souvent observés dans nos écoles est la rapidité des transformations de ces enfants désordonnés et violents, qui semblent brusquement revenir d'un monde lointain. Leur transformation ne se limite pas seulement aux apparences extérieures qui transforment leur désordre en travail ; c'est un changement plus profond qui se présente sous l'aspect de la sérénité et de la satisfaction. Les déviations disparaissent comme spontanément ; c'est une transformation naturelle ; et pourtant, si la déviation n'avait pas été redressée pendant l'enfance, elle aurait pu accompagner l'individu tout au long de sa vie. De nombreux adultes, que l'on considère comme très imaginatifs, n'ont, en réalité, que de vagues sentiments pour leur environnement et ne font qu'effleurer des réalités sensorielles. Ce sont des personnes dont on dit qu'elles ont un tempérament imaginatif, désordonné ; admirant facilement la lumière, le ciel, les couleurs, les fleurs, les paysages, la musique, elles sont sensibles aux choses de la vie tout comme aux romans.

Mais elles n'aiment pas réellement la lumière qu'elles admirent et seraient incapables de s'arrêter un instant pour la connaître ; les étoiles inspiratrices ne sauraient retenir leur attention pour leur enseigner la moindre connaissance élémentaire en astronomie. Elles ont des tendances artistiques, mais sont incapables de produire la moindre œuvre d'art, parce qu'elles ne peuvent exercer aucun approfondissement technique. Elles ne savent généralement que faire de leurs mains ; ne peuvent ni les tenir tranquilles ni les faire agir ; elles touchent les choses nerveusement et les abîment souvent ; elles arrachent distraitement les admirables fleurs. Elles ne peuvent rien créer de beau, ni réaliser la joie de leur vie, ne sachant où trouver la réelle poésie du monde. Elles sont perdues si personne n'intervient pour les sauver, puisqu'elles confondent leur faiblesse organique, leur incapacité, avec un état supérieur. Cet état, qui prédispose à de véritables maladies psychiques, prend ses origines aux racines mêmes de la vie ; à l'âge où la confusion est plus facile et où la vie enfermée provoque des déviations, imperceptibles au début.

En revanche, les barrières sont beaucoup plus dures à vaincre, même chez des petits enfants. Il s'agit d'une construction intérieure qui ferme l'esprit et le cache pour le protéger du monde. Une tragédie occulte se développe au sein de ces barrières multiples qui, le plus souvent, isolent de tout ce qui est beau à l'extérieur, et qui pourrait être une source de richesse et de bonheur : l'étude, les secrets de la science et des mathématiques, les fascinants ressorts d'une langue immortelle, la musique, tout cela devient dès lors l'ennemi dont il faudrait se préserver. Une singulière transformation de l'énergie projette de profondes ténèbres qui recouvrent et occultent tout ce qui pourrait être un objet d'amour et de vie. Les études en deviennent fatigantes et ennuyeuses et déclenchent une aversion pour le monde, au lieu d'être la préparation qui incite à y prendre part.

Les barrières ! Ce mot si suggestif nous fait penser aux protections dont l'homme a si longtemps entouré le corps de l'enfant, avant que l'hygiène ne préconise un mode de vie plus sain. Les hommes protégeaient le corps de l'enfant du soleil, de l'air, de l'eau, en le mettant à l'abri derrière des barrières, imperméables à la lumière. Ils fermaient les fenêtres nuit et jour alors qu'elles étaient déjà trop petites pour laisser passer assez d'air et, en couvrant le corps du bébé de lourds vêtements superposés comme les couches d'une pelure d'oignon, rendant le corps réticent à la caresse de l'eau et empêchant les pores de sa peau d'être en contact avec l'air purifiant. L'ambiance physique s'érigeait en véritable barricade contre la vie.

Sur le plan social, on observe aussi des phénomènes qui font penser à des barrières. Pourquoi les hommes s'isolent-ils les uns des autres? Et pourquoi certains groupes familiaux s'enferment-il avec un tel sentiment d'isolement et de répugnance envers les autres groupes? La famille ne s'isole pas pour jouir d'elle-même, mais pour se séparer des autres. Ce ne sont pas des barrières dressées pour défendre l'amour. Les barrières de la famille constituent des fortifications imprenables, plus puissantes que les solides murs de la maison. Il en est de même en ce qui concerne celles qui séparent les classes sociales et les nations. Les frontières nationales n'ont pas «été conçues pour regrouper des individus et des uniformes», ni pour les garder libres et les protéger du danger. C'est une anxiété d'isolement et de défense qui renforce chaque jour les barrières entre les nations, entravant la circulation des individus et de leurs produits. Pourquoi agir ainsi, alors que la civilisation se développe à travers l'échange? Les frontières représentent pour les nations un phénomène psychique qui est la conséquence d'une grande souffrance et d'une grande violence supportée. La douleur s'est organisée; et son ampleur est si grande que la vie des nations s'est recroquevillée derrière des frontières toujours plus terribles et enracinées.

35

La dépendance affective

Certains enfants obéissants, dont les énergies psychiques ne sont pas assez puissantes pour échapper à l'influence de l'adulte, s'attachent plutôt à lui, qui tend à remplacer ces énergies par ses propres activités, dont les enfants deviennent alors extrêmement dépendants. Le manque d'énergie vitale, bien que ce soit inconscient, les pousse à se plaindre facilement. Ce sont des enfants qui se plaignent toujours de quelque chose; ils ont l'air de petits souffreteux, et sont considérés comme des êtres délicats dans leurs sentiments et sensibles dans leurs affects. Ils s'ennuient en permanence sans le savoir et ont toujours recours aux adultes parce qu'ils sont incapables d'échapper à l'ennui qui les oppresse. Ils s'attachent toujours à quelqu'un, comme si leur vitalité dépendait des autres. Ils demandent à l'adulte de les aider, de jouer avec eux, de leur raconter des histoires, de leur chanter des chansons et de ne jamais les abandonner. L'adulte devient l'esclave de ces enfants-là. Un lien réciproque invisible les enchaîne l'un à l'autre, mais les apparences laissent transparaître qu'ils se comprennent et qu'ils s'aiment profondément. Ce sont ces enfants qui posent sans cesse la question «Pourquoi?», comme si une anxiété de comprendre les submergeait; mais, en observant bien, on s'aperçoit que les questions se succèdent avant même d'avoir reçu leur réponse. Ce qui semblait être une volonté de savoir est en fait pour ces enfants un moyen de tenir en haleine la personne dont ils ont besoin pour les soutenir.

Celle-ci trouve d'ailleurs facile de substituer sa propre volonté à celle de ces enfants qui cèdent docilement; et c'est ainsi que les enfants se laissent aller à ce grand péril qu'est l'inertie, qu'on appelle l'oisiveté ou la paresse.

Un tel état de fait, que l'adulte accueille favorablement parce qu'il ne contrarie pas sa propre activité, est, en réalité, la limite extrême que la déviation peut atteindre.

Qu'est-ce que la paresse? C'est une dépression survenue dans l'organisme spirituel. C'est pour ainsi dire la déchéance des forces physiques qui engendre une maladie grave : sur le plan psychique, c'est la dépression des énergies vitales et créatrices. La religion chrétienne place la paresse parmi les péchés capitaux, c'est-à-dire qu'elle la considère pour l'âme comme un danger fatal.

L'adulte s'est immiscé à l'intérieur de l'âme de l'enfant, il lui a imposé son aide inutile, il s'est substitué à lui, il l'a suggestionné et l'a déformé sans s'en apercevoir le moins du monde.

36

La possession

Il existe, aussi bien chez le tout petit enfant que chez les enfants normalisés, une tendance qui les incite à faire l'effort d'agir par eux-mêmes, en harmonie avec leurs élans. Leur relation à l'environnement n'est pas indifférente ; il s'agit d'un amour profond, d'un besoin vital qu'on pourrait comparer à la faim. Celui qui a faim est poussé par une force qui lui fait chercher de la nourriture. Ce n'est pas par un raisonnement logique ; il ne se dit pas : « Cela fait un moment que je n'ai pas mangé ; sans manger, je ne peux pas être fort, ni même vivre ; il est donc nécessaire que je cherche quelque chose de nourrissant et que je le mange. » Non, la faim est une souffrance intense qui nous pousse irrésistiblement vers les aliments. L'enfant éprouve cette espèce d'appétit qui le pousse vers l'environnement pour y chercher les éléments capables de nourrir son esprit, et il se nourrit par l'activité.

« Comme des enfants nouveau-nés, nous aimons le lait spirituel. » C'est dans cet élan, dans cet amour de l'environnement, que se trouve la caractéristique de l'homme. Il ne serait pas exact de dire que l'enfant a une passion pour l'environnement, parce que la passion indique quelque chose d'impulsif et de transitoire, et que l'impulsion est un « épisode vital ».

Or, l'élan qui pousse l'enfant à aimer l'environnement l'entraîne vers une activité constante, un feu continu, comparable à la combustion permanente des éléments du corps en contact avec l'oxygène, et qui engendre la température douce et naturelle des corps vivants. L'enfant actif a l'expression de la créature qui doit vivre dans son environnement, milieu sans lequel elle ne peut pas se réaliser. Sans cette ambiance de vie psychique, tout reste faible chez l'enfant, tout dévie et se ferme ; il devient alors cet être mystérieux et énigmatique, vide, incapable, capricieux, ennuyé, hors de la société. Si l'enfant se trouve dans l'incapacité d'avoir des motifs d'activité destinés à son développement, il ne verra que « les choses » et ne voudra que les posséder. Désirer, posséder, voilà des choses qui sont faciles et pour lesquelles la lumière intellectuelle et l'amour sont bien inutiles. L'énergie dévie vers une autre voie : « Je veux », dit l'enfant en voyant une montre en or sur laquelle il ne sait pas lire l'heure. « Non, c'est moi qui la veux », dit un autre enfant, prêt à la casser et à ne pas l'utiliser, ayant comme seul objectif le fait de la posséder. Et c'est ainsi que commence la compétition entre les personnes et la lutte destructrice pour les objets.

Presque toutes les déviations morales sont les conséquences de ce premier pas qui doit choisir entre l'amour et la possession, et qui peuvent amener vers deux voies complètement divergentes, en avant, avec toute la force de la vie. L'activité de l'enfant se projette à l'extérieur comme les tentacules d'une gigantesque pieuvre, conçues pour étreindre et détruire les objets auxquels il reste attaché avec passion. Le sentiment de propriété attache l'enfant aux choses avec force et il se met à les défendre comme s'il défendait sa propre personne.

Les enfants plus forts et vifs se battent pour défendre ce qui leur appartient contre d'autres enfants qui cherchent à se les approprier. Ils se disputent continuellement entre eux, parce qu'ils veulent posséder le même objet et parce que l'un désire celui que l'autre possède, ce qui provoque des réactions bien différentes de l'amour ; cela donne lieu à l'explosion de sentiments anti-fraternels, à l'origine d'une lutte et d'une guerre pour une bagatelle. Mais en réalité, ce n'est pas pour un rien, c'est pour un fait grave, il y a eu une déviation, un obscurcissement de tout ce qui devait être : une énergie impulsive. C'est donc un mal intérieur et non l'objet convoité qui pousse à agir de la sorte.

Comme on le sait, on cherche à dispenser une sorte d'éducation morale en exhortant l'enfant à ne pas s'attacher ainsi aux choses matérielles ; et cet enseignement se fonde sur le respect de la propriété d'autrui. Mais quand l'enfant en est arrivé à ce point, c'est qu'il a déjà franchi le pont qui sépare l'homme de la grandeur de sa vie intérieure, et c'est pour cela qu'il concentre ses désirs sur les choses extérieures. Le germe s'est si bien insinué dans l'âme de l'enfant qu'on le considère comme un caractère propre à la nature humaine.

Même les enfants dont le caractère est docile ont une manière différente de «posséder», qui n'est pas belliqueuse et qui ne se transforme pas en lutte de compétences. Eux s'attachent plutôt à accumuler et à cacher des objets, se faisant passer pour des collectionneurs. Mais le véritable collectionneur est pourtant bien différent, car il classe les objets en se servant de connaissances. Là, au contraire, il s'agit d'enfants qui accumulent les objets les plus divers, qui n'ont pas de rapport les uns aux autres. La pathologie dénonce le fait de collectionner comme quelque chose de vide et d'illogique, conçu comme une manie, c'est-à-dire comme une anomalie psychique. On ne la trouve pas seulement chez les hommes dont l'esprit est malade, mais aussi chez des enfants délinquants qui ont souvent les poches pleines d'objets aussi inutiles que disparates. Semblable à cela, il y a la collection des enfants dont le caractère est faible et docile, mais qu'on considère comme tout à fait normal. Si quelqu'un leur prend ces objets accumulés, ces enfants se défendent comme ils peuvent.

L'interprétation donnée à ces manifestations par le psychanalyste Adler est intéressante : il les compare à l'avarice que l'on retrouve chez l'adulte et dont les racines sont maintenant décelées dès l'enfance. C'est un phénomène par lequel l'homme s'attache à beaucoup de choses qu'il ne veut pas céder, même si elles lui sont inutiles ; c'est un étrange poison mortifère pour l'équilibre fondamental. Les parents se complaisent à voir leurs enfants défendre leur propriété. Ils y reconnaissent la nature humaine et le lien qui rattache à la vie sociale. Par conséquent, les enfants collectionneurs et accumulateurs ont des caractères humains intelligibles pour la société.

37

Le pouvoir

Un autre caractère de déviation, qui s'associe au désir de possession, est le désir du pouvoir. Il y a une sorte de pouvoir, acquis par l'instinct de domination de l'environnement, qui conduit à prendre possession du monde extérieur, grâce à l'amour de l'environnement. Mais il y a déviation lorsque le pouvoir, au lieu d'être le fruit d'une conquête qui édifie la personnalité, se limite à s'emparer des choses.

L'enfant dévié se trouve face à l'adulte, qui pour lui incarne l'être puissant par excellence, qui dispose de toutes choses. Il comprend combien son propre pouvoir serait grand, s'il pouvait agir à travers l'adulte. Et c'est alors que l'enfant commence une campagne d'exploitation pour obtenir de l'adulte bien plus que ce qu'il pourrait se procurer par lui-même. Ce processus est parfaitement compréhensible ; il s'insinue lentement et fatalement chez tous les enfants, tant et si bien qu'on le considère comme le fait le plus courant et le plus difficilement corrigible : c'est le classique caprice de l'enfant. Il est logique et naturel qu'un être faible, incapable et prisonnier, ayant découvert ce talisman merveilleux, qui peut contraindre un être puissant et libre à lui procurer d'importants avantages, cherche à les obtenir. Et c'est ainsi que l'enfant commence à s'imposer et à vouloir plus que ce que l'adulte considérerait suffisant pour l'enfant. En fait, ce désir est sans limites. L'enfant déraisonne ; et pour lui, l'adulte est l'être omnipotent qui peut réaliser les désirs de ses rêves flottant dans une atmosphère hallucinante. Un tel sentiment se réalise pleinement dans les contes de fées qui reflètent le roman de l'âme enfantine. Dans ces relations merveilleuses, les enfants voient leurs désirs cachés s'exalter sous une forme attrayante. En ayant recours aux fées, on peut obtenir des faveurs et des richesses qui sont fantastiquement supérieures aux puissances humaines. Il y a de bonnes et de méchantes fées ; il y en a de jolies et de laides. Elles peuvent se présenter sous les traits de personnes pauvres ou de personnes riches ; il y en a dans les mauvaises herbes des bois comme dans les palais enchantés. Cela semble être exactement la projection idéalisée de l'enfant vivant au milieu des adultes. Il y a de vieilles fées comme les grands-mères, et d'autres jeunes comme les mamans ; il y a des fées vêtues de haillons et d'autres qui sont parées d'or, comme il y a des mamans pauvres et des mamans riches, avec de splendides robes de gala. Mais toutes gâtent l'enfant.

L'adulte, qu'il soit orgueilleux ou misérable, est toujours un être puissant par rapport à l'enfant, si bien que celui-ci commence dans la réalité de la vie cette action d'exploitation qui se termine dans une lutte, douce au départ, parce que l'adulte se laisse vaincre et qu'il cède, pour avoir le plaisir de voir son enfant heureux et satisfait. Oui, l'adulte empêchera son enfant de se laver les mains tout seul, mais il l'approuvera certainement dans sa manie de possession. Et pourtant l'enfant, après une première victoire, en cherchera une autre. Et plus l'adulte cède, plus l'enfant devient exigeant ; et l'amertume succède à l'illusion que s'était forgée l'adulte en pensant qu'il allait voir l'enfant satisfait. Et, puisque le monde matériel se développe au sein de limites rigoureuses, tandis que l'imagination divague à l'infini, le moment arrive où il y a un choc, une lutte violente. Et le caprice de l'enfant devient la punition de l'adulte. D'ailleurs, l'adulte se reconnaît aussitôt comme coupable et s'écrie : « J'ai trop gâté mon enfant. »

L'enfant docile a aussi sa manière de vaincre : il agit à travers l'affection, les plaintes, le jeu, la mélancolie, les attraits de ses charmes, auxquels l'adulte cède, jusqu'à ce qu'il ne puisse donner plus ; et c'est alors qu'arrive cette insatisfaction, qui est l'origine de toutes les déviations de l'état normal. L'adulte réfléchit alors ; et il s'aperçoit enfin qu'il a traité son enfant d'une façon qui a développé des vices en lui. Il cherche comment faire machine arrière pour y remédier.

Mais on sait que rien ne peut corriger le caprice de l'enfant; aucune exhortation, aucune punition n'est efficace. C'est comme si l'on faisait un discours à un homme qui aurait de la fièvre, pour lui démontrer qu'il vaut mieux être bien portant, en le menaçant du bâton pour faire descendre sa température.

Non, non! L'adulte n'a pas gâté son enfant en cédant à son caprice, c'est quand il l'a empêché de vivre qu'il l'a incité à dévier.

38

Le complexe d'infériorité

L'adulte, manifestant un mépris qu'il ne ressent pas consciemment, croit son enfant beau et parfait ; il place en lui son propre orgueil et son espoir en l'avenir ; mais une force invisible le pousse à agir ainsi. Ce n'est pas seulement la conviction que «l'enfant est vain», ou que «l'enfant est méchant», qui l'incite à corriger l'enfant avec des soins particuliers. Non, c'est précisément du mépris vis-à-vis de l'enfant qu'il éprouve, et c'est aussi le sentiment que cet enfant faible, qui est devant lui, est vraiment un enfant, c'est-à-dire un être sur lequel l'adulte a tous les pouvoirs. Il a même le droit de lui montrer ses sentiments inférieurs, qu'il aurait honte d'exposer devant la société des adultes. Parmi ces tendances obscures figurent l'avarice et le sentiment de tyrannie et d'absolutisme. Ainsi, derrière les murs des maisons domestiques, sous le masque de l'autorité paternelle, se poursuit la lente et continuelle destruction de l'*ego* de l'enfant. Si, par exemple, l'adulte voit un enfant toucher un verre, il tremble à l'idée que celui-ci puisse être cassé ; à cet instant l'avarice lui fait considérer ce verre comme un trésor et, pour le protéger, il empêche l'enfant de le toucher. Peut-être que cet adulte est un homme riche, qui souhaite considérablement augmenter sa fortune pour que son fils soit encore plus riche. Mais, à ce moment-là, cet homme attribue une telle valeur au verre, qu'il cherche d'abord à le sauver. Il pense, en outre : «Pourquoi cet enfant met-il ce verre ainsi, puisque je l'avais placé autrement ? Je ne représente donc plus l'autorité qui peut disposer des choses à sa guise ?» Et pourtant, cet adulte serait satisfait d'accomplir tout acte d'abnégation pour son enfant. Il rêve de le voir triompher un jour ;

il voudrait qu'il devienne puissant et célèbre. Mais, à cet instant, domine en lui une tendance tyrannique et autoritaire qui le pousse alors à protéger un objet sans valeur. Si un serviteur faisait un tel geste, le père sourirait ; et si un invité cassait un verre, il s'empresserait de lui assurer que cela n'a pas d'importance, que le verre n'avait aucune valeur, etc.

L'enfant doit donc se rendre compte de façon récurrente et désespérante qu'il est le seul individu dangereux pour les objets et, par conséquent, le seul à ne pas pouvoir les toucher : il est un être inférieur, un bon à rien.

Il y a un autre ensemble de concepts qu'il faut considérer relativement à la construction intérieure de l'enfant : celui-ci n'a pas seulement besoin de toucher les choses et de travailler avec elles, mais il doit suivre une succession d'actes qui ont une très grande importance dans la construction intérieure de sa personnalité. L'adulte ne suit plus un ordre précis dans la succession des actes ordinaires de la vie quotidienne, car il la domine depuis longtemps, c'est devenu sa manière d'être. Quand l'adulte se lève le matin, il sait qu'il doit accomplir telle et telle action et il les exécute comme les choses les plus simples du monde. C'est devenu pour lui un automatisme ; il le fait de la même manière qu'il respire, sans avoir besoin de se préoccuper du fait que son cœur bat en lui, sans qu'il s'en aperçoive. L'enfant, en revanche, a besoin de construire ses fondations. Mais on ne le laisse jamais exécuter un plan d'actions ; lorsqu'il est en train de jouer, l'adulte arrive et considère qu'il est l'heure d'aller se promener : il l'habille et l'emmène en conséquence ; ou bien, alors que l'enfant est en train de réaliser un petit travail, par exemple remplir un petit seau de sable, une amie de la famille arrive et la maman va chercher son enfant, en perturbant le travail qu'il réalise, pour le montrer à la nouvelle venue. Dans l'environnement de l'enfant, l'adulte, cet être puissant, intervient toujours, disposant de sa vie sans jamais le consulter, sans le considérer, ne démontrant aucune considération pour ses actes, alors qu'en sa présence, l'adulte n'interrompt pas un autre adulte, fût-ce un domestique, sans lui dire : « Faites-moi le plaisir… », « Si vous pouviez… » L'enfant a donc le sentiment qu'il est un être différent des autres et qu'une infériorité particulière le place au-dessous du reste du genre humain.

Or, comme nous l'avons déjà dit, la succession des actes est extrêmement importante, en relation avec un plan intérieur préétabli. Un jour, l'adulte expliquera à l'enfant que l'on doit être responsable de ses propres actes; mais cette responsabilité a comme base primordiale le fait qu'un plan complet établit des relations entre ces actions, ainsi qu'un jugement quant à leur signification. Mais l'enfant comprend que toutes ses actions sont insignifiantes. L'adulte, le parent, qui se plaint de ne pas réussir à susciter chez son enfant le sentiment de responsabilité et de domination de soi, est en fait celui qui a vicieusement rompu la continuité de la conception des actes successifs de la vie, ainsi que le sentiment de sa dignité. L'enfant, au lieu de garder le sentiment de sa dignité, porte en lui-même une conviction obscure de son infériorité et de son impuissance. En effet, pour assumer une responsabilité quelconque, il faut avoir l'assurance que l'on est maître de ses propres actions et avoir confiance en soi.

Le découragement le plus profond est celui qui naît de la conviction de l'«impuissance». Supposons qu'un enfant paralysé soit en compétition pour une course avec un autre enfant extrêmement svelte; le paralysé n'essaierait même pas de commencer; si, dans un match de boxe, un géant très habile se retrouvait face à un petit homme inexpérimenté, celui-ci ne consentirait pas à se battre. On détruit la possibilité de l'effort avant même que celui-ci ne puisse commencer; et de cela vient le sentiment d'incapacité. L'adulte attaque continuellement le sens de l'effort de l'enfant en humiliant le sentiment de sa propre force. Et il convainc ainsi l'enfant de son incapacité. En effet, l'adulte ne se contente pas d'empêcher les actions de l'enfant, il lui dit: «Tu ne peux pas faire cela; il est inutile que tu essaies», et quand il ne s'agit pas de personnes éduquées, il ajoute: «Imbécile! Pourquoi essayer? Tu ne vois donc pas que tu n'en es pas capable?» Cette façon d'agir ne s'attaque pas seulement au travail ou à la succession des actes, mais elle œuvre contre la personnalité même de l'enfant.

Ce procédé enracine dans l'âme de l'enfant la conviction que, non seulement ses actes n'ont aucune valeur, mais que sa personnalité elle-même est inapte et incapable d'agir. C'est ainsi que naissent le découragement et le manque de confiance en soi. Quand quelqu'un de plus fort que nous nous empêche d'exécuter une chose que nous avions projetée, nous pouvons penser que quelqu'un de plus faible arrivera, devant lequel nous pourrons recommencer. Mais si l'adulte persuade l'enfant que l'impuissance réside en lui, une nébuleuse qui trouble ses idées s'installe en lui, il s'ensuit une timidité, une espèce d'apathie et une terreur qui deviennent par la suite constitutives de sa personnalité ; toutes ces choses réunies constituent ces « obstacles intérieurs » que la psychanalyse qualifie de « complexe d'infériorité ». C'est un obstacle qui peut devenir permanent comme le sentiment humiliant de se sentir incapable et inférieur aux autres, et qui empêche de prendre part aux épreuves sociales qui se présentent à chaque pas, tout au long de la vie.

À ce complexe se rattachent la timidité, l'incertitude dans la prise de décision, le retrait immédiat devant les difficultés et les critiques ; les extériorisations du désespoir et les larmes accompagnent toutes ces situations pénibles.

Au contraire, dans la « nature normalisée » de l'enfant, la confiance en soi et l'assurance en ses propres actes sont des caractéristiques très surprenantes.

Quand les enfants de San Lorenzo montrent aux visiteurs déçus d'être venus un jour férié qu'ils peuvent ouvrir la classe et travailler bien que la maîtresse soit absente, ils démontrent une force de caractère équilibrée et parfaite : il ne s'agit pas d'une présomption de leurs propres forces, mais d'une connaissance et d'un contrôle de soi.

Les enfants savent ce qu'ils entreprennent et ils dominent si bien la succession des gestes nécessaires à leur entreprise, qu'ils parviennent à l'effectuer avec simplicité, sans avoir l'impression qu'ils sont en train de réaliser quelque chose d'extraordinaire.

Ainsi, l'enfant qui composait des mots au tableau avec l'alphabet mobile ne fut pas perturbé lorsque la reine se présenta devant lui pour commander : « Écrivez : *Viva Italia* ». Il commença par remettre en place les lettres de l'alphabet qu'il avait déjà utilisées, avec la même sérénité que s'il avait été seul. En hommage à la reine, il aurait dû suspendre le travail qu'il faisait pour entreprendre celui qu'elle lui avait ordonné de faire. Mais il avait une obligation dont il ne pouvait pas se passer : il devait rassembler et trier les lettres isolées, avant de pouvoir composer d'autres mots avec. Et en effet, après ce travail préparatoire, l'enfant composa les mots au tableau : « *Viva Italia.* »

Voici l'exemple d'un enfant qui domine ses propres émotions et ses actions : un petit de quatre ans, qui sait s'orienter avec une parfaite assurance entre les épisodes qui se succèdent dans son environnement.

39

La peur

La peur est une autre déviation que l'on a coutume de considérer comme un des caractères naturels de l'enfant. Quand on dit qu'un enfant est peureux, on pense à cette peur liée à une perturbation profonde, indépendante des conditions de l'environnement et qui, comme la timidité, fait partie du caractère. Il y a des enfants dociles qui semblent enveloppés d'une auréole d'angoisse et de peur. D'autres, forts et actifs, peuvent, bien que souvent courageux devant le danger, souffrir de peurs mystérieuses, illogiques et invincibles. Ces attitudes peuvent être interprétées comme les conséquences de fortes impressions vécues par le passé : par exemple, la peur de traverser une rue, la crainte de trouver un chat sous son lit, ou de voir une poule, etc. Ce sont des états voisins de la phobie, que la psychiatrie a étudiés chez l'adulte. Ces formes de peur existent tout spécialement chez les enfants qui «dépendent de l'adulte»; celui-ci profite de l'état nébuleux de la conscience enfantine pour y induire artificieusement des terreurs incertaines qui agissent dans les ténèbres, afin d'obtenir l'obéissance. Et c'est une des défenses les plus néfastes de l'adulte contre l'enfant, car elle aggrave la peur naturelle qui peuple déjà ses nuits d'images terrifiantes.

Tout ce qui met l'enfant en rapport avec la réalité et qui permet son expérience sur les éléments de son environnement lui apporte la compréhension des choses et éloigne l'état perturbateur de la peur. Dans notre école favorable à la «normalisation», un des résultats les plus clairs est la disparition de la peur subconsciente et la prévention de son apparition.

Une personnalité espagnole souhaitait écrire un texte sur ce phénomène qu'elle considérait comme quelque chose qui méritait d'être su du grand public. Cette personne avait trois filles, dont deux étaient déjà grandes ; la troisième, la plus petite, fréquentait une de nos écoles. Quand il y avait un orage la nuit, la petite était la seule qui n'avait pas peur, et c'est elle qui conduisait ses sœurs à travers la maison, pour qu'elles se réfugient dans la chambre de leurs parents. Comme elle était imperméable à cette peur mystérieuse, la petite était un véritable soutien pour ses sœurs aînées. Si, comme cela arrivait parfois pendant la nuit, les grandes filles étaient anxieuses du fait de l'obscurité, elles avaient recours à leur petite sœur pour surmonter leur tourment.

L'« état de peur » est différent de la peur, qui découle d'un instinct de conservation face au danger. Cette dernière est moins fréquente chez les enfants que chez les adultes. Et ce n'est pas seulement parce que les enfants ont moins l'expérience des dangers extérieurs, mais il semblerait que chez l'enfant, le courage pour affronter le danger est, proportionnellement, beaucoup plus développé que chez l'adulte. En effet, les enfants s'exposent fréquemment au danger ; c'est ainsi que les enfants des villes s'agrippent aux véhicules et que, dans les campagnes, ils grimpent aux arbres ou descendent dans des précipices ; ils s'immergent courageusement dans la mer ou dans les fleuves, et apprennent à nager à leurs propres risques. On ne compte pas les cas d'héroïsme entre enfants qui sauvent ou tentent de sauver leurs camarades. Je citerai l'exemple d'un incendie dans un hospice de Californie, qui abritait un service pour enfants aveugles ; parmi les victimes, on retrouva des corps d'enfants qui n'étaient pas aveugles, qui vivaient dans une autre partie de l'établissement et qui, au moment du danger, avaient tenté de sauver leurs camarades. Dans les associations d'enfants telles que les boys-scouts, on enregistre quotidiennement des exemples d'héroïsme infantile.

On pourrait se demander si la normalisation développe cette tendance qu'on rencontre fréquemment chez les enfants. Nous n'avons jamais eu d'épisode héroïque dans nos expériences de normalisation, à l'exception de l'expression de quelques désirs nobles, qui ne sont pourtant pas de véritables actions héroïques. Comme ce garçon de cinq ans qui, lorsqu'il avait entendu parler du tremblement de terre de Messine, avait écrit la phrase : « Si j'étais plus grand, j'irais les aider. » Mais le comportement réel et ordinaire de nos enfants est guidé par une « prudence » qui leur permet d'éviter les dangers et, par conséquent, de vivre au milieu d'eux. C'est, par exemple, ce qui leur a permis de se servir avec précocité de couteaux à table et à la cuisine, et de manier des allumettes, d'allumer le feu ou la lumière, de rester en liberté près d'un bassin ou de traverser une rue ; c'est-à-dire de pouvoir contrôler leurs actes, afin d'avoir une vie sereine et supérieure. La normalisation ne consiste donc pas à défier le danger, mais à développer une prudence qui permette d'agir au milieu des dangers en les reconnaissant et en les maîtrisant.

40

Le mensonge

Les déviations psychiques, bien qu'elles puissent présenter des caractères particuliers variant à l'infini, sont comme les feuilles et les rameaux d'une plante vigoureuse, qui dépendent toujours des mêmes racines profondes; et c'est là que se trouve l'unique secret de la «normalisation». Or, la psychologie commune et l'éducation courante considèrent ces particularités comme des défauts particuliers indépendants, que l'on devrait étudier et affronter séparément, comme si c'étaient des défauts indépendants les uns des autres.

L'un des plus importants est le mensonge. Celui-ci est une véritable couverture dont l'âme s'enveloppe et qui la cache. Il y a quantité de sortes de mensonges qui ont des importances et des significations différentes. Il faut distinguer les mensonges normaux des mensonges pathologiques. L'ancienne psychiatrie s'est amplement occupée de ceux qui sont dus à la démence, c'est-à-dire ceux qui sont incorrigibles, liés à l'hystérie, et qui prennent de telles proportions que le langage devient un véritable entrelacs de mensonges. Les psychiatres ont attiré l'attention sur les mensonges inconscients des enfants face aux tribunaux pour mineurs et, en général, sur leurs éventuels mensonges quand ils sont appelés à la barre pour témoigner. Ce fut une révélation impressionnante que d'apprendre que l'«âme innocente» de l'enfant, qui est presque un synonyme de vérité (la vérité sort de la bouche de l'enfant), puisse faire de faux témoignages avec un tel accent de sincérité. L'attention des psychologues de la criminalité fut interpellée par ces faits surprenants et on arriva à la conclusion que ces enfants étaient véritablement sincères; le mensonge, dû à une forme mentale de confusion, était aggravé par un état émotionnel.

Ces substitutions du faux au vrai, à l'état permanent ou transitoire, sont certainement très éloignées du mensonge normal de l'enfant qui essaie de se défendre consciemment. Il existe aussi, chez les enfants normaux, des mensonges qui n'ont aucun rapport avec la défense et qui peuvent être de véritables inventions ; ils proviennent du besoin de raconter des choses fantastiques qui ont la saveur piquante de pouvoir être crues par les autres. Et cela, ni dans l'intention de tromper, ni pour servir un intérêt personnel. C'est une véritable forme artistique, comme celle d'un acteur qui incarne un personnage. Je citerai un exemple : des enfants me racontèrent un jour que leur mère, ayant un invité à déjeuner, prépara elle-même des jus à base de végétaux riches en vitamines, dans l'intention de faire de la propagande naturelle ; et elle avait réussi à obtenir une liqueur naturelle si exquise que son hôte se décida à l'utiliser et à la commercialiser. Le récit était si détaillé et si intéressant que je priai la mère des enfants de bien vouloir m'indiquer la façon dont elle préparait ce concentré de vitamines. Mais cette dame me répondit qu'elle n'avait jamais imaginé préparer quelque chose de ce genre. Voilà un exemple de pure création de l'imagination de l'enfant, concentrée dans un mensonge, introduit dans la société sans autre but que de créer un roman.

Ces mensonges-là s'opposent à ceux qui sont inspirés par la paresse pour ne pas avoir à imaginer ce que serait la vérité : « Parce que c'est comme ça. »

Quelquefois, le mensonge est la conséquence d'un raisonnement malicieux. J'ai connu un enfant de cinq ans que sa mère avait temporairement inscrit dans un collège. La gouvernante chargée du groupe d'enfants dont il faisait partie était particulièrement adaptée à sa mission, et pleine d'admiration pour cet enfant si singulier. Au bout de quelque temps, l'enfant se plaignit à sa mère de cette gouvernante, exprimant quantité de griefs contre elle ; il la décrivait sévère à l'excès. La mère se tourna vers la directrice pour obtenir des informations, et eut des preuves lumineuses de la grande affection que cette gouvernante éprouvait pour l'enfant, qu'elle avait toujours comblé d'une attention aimante. La mère affronta donc son fils et lui demanda les motifs de ses mensonges. « Ce ne sont pas des mensonges, lui répondit l'enfant, mais je ne pouvais pas dire que c'était la directrice qui était méchante. » Et ce n'était pas par manque de courage qu'il ne voulait pas accuser la directrice, mais plutôt par respect des convenances. On pourrait écrire beaucoup au sujet des formes d'adaptation à l'environnement au moyen de la malice dont les enfants font preuve.

Les enfants faibles, dociles, essaient au contraire de construire hâtivement des mensonges dans un réflexe de défense, sans la collaboration de leur intelligence, ni la moindre intervention de leur imagination. Ce sont les mensonges ingénus, désorganisés et improvisés et, par conséquent, les plus apparents, ceux contre lesquels combattent les éducateurs, en oubliant qu'ils représentent précisément la défense la plus claire contre l'adulte. Les accusations que l'adulte fait dans ces cas à l'enfant résultent d'une infériorité honteuse, d'une indignation face à de tels mensonges ; ils dérivent d'une simple vérification que ces mensonges révèlent un être inférieur.

Le mensonge est un des phénomènes liés à l'intelligence, en cours de formation tout au long de l'enfance, phénomènes qui s'organisent avec l'âge, et constituent un élément important dans la société des hommes, au point de devenir indispensables, décents et même esthétiques, au même titre que les vêtements pour le corps. Dans nos écoles propices à la normalisation, l'âme enfantine se dépouille de ses déformations et se montre naturelle et sincère. Toutefois, le mensonge n'est pas de ces déviations qui disparaissent comme par miracle. Mieux vaut une reconstruction qu'une conversion, c'est-à-dire que la clarté des idées, le sens de la réalité, la liberté de l'esprit et l'intérêt pour les choses élevées sont ce qui constitue un environnement propice à la reconstruction d'une âme sincère.

Si on analyse la vie sociale, on réalise qu'elle est submergée par le mensonge, comme une atmosphère qu'on ne peut pas purifier sans provoquer une révolution sociétale. En fait, beaucoup de nos enfants, qui sont passés dans des écoles secondaires ordinaires, ont été qualifiés de dévergondés et d'insubordonnés, uniquement parce qu'ils étaient plus sincères que les autres et qu'ils n'avaient pas développé certaines adaptations nécessaires. Et les professeurs ne se rendaient pas compte du fait que la discipline et les rapports sociaux sont organisés autour du mensonge et que la sincérité semblait perturber la construction morale qui était reconnue comme la base de l'éducation.

Une des plus brillantes contributions de la psychanalyse à l'histoire de l'âme humaine est l'interprétation des déguisements du subconscient. Ce sont les feintes de l'adulte, et non pas les mensonges de l'enfant, qui représentent une funeste tunique qui prend vie et qui est comparable à la pelisse et au plumage des animaux, devenant un revêtement protecteur qui couvre, embellit et protège la vie cachée subjacente. Le déguisement est le mensonge du sentiment que l'homme construit en lui-même, pour pouvoir vivre, ou plutôt pour survivre, dans un monde dans lequel ses sentiments purs et naturels seraient en conflit. Et comme il n'est pas possible de vivre constamment en conflit, il faut bien que l'âme s'adapte. Un des camouflages les plus singuliers est celui que l'adulte adopte vis-à-vis de l'enfant. L'adulte sacrifie les besoins de l'enfant aux siens; mais il lui est intolérable de le reconnaître. Il se persuade donc qu'il exerce un droit naturel et qu'il agit pour le bien de l'enfant. Quand le petit se défend, l'âme de l'adulte n'est pas attirée par le véritable état des faits: il parle alors de désobéissance, de méchanceté, de tout ce que l'enfant fait pour se sauver lui-même. Peu à peu, cette voix de vérité et de justice, qui s'exprimait déjà faiblement, s'éteint: elle est remplacée par les feintes brillantes, solides et permanentes du devoir, du droit, de l'autorité et de la prudence, etc. «Le cœur se durcit, se transforme en glace et brille comme une chose transparente contre laquelle tout se casse...»; «Mon cœur s'est pétrifié; je le saisis et c'est ma main qui se blesse». La magnifique image que Dante place dans l'abîme de l'Enfer, là où la haine se réfugie, c'est la glace. L'amour et la haine, ces deux états d'âme, peuvent être comparés à l'état liquide et à l'état solide de l'eau. Le mensonge est le déguisement de l'esprit, qui aide l'homme à s'adapter aux déviations organisées de la société, et qui transforme lentement l'amour en haine. Voilà le terrible mensonge caché dans les recoins du subconscient.

41

Réflexions sur la vie physique

Comme par cohésion, les déviations physiques sont accompagnées de nombreuses autres perturbations : certaines d'entre elles peuvent sembler divergentes, parce qu'elles se répercutent sur des fonctions du corps ; actuellement, il y a un champ de la médecine parfaitement étudié grâce à la psychanalyse, et qui en est arrivé à la conclusion que bon nombre de perturbations physiques sont dues à une cause psychique ; et beaucoup de défauts qui ont l'air de dépendre du corps ont une origine plus profonde qui est d'ordre psychique. Certains de ces troubles sont plus particulièrement présents chez les enfants, ce sont les troubles de la nutrition. Les enfants forts, actifs, sont sujets à une espèce de voracité qu'on peut difficilement traiter par l'éducation ou par l'hygiène. Ces enfants mangent plus que nécessaire, irrésistiblement poussés par ce que l'on considère avec bienveillance comme un « bon appétit » ; ces perturbations ont leur origine dans des troubles digestifs et des états toxiques qui concernent presque toujours ces enfants, malgré les traitements médicaux.

Depuis l'Antiquité la plus reculée, on a considéré comme un vice moral la folle tendance du corps à absorber des aliments au-delà des besoins, inutilement et de façon nuisible. Cette tendance dépend d'une sensibilité normale vers la recherche d'aliments, mais qui devrait se limiter à ce qui est nécessaire, comme cela se produit chez tous les animaux dont la santé se fie à l'instinct de conservation. De fait, la conservation de l'individu a deux aspects : éviter les dangers présents dans l'environnement et éviter les excès d'alimentation de l'individu. Chez les animaux, l'instinct prépondérant guide le choix des aliments et en détermine les proportions. En effet, cela représente un des caractères les plus distinctifs de toutes les espèces animales. Qu'elle mange beaucoup ou peu, chaque espèce s'en tient à la mesure que la nature impose à chacun sous forme d'instinct.

L'homme est le seul à souffrir du « vice de gourmandise » qui, non seulement lui fait absorber une quantité excessive d'aliments, mais encore le pousse vers des substances qui sont véritablement toxiques. On pourrait dire que l'apparition de déviations psychiques a fait perdre à l'homme la sensibilité protectrice qui le guide vers la santé. On en trouve la preuve chez l'enfant dévié, chez qui les déséquilibres dans l'alimentation commencent très tôt. Les aliments séduisent par leur apparence appétissante, stimulés par le sens du goût ; mais la sensibilité de la conservation, cet instinct vital intérieur, a été atténuée ou effacée. Ce fut une des démonstrations les plus impressionnantes de nos écoles propices à la normalisation ; les enfants débarrassés de leurs déviations psychiques avaient perdu le goût des gourmandises et n'étaient plus voraces. Ce qui les intéressait, c'était d'accomplir leurs actions avec exactitude et de se nourrir correctement. Au début, on eut peine à croire à cette résurrection de la sensibilité vitale : on parla de conversion. Il fallut décrire minutieusement quelques scènes d'enfants pour se convaincre de la réalité de ce phénomène. De petits enfants, à l'heure d'un repas bien mérité, devant un plat bien alléchant, prenaient tout leur temps pour placer convenablement leur serviette, regardaient les couverts pour se rappeler la façon précise dont il fallait les tenir, ou aidaient un camarade plus jeune. Et ils étaient parfois si méticuleux dans ces préparatifs que le repas refroidissait. D'autres enfants étaient tristes, parce qu'ils avaient espéré être désignés pour servir à table et qu'ils devaient se limiter à la tâche la plus facile : celle de se nourrir.

La correspondance entre les faits psychiques et l'alimentation se prouve par des faits inverses. Certains enfants dociles ont une invincible répugnance à absorber les aliments. Beaucoup de parents ont pu constater à quel point il peut être difficile de nourrir ces enfants. Ils refusent de prendre des aliments, et le font parfois d'une façon si impressionnante qu'il en résulte une véritable difficulté pour la famille et pour les institutions éducatives qui s'occupent d'eux.

C'est encore plus frappant quand cela se produit chez des enfants pauvres et malingres qui devraient, logiquement, accueillir avec joie toute occasion de se nourrir abondamment. Des faits similaires peuvent atteindre une réelle gravité et il peut s'ensuivre une dégradation physique, résistant à tout traitement. Le refus de se nourrir ne doit pas être confondu avec la dyspepsie, c'est-à-dire avec un véritable état anormal des organes digestifs, qui engendre le manque d'appétit. Non, c'est pour une raison psychique que l'enfant ne veut pas manger. Dans certains cas, il fait un geste de défense, quand on veut lui mettre un aliment dans la bouche, ou quand on veut l'obliger à manger rapidement, c'est-à-dire au rythme de l'adulte. Le rythme de l'enfant est, comme l'ont reconnu les pédiatres, très différent et particulier ; ceux-ci ont en effet observé que les enfants ne mangent pas tout l'aliment nécessaire en une seule fois, et qu'ils font de longues pauses pendant leurs repas.

Ce rythme intermittent peut déjà se repérer chez les nourrissons allaités, qui ne s'éloignent pas de la source lorsqu'ils sont rassasiés, sauf pour se reposer, avant de se remettre à la tâche à un rythme posé et lent. Par conséquent, on peut reconnaître la possibilité d'une défense, d'une inhibition, contre la violence avec laquelle on contraint l'enfant à se nourrir, sans tenir compte de ses besoins naturels. Il y a pourtant des cas où l'on ne peut pas invoquer cette défense. Il arrive que l'enfant n'ait pas d'appétit, du fait de sa constitution ; il est irrémédiablement pâle, et aucun traitement, pas même la vie au grand air, le soleil ou les cures marines, ne peuvent venir à bout de cette inappétence chronique. Mais s'il y a à ses côtés un adulte opprimant et répressif auquel il est très attaché, le seul remède sera d'éloigner cet enfant de cette personne répressive et de le placer dans une ambiance psychiquement libre et active, afin que les obstacles qui déforment son esprit puissent disparaître. On a donc pu vérifier qu'il y a un rapport étroit entre la vie psychique et les phénomènes physiques considérés comme les plus éloignés de la pure psyché, tels que ceux qui ont trait à l'alimentation. L'Histoire sainte raconte qu'Ésaü, pour satisfaire sa gourmandise, céda son droit d'aînesse, agissant contre son intérêt et sans intelligence. La gourmandise est, en effet, un des vices qui « affectent l'esprit ». Il est très intéressant de se rappeler avec quelle précision saint Thomas d'Aquin souligna les liens existant entre la gourmandise et les conditions intellectuelles. Il soutient que la gourmandise émousse le jugement et diminue en conséquence la connaissance des réalités intellectuelles. Mais l'enfant présente la question à l'inverse : c'est la perturbation psychique qui engendre la gourmandise.

La religion chrétienne considère le vice de la gourmandise comme une perturbation d'ordre spirituel, en le plaçant parmi les péchés capitaux, c'est-à-dire nuisible à l'esprit, entravant par là même une des lois mystérieuses qui régit l'univers. D'autre part, dans la conception scientifique moderne, la psychanalyse appuie indirectement notre critère de la perte de l'instinct-guide, c'est-à-dire de la sensibilité de conservation. Elle l'interprète pourtant différemment et parle d'«instinct de mort». Elle reconnaît la tendance naturelle de l'homme à contribuer à l'inévitable événement qu'est la mort, à la faciliter, à en rapprocher le terme, ou à l'affronter par le suicide. L'homme consomme des poisons comme l'alcool, l'opium, la cocaïne, avec une tendance irrésistible ; c'est-à-dire qu'il joue avec la mort, l'appelant et s'approchant d'elle, au lieu de s'attacher à la vie et à la santé. Mais tout cela ne prouve-t-il pas la perte d'une sensibilité vitale intérieure qui devrait présider à la protection de l'individu ? Si une semblable tendance était liée à la fatalité de la mort, elle devrait exister chez toutes les créatures. On peut dire que chaque déviation psychique oriente l'homme sur le chemin de la mort et le fait contribuer à la destruction de sa propre vie ; et ce penchant terrible apparaît déjà superficiellement et imperceptiblement dans la première enfance.

Les maladies peuvent toujours avoir leur facteur psychique, parce que la vie physique et la vie psychique sont solidaires. Mais une alimentation anormale ouvre la porte et invite toutes les maladies. Pourtant, parfois, la maladie est en apparence exclusivement psychique ; ce sont des images de maladie et non des réalités. La psychanalyse a mis en lumière une illustration de la fuite dans la maladie. Celle-ci n'est pas une simulation : elle présente des symptômes réels, des variations de température et de véritables troubles fonctionnels qui ont parfois une apparence grave. Ce sont pourtant des maladies qui n'existent pas, liées dans le subconscient à des faits psychiques qui parviennent à dominer les lois physiologiques. L'*ego* réussit, par le biais de la maladie, à se soustraire à certaines situations ou obligations déplaisantes ; la maladie résiste à tous les traitements et ne disparaît qu'en libérant l'*ego* de la situation à laquelle il voulait se soustraire. J'ai assisté à des cas de ce type dans une institution religieuse d'éducation qui présentait d'excellentes conditions d'hygiène. Et pourtant, il y avait des enfants malades à l'infirmerie ; quelques-uns avaient une fièvre persistante difficile à vaincre. Comme les défauts moraux, beaucoup de maladies et d'états d'esprit morbides disparaissent chez les enfants quand on leur permet de vivre dans un environnement propice à la libre activité normalisatrice. Actuellement, beaucoup de pédiatres reconnaissent nos écoles comme de véritables sanatoriums où se rassemblent les enfants qui souffrent de maladies fonctionnelles résistantes aux traitements ordinaires, et où l'on obtient de surprenantes guérisons.

III

TROISIÈME PARTIE

42

La lutte entre l'adulte et l'enfant

Le conflit entre l'adulte et l'enfant a des conséquences qui se prolongent tout au long de la vie humaine, quasiment jusqu'à l'infini, comme les ondes qui se propagent sans fin lorsqu'on lance un caillou à la surface d'une eau tranquille. S'ensuivent des ondulations qui se déplacent et se déploient de façon excentrique, dans toutes les directions.

La médecine et la psychanalyse ont trouvé de façon précise l'origine des maladies physiques et mentales. Les psychanalystes ont pour cela effectué de nombreuses et laborieuses recherches afin de remonter à la source de ces maladies, tout comme l'ont fait les explorateurs qui sont partis à la recherche des sources du Nil, parcourant d'immenses distances, traversant de redoutables cascades sur leur parcours avant d'atteindre le calme ancestral des grands lacs où ce fleuve prend naissance. De la même façon, pour sonder les causes de la faiblesse humaine et de l'incapacité de l'homme à y résister, la science a fouillé les recoins de l'âme humaine, allant au-delà des causes immédiates et des causes conscientes et compréhensibles, remontant jusqu'à la source pour découvrir la sérénité des lacs que représentent le corps et l'âme de l'enfant.

Mais nous voyageons à contre-sens et si nous nous intéressons à cette nouvelle histoire de l'humanité, écrite dans le secret de la construction de l'homme, nous pouvons partir des lacs sereins de la petite enfance et suivre le cours dramatique de la vie, qui se déploie et coule rapidement entre les montagnes et les obstacles, serpentant et déviant le long de son parcours accidenté, sautant les précipices successifs des chutes d'eau, capable de tout faire, sauf de s'arrêter et de cesser de céder le passage aux eaux tumultueuses de son existence.

Les maux que l'on retrouve le plus souvent chez l'adulte, les maladies physiques comme les souffrances nerveuses et mentales, se reflètent véritablement chez l'enfant, sa vie nous révèle les prémices et les premiers signes qui accompagnent ces maux pas à pas.

Il y a une autre réalité qu'il faut garder à l'esprit, c'est que tout mal, important et apparent, va de pair avec une infinité de moindres maux. Lors d'une maladie, les cas mortels sont plus rares que les cas de guérison. Et si la maladie représente une faille dans la résistance à l'assaut d'une faiblesse, il doit bien exister d'autres faiblesses autour de cette maladie qui parviennent à ne pas en être la proie.

Les conditions anormales qui prédisposent à la maladie sont comme les ondes qui se propagent à l'infini, comme les vibrations de l'éther. Quand on examine de l'eau pour savoir si elle est pure et potable, on n'en goûte pas une grande quantité, mais une petite portion uniquement. Si elle n'est pas potable, on en déduit que toute cette eau ne l'est pas. De la même façon, lorsque de nombreuses personnes meurent d'une maladie ou se perdent en multipliant des échecs, on pourrait se dire que toute l'humanité vit dans l'erreur.

L'idée n'est pas nouvelle. À l'époque de Moïse, on avait déjà reconnu qu'une faute originelle marquait l'humanité, qu'un péché révélait que toute l'humanité est pervertie et dévoyée. Le péché originel semble être un concept déraisonnable et injuste, puisqu'il implique la cruelle condamnation d'innombrables innocents, destinés à façonner l'humanité.

Nous observons cela en voyant des enfants innocents condamnés à subir les conséquences fatales d'un développement vicié par les erreurs séculaires.

Les causes auxquelles nous nous référons prennent leur source dans le conflit originel de la vie humaine, lourd de conséquences, et qui n'a pas encore été exploré.

43

L'instinct du travail

Jusqu'à ces révélations récentes au sujet de l'enfant, les lois qui régissent la construction de la vie psychique étaient une véritable inconnue. Mais désormais, l'étude des périodes sensibles comme ligne directrice de la formation de l'homme constitue une des sciences les plus transcendantes pour l'humanité.

L'évolution et la croissance s'appuient sur des fondements successifs et présentent des relations toujours plus intimes entre l'individu et l'environnement, parce que le développement de l'individualité (c'est-à-dire ce qu'on appelle la liberté de l'enfant) ne peut pas se faire tant qu'il ne devient pas progressivement indépendant de l'adulte, grâce à un environnement adapté, où l'enfant trouve les moyens nécessaires au développement de ses propres fonctions. C'est aussi évident et simple que de dire que pour sevrer un enfant, on doit lui préparer une alimentation à base de céréales et de jus de fruits, c'est-à-dire qu'on utilise des produits de l'environnement pour les substituer progressivement au lait maternel.

L'erreur concernant la question de la liberté de l'enfant dans l'éducation, a été de considérer qu'il avait une indépendance hypothétique et originelle vis-à-vis de l'adulte, sans qu'un environnement ait été préparé pour lui au préalable. Or, cette préparation de l'environnement est une science éducative, de la même façon que la préparation de l'alimentation infantile nécessite certaines mesures d'hygiène. Et c'est l'enfant lui-même qui nous a indiqué ce que requiert la préparation de l'environnement psychique, dans ses principes essentiels comme fondement d'une nouvelle éducation, d'une manière suffisamment claire pour qu'on en déduise une réalité pratique.

Parmi les révélations faites par l'enfant, il y en a une qui est fondamentale : c'est le phénomène de la normalisation grâce au travail. Des dizaines de milliers d'expérimentations ont été faites avec des enfants de toutes les origines du monde, qui ont permis de prouver ce phénomène, qui constitue l'expérience la plus sûre jamais faite dans le champ de la psychologie et de l'éducation. Il est certain que l'aptitude au travail représente un instinct vital pour l'enfant, parce que sans travailler, il ne pourrait pas organiser sa personnalité, vu que celle-ci sortirait du cadre normal de sa propre structuration : l'homme se construit en travaillant. Rien ne peut pallier le manque de travail, ni le bien-être physique, ni l'affection ; les déviations ne peuvent pas être redressées par les punitions, ni par l'exemple. L'homme se construit en travaillant, en effectuant des travaux manuels, lors desquels la main est l'instrument de sa personnalité, l'organe de son intelligence et de sa volonté indivi-duelle, cette main qui façonne sa propre expérience en face à face avec l'environnement. L'instinct de l'enfant confirme que le travail est une tendance intrinsèque de la nature humaine : c'est l'instinct caractéristique de son espèce.

Alors comment se fait-il que le travail, qui devrait être considéré comme la satisfaction suprême et le socle de la santé et du ressour-cement, comme c'est le cas chez les enfants, soit tant redouté par l'adulte qui le considère comme une nécessité pénible imposée par la société ? C'est parce que le travail social s'appuie sur de mauvaises bases et que son instinct profond est dévié par la possession, le pouvoir, l'inertie et l'hypocrisie ; l'instinct profond du travail reste alors caché à l'homme, comme si c'était un caractère récessif. Dans ces conditions, le travail dépend uniquement des circonstances externes ou de la lutte entre des hommes déviés, il devient alors un travail forcé qui est à l'origine de puissantes inhibitions psychiques. C'est pour cela que le travail devient dur et repoussant.

Mais lorsque des conditions exceptionnelles permettent au travail d'être associé à l'élan intérieur de l'instinct, même chez l'homme adulte, il revêt dès lors des caractères très différents. Le travail devient alors attirant et irrésistible; il élève l'homme bien au-dessus des déviations et des perturbations. Tel est le travail de celui qui met au point une invention, de celui qui fournit des efforts héroïques pour explorer la terre, de celui qui réalise des œuvres d'art. Dans de tels cas, les hommes sont dotés d'un pouvoir si extraordinaire qu'ils retrouvent l'instinct de l'espèce dans les desseins de leur individualité. Ces individualités deviennent dès lors comparables à un jet d'eau puissant qui perce une surface résistante et s'élève dans une profonde impulsion avant de retomber comme une pluie bénéfique et rafraîchissante sur l'humanité.

Ces impulsions engendrent de véritables progrès de civilisation, grâce auxquels réapparaissent les caractères fondamentaux de l'instinct normal du travail, sur lequel se fonde l'environnement de la société humaine.

Le travail est indubitablement la caractéristique de l'homme la plus singulière: le progrès de la civilisation va de pair avec l'habileté multiforme qui permet à l'homme de se faciliter la vie en modifiant son environnement. Mais il est curieux que l'homme y trouve le moyen de vivre de façon exclusive, en s'éloignant de la vie naturelle, sans que cet environnement puisse pour autant être considéré comme artificiel. Il s'agit plutôt d'une construction au-dessus de la nature, c'est-à-dire *supranaturelle.* Et l'homme s'habitue progressivement à cet environnement, au point d'en faire son élément vital. L'histoire de la civilisation pourrait être comparée à l'une de ces lentes évolutions qui ont conduit à l'apparition d'une nouvelle espèce, comme on peut le faire dans le domaine de l'histoire naturelle des animaux, en soulignant le remarquable pas que la nature a fait en passant de la vie maritime à la vie terrestre, avec les amphibiens. L'homme, amphibie, vit de la nature. Il se crée peu à peu une «supranature», en participant amplement à deux vies, mais avec la tendance de n'en réaliser qu'une en définitive. En effet, aujourd'hui, il ne vit plus de la nature, car il l'exploite complètement: celle qui est visible comme celle qui est invisible, autrement dit celle que l'on voit de nos yeux comme celle qui demeure cachée dans les mystères de l'énergie cosmique. Mais l'homme ne s'est pas contenté de passer d'un environnement vital à un autre, il s'est construit son propre environnement où il vit d'une façon si exclusive, qu'il ne peut plus dorénavant vivre à l'extérieur de sa merveilleuse création. L'homme vit effectivement en dépendant en permanence des autres hommes. La nature ne fournit pas l'homme, comme elle le fait pour les autres êtres vivants : ce n'est pas, par exemple, comme pour l'oiseau qui trouve dans la nature des aliments tout prêts et des matériaux dont il a besoin pour construire son nid ; l'homme doit compter sur lui-même pour tout ce dont il a besoin. Par conséquent, tout individu est lié aux autres et chacun contribue par son travail à cet ensemble dont dépend l'ensemble de l'humanité : l'environnement supranaturel.

Mais si l'homme vit grâce à l'homme, il est maître et seigneur de sa propre existence, capable de la diriger et d'en disposer à sa guise. Il n'est pas directement soumis aux vicissitudes de la nature, il s'en trouve même isolé, et pour autant il dépend exclusivement des tribulations humaines. Dans ces circonstances, si la personnalité humaine dévie, toute sa vie peut être en danger et le danger existe pour l'homme lui-même.

Il est intéressant d'observer chez l'enfant le pouvoir de l'instinct du travail et l'influence que l'union intime qui existe entre la normalité et le travail a sur la construction de sa personnalité.

C'est même la meilleure preuve du fait que l'homme naît avec une finalité centrée sur le travail, puisqu'il est naturellement poussé à construire quelque chose qui dépend de lui et qui se doit d'être lié à l'existence et au but de la création. En effet, il serait illogique que l'homme ne participe pas à l'harmonie universelle à laquelle contribuent tous les êtres vivants, chacun selon une activité instinctive intrinsèque à chaque espèce. Les coraux forment des îles et des continents en reconstruisant des côtes continuellement altérées par l'action des vagues ; les insectes transportent le pollen des plantes, assurant ainsi la conservation d'une grande partie du règne végétal ; le condor et la hyène assainissent l'environnement des charognes qui ne sont pas enterrées, d'autres animaux éliminent les détritus ; d'autres encore produisent du miel et de la cire, tandis que certains fabriquent de la soie, etc. La mission de la vie est si immense et essentielle, que la Terre se conserve grâce à l'œuvre de la vie, qui englobe la planète d'un voile, telle une atmosphère. De fait, on considère aujourd'hui la vie sur Terre comme une biosphère. Les êtres vivants n'ont pas pour mission finale de subvenir à leurs besoins, mais, en le faisant, ils participent fondamentalement au maintien de la Terre, au point de devenir des éléments nécessaires à l'harmonie tellurique. En effet, les animaux produisent plus que ce dont ils ont besoin : il en résulte toujours un excédent très largement supérieur aux besoins directs de leur conservation. Ainsi donc, ils sont tous des ouvriers de l'univers et des observateurs des lois universelles. Il est certain que l'homme, travailleur par excellence, ne peut pas se soustraire à ces lois ; il construit la «supranature» qui, de par la richesse de sa production, ne sert évidemment pas qu'au simple fait d'exister ; cette «supranature» a plutôt une fonction d'ordre cosmique.

Et pour que sa production soit parfaite, elle ne doit pas être inspirée par les nécessités de l'homme, mais par les desseins mystérieux de l'instinct du travail. Une déviation fatale sépare évidemment l'homme de son centre cosmique, autrement dit du but de sa vie. Chez l'enfant, pour que sa mission, qui est de construire l'homme, se réalise normalement, il faut qu'elle soit étroitement liée aux instincts-guides qui orientent sa construction individuelle. Et c'est en l'enfant que réside le grand secret : celui de l'éducation normale, dont dépend la supranature.

44

Les caractéristiques des deux types de travail

Les adultes et les enfants sont faits pour s'aimer mutuellement et vivre ensemble affectueusement. Et pourtant, ils sont en lutte continuelle à cause d'une incompréhension, qui remonte aux racines de la vie et qui se développe sous forme d'un enchevêtrement impénétrable d'actions et de réactions.

Les questions relatives à ce conflit sont nombreuses, et certaines d'entre elles, claires et tangibles, sont extérieurement dépendantes des relations sociales. L'adulte a une mission si compliquée et si intense à accomplir qu'il lui est toujours très difficile de la suspendre comme il le faudrait pour qu'il puisse bien suivre l'enfant, en s'adaptant au rythme de ce dernier et aux besoins psychiques que nécessite sa croissance. De plus, le rythme de l'adulte, toujours plus complexe et effréné, n'est pas adapté à celui de l'enfant. On peut imaginer à quoi ressemblerait un mode de vie primitif, simple et paisible, où le petit enfant trouverait des refuges naturels, entouré d'animaux domestiques vivant à ses côtés ; il verrait l'adulte effectuer des travaux simples auprès de lui, avec un rythme posé ; il serait libre de toucher les objets et s'exercerait à travailler sans craindre les moindres représailles. Il dormirait à l'ombre d'un arbre feuillu lorsqu'il serait fatigué.

Mais la civilisation a progressivement restreint l'environnement social de l'enfant : tout est extrêmement réglé, étroit à l'excès, trop rapide. Il n'y a pas que le rythme accéléré de l'adulte qui constitue pour lui un obstacle ; il y a aussi l'invention de la machine qui repousse l'enfant, comme le ferait un vent soudain et violent, sans lui laisser le moindre recoin où se réfugier. Dès lors l'enfant ne parvient plus à vivre de façon aussi active. De plus, les soins qui lui sont prodigués consistent avant tout à le protéger des dangers qui se multiplient autour de lui et qui le tourmentent depuis l'extérieur. Ainsi, sa place dans le monde est comparable à celle d'un réfugié, d'un être passif, d'un esclave. On ne prend pas la mesure de la nécessité qui s'impose de lui préparer un environnement de vie, spécifiquement adapté pour lui ; on ne comprend pas qu'il a besoin d'être actif et de travailler.

Il est important de prendre conscience du fait qu'il y a deux questions sociales, parce qu'il y a deux formes de vie : la question sociale de l'adulte et la question sociale de l'enfant. Et en cela il y a deux types de travail, tous deux essentiels : le travail de l'adulte et le travail de l'enfant, tous deux indispensables pour la vie de l'humanité.

Le travail de l'adulte

L'adulte a son propre travail, celui de construire l'environnement supranaturel : c'est un travail extérieur qui requiert des activités et des efforts de la part de l'intelligence ; c'est ce que l'on appelle le travail productif ; il est par nature social, collectif et organisé.

Pour atteindre les objectifs de son travail social, l'homme a besoin de l'exécuter de façon ordonnée et de le réguler avec des normes qui constituent les lois sociales. Celles-ci imposent une discipline collective à laquelle les hommes se soumettent volontairement, parce qu'ils la reconnaissent eux-mêmes comme indispensable à une vie sociale ordonnée et efficace. Mais en plus des lois qui représentent des nécessités locales et qui modulent les différences entre les divers groupes d'humains au fil des siècles, il y a d'autres lois fondamentales qui sont de même nature et qui font référence au travail lui-même ; ces lois sont communes à tous les hommes et à tous les temps. Une de ces lois est celle de la répartition du travail, dont l'application est universelle pour tous les êtres vivants, elle est nécessaire parce que les hommes se distinguent entre eux par la production. Une autre loi naturelle se réfère à l'individu qui travaille, c'est la loi de l'effort minimum, grâce à laquelle l'homme cherche à produire le plus possible en travaillant le moins possible. Cette loi est d'une grande importance, non parce que le désir de travailler le moins possible existe, mais parce que suivre cette loi permet de produire plus en consommant moins d'énergie. Et c'est un principe si utile qu'il s'applique même à la machine qui se substitue et intègre le travail de l'homme.

Telles sont les «bonnes lois» sociales et naturelles de l'adaptation du travail.

Mais tout ne se développe pas selon ces «bonnes lois», parce que la matière que l'homme travaille et avec laquelle il produit la richesse est limitée, et cela suscite de la compétition, une lutte pour l'existence similaire à celle qui existe entre les animaux. En plus de cela, il existe les «déviations» de l'individu, qui prévalent et engendrent des conflits. La «possession» folle, qui n'a rien à voir avec le motif de «conservation» de l'individu ou de l'espèce, surgit en dehors des lois naturelles, et n'a par conséquent pas de limites. La «possession» domine l'«amour», le remplace par la haine et pénètre dans un environnement «organisé», entravant le développement du travail, non pas entre les limites individuelles mais entre les organisations sociales. Et c'est ainsi que la division du travail est remplacée par l'exploitation du travail secondaire réglementé par des lois de «convenance» qui imposent les conséquences des déviations humaines comme des principes sociaux, sous couvert des normes du «droit». C'est ainsi que l'erreur triomphe dans la société des hommes et qu'elle s'impose par la «suggestion» de principes, présentés sous forme d'ordres moraux et de la nécessité d'exister. Tout se déforme dans la nimbe tragique et sombre de la suggestion qui impose le mal, sous le manteau du bien, et tout le monde considère les souffrances qui en dérivent comme s'il s'agissait d'un mal nécessaire.

L'enfant, qui est par excellence un être naturel, vit matériellement proche de l'adulte et se trouve, selon les conditions de vie des familles, associé à la plus grande diversité.

Mais il reste constamment étranger au travail social de l'adulte ; son activité ne s'applique pas à la production sociale. Oui, il est nécessaire de prendre conscience du fait que l'enfant est exclu de la possibilité de participer au travail social de l'adulte. Prenons l'exemple symbolique du travail d'un ouvrier forgeron qui tape sur une forge avec un gros marteau : l'enfant serait bien incapable de fournir un tel effort. Symbolisons le travail intellectuel à celui d'un homme de science qui manie des instruments délicats en faisant des recherches difficiles et complexes; l'enfant ne pourrait en aucune façon contribuer à une telle démarche. Pensons maintenant au législateur qui étudie quelles lois sont les meilleures: un enfant ne pourrait jamais le remplacer pour ce travail.

L'enfant est totalement étranger à cette société et pourrait illustrer sa situation avec cette phrase évangélique: «Mon règne n'est pas de ce monde.» Il est, en effet, un être totalement à part de l'organisation que les hommes ont créée, il est en dehors du monde artificiel que les hommes ont façonné au-dessus de la nature. Dans le monde où l'enfant arrive en naissant, il est un être extra-social par excellence. On qualifie d'extra-sociale une personne qui ne peut pas s'adapter à la société, qui ne peut pas prendre une part active à ses travaux de production ni à la réglementation de ses organisations et qui, pour autant, devient en quelque sorte un perturbateur de l'équilibre établi. En effet, l'enfant est cet être extra-social qui se trouve toujours là où est l'adulte, obstruant son passage, jusque dans la maison de ses propres parents. Son manque d'adaptation est aggravé par les circonstances car il est très actif et incapable de renoncer à son activité. C'est pour cela qu'il est nécessaire de lui faire la guerre en l'obligeant à ne pas intervenir, à ne pas encombrer, en combattant contre lui au point de le contraindre à la passivité. Ou bien on le confine dans des lieux spéciaux, qui ne sont pas les prisons dans lesquelles on enferme les adultes extra-sociaux, mais des endroits plus adéquats que l'on appelle des garderies ou des écoles. Ce sont des lieux de relégation dans lesquels les adultes placent l'enfant, le contraignant à y rester jusqu'à ce qu'il soit capable de vivre de lui-même dans le monde sans encombrer les adultes. Il peut alors être admis en société. Mais il doit premièrement se soumettre à l'adulte comme quelqu'un qui a perdu ses droits civils, car son existence civile est nulle. L'adulte est son maître et son seigneur. L'enfant doit toujours se soumettre à ses ordres, qui sont sans appel, et par conséquent *a priori* justes.

Le petit enfant arrive de nulle part, il intègre la famille de l'adulte, qui est si grand et si puissant qu'il semble comme un dieu à ses côtés. Et seul l'adulte peut donner à l'enfant ce qui lui est nécessaire pour vivre. L'adulte est le créateur, la providence, le dominateur, l'exécuteur; personne n'a jamais dépendu d'un autre être d'une manière aussi absolue et totale que celle dont l'enfant dépend de l'adulte.

Le travail de l'enfant

Mais l'enfant aussi est un travailleur et un producteur. Bien qu'il ne puisse pas participer au travail de l'adulte, il doit effectuer sa propre tâche et son travail est très grand, important et difficile : son travail est de construire l'homme.

À partir de ce nouveau-né passif, inconscient, muet, incapable de se mouvoir, un individu adulte aux formes parfaites se construit, l'intelligence de cette personne s'enrichit grâce aux conquêtes de sa vie psychique et resplendit de la luminosité que lui donne l'esprit : telle est l'œuvre de l'enfant.

C'est lui qui construit l'homme, personne d'autre que lui. L'adulte ne peut pas se substituer à lui pour ce travail : l'exclusion de l'adulte du « monde » et du « travail » de l'enfant est plus évidente et absolue que ne l'est l'exclusion de l'enfant du travail productif de la supranature sociale, où règne l'adulte. Le travail de l'enfant est d'un ordre très différent, son potentiel est autre ; on pourrait presque dire qu'il est à l'opposé du travail de l'adulte ; c'est un travail inconscient qui se réalise à travers une énergie spirituelle qui se développe. C'est un travail créatif, qui fait penser à la description symbolique de la Bible. L'homme dont les Écritures se contentent de dire qu'il « fut créé ». Mais comment fut-il créé ? Comment se fait-il que cette créature vivante ait reçu les attributs de l'intelligence, le pouvoir sur toutes les choses de la création, alors qu'il ne vient de nulle part ? C'est ce que l'on peut voir et admirer avec précision chez l'enfant, en chaque enfant. Ce merveilleux spectacle s'offre à nos yeux au quotidien.

Ce qui arriva lors de la création initiale de l'homme se reproduit pour tous les hommes lorsqu'ils viennent au monde. C'est la vie qui surgit de l'immortalité, là où tout paraît et où tout se renouvelle. Nous pouvons sans cesse répéter la simple évidence d'une réalité : « L'enfant est le père de l'homme. » Le plein pouvoir de l'adulte procède de la possibilité qu'a eue son « père-enfant » de réaliser pleinement la mission secrète dont il était investi. Ce qui fait de l'enfant un véritable travailleur est le fait qu'il ne devient pas un homme en réfléchissant et en se reposant. Non, son travail est fait d'activités : il crée en s'exerçant en permanence. Ce travail est nécessaire. Et nous devons nous souvenir que l'enfant utilise pour réaliser ce travail le même environnement extérieur que celui que l'adulte utilise et transforme. Un enfant grandit à travers l'exercice : ses efforts constructifs constituent un véritable travail qui prend place dans un environnement extérieur. L'enfant fait ses expériences en s'exerçant et en bougeant ; c'est ainsi qu'il coordonne ses mouvements et enregistre des émotions qu'il expérimente, en rentrant en contact avec le monde extérieur. Cela lui permet de former son intelligence. Il apprend laborieusement à parler en écoutant avec une prodigieuse attention et c'est d'abord grâce à des efforts que lui seul peut fournir, qu'il parvient, à force de multiples tentatives irrépressibles, à se redresser, à tenir debout, puis à marcher et courir. En agissant ainsi, il obéit à un programme et à un emploi du temps, comme l'élève le plus appliqué de l'univers, avec la même constance invariable que celle avec laquelle les étoiles se déplacent en suivant leur trajectoire invisible. En effet, à chaque âge, on pourrait mesurer l'enfant et constater qu'il a atteint des limites attendues : nous savons que l'enfant de cinq ans aura atteint un certain niveau d'intelligence et que celui de huit ans aura un autre niveau intellectuel. Puisque l'enfant obéit à un plan préétabli pour lui par la nature, on peut aussi prévoir quelles seront sa taille et ses capacités intellectuelles lorsqu'il aura l'âge de dix ans. L'enfant, par le biais d'une activité infatigable remplie d'efforts, d'expériences, de conquêtes et de douleurs, en traversant des épreuves difficiles et des luttes épuisantes, développe progressivement son travail, intense et glorieux, aspirant toujours à se perfectionner. L'adulte peut perfectionner l'environnement, mais l'enfant perfectionne l'être lui-même ; ses efforts sont comme ceux d'une personne qui marcherait sans se reposer tant qu'elle n'aurait pas atteint son but. En conséquence, la perfection d'un adulte dépend de l'enfant qu'il a été.

Nous, adultes, nous procédons de l'enfant. Nous sommes ses fils et nous dépendons de lui et de son travail ; de la même manière que l'enfant est notre fils et qu'il dépend de nous et de notre travail. L'un dépend d'un champ, l'autre dépend d'un autre champ. L'un est le maître d'un champ, tandis que l'autre est maître et seigneur dans son propre champ. Quoi qu'il en soit, les deux dépendent l'un de l'autre, ce sont deux rois qui possèdent des royaumes distincts.

Et ceci est l'essence même de l'harmonie de toute l'humanité.

Comparaison entre les deux types de travail

Le travail de l'enfant, constitué d'actions en relation avec des objets réels du monde extérieur, peut être étudié positivement afin d'en chercher les lois et de connaître les chemins qu'il emprunte, dans le but de le comparer au travail de l'adulte. L'enfant et l'adulte ont tous deux une activité immédiate en relation avec l'environnement, consciente et volontaire, qui peut à juste titre être considérée comme un véritable « travail ». Mais, en plus de cela, tous deux ont une finalité de leur travail qui n'est pas directement consciente ni volontaire. Il n'y a pas d'existence vitale, même chez les êtres végétaux, qui ne se développe aux dépens de l'environnement. Cette phrase n'est pas tout à fait exacte dans la mesure où elle se réfère uniquement à un jugement immédiat. Mais la vie elle-même procède d'une énergie qui tend à maintenir tout ce qui existe, en perfectionnant et en régénérant continuellement l'environnement qui, sans cela, se désagrégerait. Les coraux, par exemple, ont pour mission immédiate d'absorber le carbonate de calcium de l'eau de la mer pour former une couche protectrice enveloppante, mais comme finalité, en relation avec l'environnement, leur mission est de créer de nouveaux continents. Comme cette finalité est très éloignée de leur tâche immédiate, on peut enquêter autant qu'on le souhaite au sujet des coraux au prix d'études scientifiques, sans jamais voir le moindre continent à l'horizon. Il en est ainsi pour tous les êtres vivants, et tout spécialement pour l'homme.

Il y a une finalité non immédiate, mais apparente et certaine, qui réside dans le fait que tout adulte est le produit du travail créateur de l'enfant qu'il a été. En étudiant l'enfant, ou disons plutôt en étudiant l'être enfantin, sous tous ses aspects, on peut tout savoir, depuis l'atome qui constitue sa matière jusqu'au plus infime détail de chacune de ses fonctions, mais on ne trouvera jamais l'adulte en lui.

Mais les deux buts lointains de l'acte immédiat impliquent un travail en relation avec l'environnement.

Peut-être que la nature présente, dans ses créatures les plus simples, des preuves qui permettent d'entrevoir certains de ses secrets. Parmi les insectes, par exemple, on peut citer deux véritables tâches productives : l'une est la soie, ce fil brillant avec lequel les hommes tissent leurs étoffes les plus précieuses ; l'autre est la toile d'araignée, ce fil si fin et si propre, que les hommes s'empressent de détruire. Mais pour autant, la soie est produite par un être enfantin et la toile d'araignée par un être adulte : et, dans les deux cas, il s'agit de deux travailleurs. Ainsi donc, quand on parle du travail de l'enfant et lorsque l'on compare ce dernier à celui de l'adulte, on se réfère à deux formes distinctes d'activité dont les buts diffèrent mais qui sont toutes deux bien réelles.

Mais ce qui importe, c'est de connaître la nature du travail de l'enfant. Lorsqu'un petit enfant travaille, il ne le fait pas pour atteindre un objectif externe. L'objectif de son travail est de travailler ; lorsque, après la répétition de l'exercice, il met fin à l'activité, cette fin est indépendante des actes externes. Concernant les caractères individuels, la fin du travail n'est pas liée à la fatigue de l'enfant, parce que ce qui caractérise l'enfant, c'est justement de sortir de son travail complètement revigoré et plein d'énergie.

Cela montre une des différences entre les lois naturelles du travail de l'enfant et celles du travail de l'adulte : l'enfant ne suit pas la loi de l'effort minimum, mais une loi contraire, puisqu'il déploie une immense quantité d'énergie pour un travail sans finalité, et qu'il utilise non seulement une énergie propulsive, mais aussi une énergie potentielle pour l'exécution précise de tous les détails. L'objet et l'action extérieure sont des moyens d'importance passagère dans tous les cas. La relation entre le milieu extérieur et le perfectionnement de la vie intérieure est impressionnante, parce que selon l'adulte, c'est là que réside le concept qui forme la vie spirituelle. L'homme qui se trouve dans une sphère de sublimation ne se préoccupe pas des choses extérieures ; il se contente de les utiliser au moment opportun, juste comme il faut, au service du perfectionnement intérieur. En revanche, l'homme qui se trouve dans la sphère ordinaire, autrement dit dans sa propre sphère, se divertit avec les choses à des fins extérieures, au point de faire des sacrifices pour cela et d'y perdre son âme et sa santé.

Un autre caractère distinctif, clair et indubitable, entre le travail de l'adulte et celui de l'enfant, est que celui de ce dernier n'offre ni rémunération, ni concession ; il est nécessaire que l'enfant accomplisse de lui-même le travail de sa croissance et qu'il l'exécute complètement. Personne ne pourrait assumer ses fatigues et grandir à sa place. Il ne serait pas possible non plus que l'enfant trouve un moyen de passer moins de deux décennies pour devenir un jeune homme de vingt ans. Ainsi donc, le fait de suivre son programme et son emploi du temps, sans retard ni négligence, est une caractéristique particulière de l'enfant qui grandit. La nature est un maître sévère et punit toute désobéissance à ce que l'on pourrait appeler l'« erreur de développement » ou la déviation fonctionnelle, c'est-à-dire la maladie ou l'anormalité.

L'enfant possède un moteur différent de celui de l'adulte ; ce dernier agit toujours en cumulant des motivations extérieures qui exigent de lui un effort certain, des sacrifices et une grande fatigue. Et, pour cette mission, il est nécessaire que l'enfant qu'il a été, ait bien construit cet homme fort et robuste.

Au contraire, l'enfant ne se fatigue pas en travaillant, cela le renforce ; il croît en travaillant et c'est pour cette raison que le travail augmente son énergie.

L'enfant ne demande jamais à être dispensé de ses fatigues, il souhaite effectuer sa mission, complètement et par lui-même. Le travail de grandir est l'essence même de sa vie. « Travailler ou mourir. »

Sans connaître ce secret, l'adulte ne peut pas comprendre le travail de l'enfant. Et de fait, il ne l'a pas compris. C'est la raison pour laquelle il l'empêche de travailler en supposant que le repos est la meilleure option pour sa bonne croissance. L'adulte fait tout à la place de l'enfant, parce qu'il s'inspire de ses propres lois naturelles du travail : l'effort minimum et l'économie du temps. L'adulte qui est plus habile et qui est déjà complètement formé, s'occupe de vêtir et de laver l'enfant, de le porter dans ses bras ou dans une poussette, de ranger ses affaires sans lui permettre de prendre part à leur ordonnancement.

Lorsque l'on accorde à l'enfant un petit espace «dans le monde et dans le temps», sa première manifestation de défense est de proclamer: «Moi, je veux le faire moi-même.» Dans un environnement préparé adapté à l'enfant, comme on en trouve dans nos écoles, les enfants ont eux-mêmes prononcé cette phrase qui exprime si bien cette nécessité intérieure: «Aide-moi à faire seul.»

Que d'éloquence dans cette expression paradoxale! L'adulte se doit d'aider l'enfant, afin que celui-ci puisse agir et faire ses travaux effectifs dans le monde. Cette phrase décrit non seulement le besoin de l'enfant, mais aussi les qualités de l'environnement qu'on doit lui offrir: un environnement vivant et non immuable. Parce qu'il ne s'agit pas de conquérir et de profiter d'un environnement, mais de permettre le développement des fonctions de l'enfant par cet environnement; il est évident que l'environnement doit être directement animé par un être supérieur, par un adulte intelligent et préparé à cette mission. Et c'est en cela qu'il s'agit d'un nouveau concept; il ne s'agit pas pour l'adulte de tout faire à la place de l'enfant, il ne s'agit pas non plus d'un environnement passif dans lequel l'adulte peut abandonner l'enfant. Par conséquent, il ne suffit pas de fournir à l'enfant des objets proportionnés à sa taille : il est nécessaire de préparer l'adulte à aider l'enfant.

45

Les instincts-guides

Il existe, dans la nature animale, deux formes de vie : celle de l'adulte et celle de l'enfant, assez différentes, et même contrastées.

La vie de l'adulte se caractérise par la lutte, que ce soit pour s'adapter à l'environnement comme l'a décrit Lamarck, ou pour la concurrence et la sélection naturelle, présentées par Darwin, compétition et lutte qui se développent non seulement pour que l'espèce survive, mais aussi pour la sélection de la conquête sexuelle.

On pourrait comparer ce qui se passe chez les animaux adultes au développement de la vie sociale chez les hommes : les efforts pour la conservation de la vie et la défense contre les ennemis, les luttes et les fatigues pour s'adapter à l'environnement et, finalement, l'amour et la conquête sexuelle. Darwin attribue à l'évolution, c'est-à-dire au perfectionnement des êtres, ces efforts et cette compétition entre les espèces ; et il explique la survivance des corps de la même manière que les historiens matérialistes expliquent l'évolution historique de l'humanité par les luttes et les rivalités entre les hommes.

Mais, tandis que pour expliquer l'histoire des hommes, il n'y a d'autres arguments possibles que les aventures des adultes, il n'en est pas de même dans la nature. La véritable clé de l'existence, qui s'affirme dans la nature par l'immense et étonnante variété des êtres vivants, se trouve dans le temps de l'enfance. Avant d'être assez forts pour lutter, tous les êtres vivants ont été faibles, et tous ont commencé par un stade où leurs organes ne pouvaient pas s'adapter, puisqu'ils n'existaient pas. Et il n'existe pas un être vivant qui ait commencé par être adulte.

Il y a donc une partie occulte de la vie qui doit avoir d'autres moyens, d'autres formes, d'autres motifs très différents de ceux qui ressortent au plein jour dans les relations qu'il y a entre l'adulte et l'environnement.

Ceci est un chapitre qui pourrait s'intituler : « L'enfant dans la nature ». C'est là que se cache la véritable clé de la vie, parce que ce qui arrive à l'adulte ne peut s'expliquer que par les mystères de la survie.

Les observations des biologistes sur l'enfance des êtres ont montré l'aspect le plus merveilleux et le plus complexe de la nature, ce qui a révélé des réalités étonnantes, des possibilités sublimes qui remplissent de poésie, voire de mysticisme, la vie naturelle tout entière. La biologie a dans ce domaine su mettre en lumière la partie créative et conservatrice de l'espèce, découvrant les instincts impulsifs qui se réfèrent à des réactions immédiates entre les êtres et l'environnement et que l'on peut nommer les « instincts-guides ».

En biologie, on a toujours réuni tous les instincts existants en deux groupes fondamentaux, selon leur finalité : les instincts de conservation de l'individu et les instincts de conservation de l'espèce. Tous présentent des tendances à la lutte, liés à des épisodes passagers, correspondant à des collisions entre l'individu et l'environnement. Mais certains de ces chocs sont de véritables guides vitaux constants et éminemment conservateurs.

Par exemple, parmi les instincts de conservation de l'individu, l'instinct de défense contre les causes défavorables ou menaçantes correspondrait aux luttes épisodiques. Alors qu'il correspondrait, parmi les instincts de conservation de l'espèce, aux rencontres entre individus, sous les formes opposées d'union ou de rivalité sexuelle. Ces éléments épisodiques, parce qu'ils sont les plus voyants et les plus violents, furent les premiers à être reconnus et étudiés par les biologistes. Mais par la suite, les instincts de conservation de l'individu et de l'espèce, dans leur caractère permanent et constant, furent mieux étudiés.

C'est le cas des instincts-guides, auxquels est liée l'existence même de la vie, dans sa haute fonction cosmique ; ceux-ci, bien qu'ils constituent des réactions vis-à-vis de l'environnement, sont des sensibilités internes délicates, «à l'intérieur de la vie»; de même que la pensée pure est une qualité intérieure de l'esprit. Si l'on poursuit la comparaison, on pourrait les considérer comme des pensées divines s'élaborant dans l'intimité des êtres vivants, pour les aider dans leur action vers le monde extérieur. Les instincts-guides, tout comme les caractères impulsifs des luttes épisodiques, ont une intelligence et une sagesse qui conduisent les êtres à travers leur voyage dans le temps (les individus) et vers l'éternité (l'espèce).

Les instincts-guides sont particulièrement admirables quand ils inspirent et protègent l'enfant au tout début de sa vie, lorsque l'être est encore quasi inexistant et immature, mais orienté pour atteindre son plein développement, alors qu'il n'a pas encore acquis les caractères de l'espèce, ni la force, ni la résistance, ni les armes biologiques pour la lutte, ni l'espoir de la victoire finale de la garantie de sa survivance. Ce qui le guide alors, c'est un instinct qui agit comme une forme de maternité et comme une forme d'éducation mystérieuse, qui restent cachées, comme le secret de la création. Cela permet de sauver ce qui est sans défense, ce qui ne peut pas compter sur sa propre force pour se sauver. Un de ces instincts-guides a trait à la maternité; c'est ce merveilleux instinct que Fabre et les biologistes modernes ont décrit comme étant la clé de la survivance des êtres; l'autre concerne le développement de l'individu et a été traité dans les périodes sensibles par le biologiste hollandais Hugo de Vries.

L'instinct de maternité n'est pas uniquement lié à la mère, bien que celle-ci soit la génitrice directe de l'espèce, et qu'elle ait le plus grand rôle dans cette mission protectrice; cet instinct est présent chez les deux parents et intervient probablement dans toute la société.

En étudiant plus profondément tout ce à quoi on se réfère en parlant d'instinct maternel, on finit par le reconnaître comme une mystérieuse énergie, qui n'est pas nécessairement liée aux êtres vivants, mais qui existe comme une protection de l'espèce, même sans matière, comme l'exprime la Bible dans Les Proverbes: «J'étais avec toi dans l'univers, avant même que rien n'existât.»

Par instinct maternel, on désigne l'instinct-guide de la conservation de l'espèce. Il y a certaines caractéristiques qui prévalent dans
ce domaine pour toutes les espèces : c'est un holocauste de tous les
autres instincts existant chez l'adulte et auquel est reliée sa survivance. L'animal féroce peut manifester une douceur et une tendresse
qui contrastent avec sa nature ; l'oiseau qui vole, tant pour chercher
à se sustenter que pour se libérer des dangers, se pose et veille sur
son nid, cherchant à le protéger de l'intérieur, sans s'échapper. Les
instincts de l'espèce changent alors soudainement de caractère. De
plus, chez de nombreuses espèces, la tendance à la construction
et au travail apparaît, alors qu'on ne les trouve jamais chez ces
animaux pour eux-mêmes, parce qu'à l'état adulte, ils s'adaptent à
la nature presque telle qu'ils la trouvent. C'est ce nouvel instinct de
protection de l'espèce qui donne lieu à un travail de construction,
dont le but est de préparer un abri, un refuge pour les nouveau-nés ;
et chaque espèce a dans ce domaine un guide déterminé. Aucune
ne prend au hasard le premier matériau rencontré, ni ne construit
en s'adaptant au lieu où elle se trouve ; non, l'indication est précisément établie. Par exemple, la manière de construire les nids varie
selon les différentes caractéristiques des variétés d'oiseaux. Chez les
insectes, on admire des exemples de constructions étonnantes. En
effet, les alvéoles des abeilles sont des palais d'architecture parfaitement géométriques, que toute une société contribue à entretenir
pour héberger les générations nouvelles. Il y a d'autres cas moins
connus, mais extrêmement intéressants, comme celui des araignées,
exceptionnelles conceptrices, qui savent tendre des filets larges et
complexes à leurs ennemis. Tout à coup, il arrive que l'araignée
change radicalement de travail ; oubliant ses ennemis et ses propres
nécessités, elle se met à confectionner une toute petite poche
dans une substance nouvelle, fine et dense, complètement imperméable, avec une double paroi ; cette poche lui offre un excellent
refuge dans les endroits froids et humides. Elle fait donc preuve
d'une véritable sagesse pour faire face aux exigences du climat.
C'est dans cette poche que l'araignée dépose ses œufs en sécurité.
Mais le plus étrange est que l'araignée aime profondément ce lieu.
On a constaté, dans certaines observations de laboratoire, que

cette araignée au corps gris et visqueux, et qui n'a pourtant pas de cœur, peut mourir de douleur devant le spectacle désastreux de sa poche déchirée ou détruite. Et, de fait, l'araignée reste, quand elle le peut, si attachée à sa construction qu'on dirait que cette poche fait partie de son propre corps. Elle aime cette poche, mais ne ressent pas d'affection pour les œufs, ni pour les petites araignées vivantes qui en sortiront. Il semble même qu'elle ne s'aperçoive pas de leur existence. L'instinct de cette mère la pousse à effectuer une tâche. Cela peut donc être un «instinct sans objet», impossible à refréner, qui représente une obéissance à un ordre intérieur de faire tout ce qui est nécessaire et de faire aimer tout ce qui a été ordonné.

Il y a des papillons qui, durant toute leur vie, puisent le nectar des fleurs sans être attirés par autre chose ni par une autre nourriture. Mais, au moment de déposer leurs œufs, ils ne le font jamais sur les fleurs. Ils suivent certaines autres directives et leur instinct de nutrition change; ils sont alors attirés vers un milieu différent, adapté à la nouvelle espèce, qui a besoin d'un autre type d'aliments. Or ces papillons ne connaissent pas ces aliments, pas plus qu'ils ne connaîtront d'ailleurs les individus qu'ils vont procréer. Ils portent en eux un commandement de la nature, étranger à leur individu. La cochenille et d'autres insectes similaires ne déposent jamais leurs œufs sur le dessus des feuilles qui serviront d'aliment à leurs petites larves, mais sur la face inférieure de ces feuilles, afin qu'ils y soient à l'abri. De telles «réflexions intelligentes» se retrouvent chez quantité d'insectes qui ne se nourrissent jamais des plantes choisies par leur descendance. Ils connaissent le chapitre de l'alimentation de leurs petits en théorie et ils anticipent même les dangers de la pluie et du soleil.

L'adulte, dont la mission est de protéger les êtres nouveaux, modifie donc ses propres caractères et se transforme lui-même, comme si le temps était venu pour lui de reconsidérer la loi qui dirige habituellement sa vie, du fait d'un grand événement produit par la nature.

C'est le miracle de la création. Et ces animaux font alors autre chose que vivre, on peut dire que c'est un rite qui s'accomplit autour de ce miracle.

C'est, en effet, l'un des miracles les plus brillants de la nature que ce pouvoir qu'ont les nouveau-nés, sans aucune expérience, de s'orienter et de se protéger dans le monde extérieur, guidés par des instincts partiels lors des périodes sensibles. Ces instincts sont un guide qui conduit à travers les difficultés successives et qui encourage, de temps en temps, à agir avec une puissance d'impulsion irrésistible. Il est évident que la nature n'a pas cédé la protection des nouveau-nés à l'adulte ; elle a ses guides et vérifie sévèrement qu'ils sont suivis. L'adulte doit coopérer dans le cadre de ces limites, par lesquelles des instincts-guides agissent pour protéger l'espèce. Et souvent, comme le démontrent les poissons et les insectes, les deux instincts-guides, celui de l'adulte et celui de l'enfant, agissent séparément et indépendamment ; c'est-à-dire sans jamais se rejoindre dans la vie des parents et de leur progéniture. Chez les animaux supérieurs, ces deux instincts vont ensemble à la rencontre des créatures, développant une collaboration harmonieuse. Et c'est à la confluence des instincts-guides maternels et des périodes sensibles des nouveau-nés, que l'amour conscient naît entre les parents et les enfants. Ou bien des relations maternelles s'étendent à toute une société organisée, agissant vers les nouveaux produits dans leur totalité, et qui sont impersonnellement les produits vivants de la famille animale (comme c'est le cas chez les insectes sociables : les abeilles, les fourmis, etc.).

L'amour et le sacrifice ne sont pas la cause de la protection de l'espèce, mais plutôt l'effet de l'instinct-guide animateur, qui a ses racines dans les profondeurs du grand laboratoire créateur de la vie et auquel chaque espèce associe sa survie.

Le sentiment facilite la mission imposée aux créatures et donne à l'effort ce ravissement spécial, que les êtres trouvent en obéissant parfaitement aux ordres de la nature.

Si on voulait avoir une vision d'ensemble sur le monde des adultes, on pourrait dire qu'il y a périodiquement des lois qui sont déviées parmi les lois de la nature qui sont les plus apparentes, et qu'on croyait par conséquent absolues et intangibles. Et voilà que ces lois supposées incontournables sont brisées ; elles cessent d'être suivies, comme si elles devaient céder le passage à quelque chose de supérieur et se soumettre devant des faits contraires à ces dites lois; c'est-à-dire qu'elles se suspendent pour soutenir les nouvelles lois qui apparaissent dans la vie de l'enfant. C'est ainsi que la vie se maintient: ce sont les changements qui la régénèrent, et qui lui permettent de se poursuivre à l'infini.

On pourrait se demander: «Comment l'homme participe-t-il à ces lois de la nature?» On dit que l'homme contient en lui-même, comme en une synthèse suprême, tous les phénomènes naturels des êtres qui lui sont inférieurs: il les condense et les dépasse. En outre, par le privilège de l'intelligence, il les met brillamment en valeur en les drapant d'un voile psychique, fait d'imagination, de sentiment et d'art.

Comment émergent donc les deux vies de l'humanité? Et sous quelles formes sublimes? Elles n'apparaissent pas véritablement. Si nous faisons des recherches sur l'être humain, il nous faut bien dire qu'on ne trouve qu'un monde d'adultes où dominent la lutte, l'effort d'adaptation et le désir de victoire. Ce qui se déroule chez les hommes converge d'emblée vers à la conquête et la production, comme s'il n'y avait rien d'autre à envisager. La force humaine est surprenante, mais elle se gâte en compétition, comme le fil tranchant d'une épée qui rebondit sur une armure. Lorsque l'adulte considère l'enfant, il le fait avec la même logique que celle qu'il applique à sa propre vie: il voit en lui un être étrange et inutile, qu'il souhaite éloigner de lui. Ou alors, il s'efforce de l'attirer prématurément vers son propre mode de vie et c'est ce que l'on considère être l'éducation. Et il agit comme le ferait un papillon qui, s'il le pouvait, romprait la chrysalide de sa larve pour l'inviter à voler. C'est comme si une grenouille sortait son têtard de l'eau, en essayant de le faire respirer avec les poumons, et de teinter de vert sa couleur noire sous prétexte qu'elle lui déplaît.

C'est à peu près ainsi que l'homme agit avec ses enfants; l'adulte expose aux enfants sa propre perfection, sa maturité, son exemple historique, en l'incitant à l'imiter. Il ne pense absolument pas que les caractéristiques différentes de l'enfant nécessitent la création d'un environnement différent, et des modes de vie adaptés à cette autre manière de vivre.

Comment peut-on expliquer une telle erreur de compréhension, précisément chez l'être le plus élevé, le plus évolué et doué d'intelligence ? Lui qui domine l'environnement, cette créature puissante, capable de travailler avec une supériorité incommensurable en respectant les autres êtres vivants.

Lui, l'architecte, le constructeur, le producteur, le transformateur de l'environnement, il en fait moins pour son enfant que ne le ferait une abeille, moins qu'un insecte, moins qu'aucune autre créature.

Est-il possible que l'instinct-guide le plus élevé, le plus essentiel à la vie, manque totalement à l'humanité... et que celle-ci soit totalement passive et aveugle face au phénomène le plus bouleversant de la vie universelle, dont dépend l'existence de l'espèce ?

L'homme devrait sentir parallèlement quelque chose d'analogue à ce qu'éprouvent les autres êtres. Puisque dans la nature, tout se transforme, mais rien ne se perd, et que les énergies qui régissent l'univers sont particulièrement indestructibles : elles perdurent même lorsqu'elles sont déviées de leur objectif.

Où l'homme constructeur arrange-t-il le nid qu'il destine à l'enfant ? Il devrait s'inspirer de la grande beauté dans laquelle il exprime son art le plus élevé, celui qui n'est ni contaminé, ni modelé en fonction d'une nécessité extérieure, mais le fruit d'une impulsion d'amour généreux qui permet d'accumuler des richesses inexploitables par le monde de la production. Ce sont des lieux où l'homme éprouve le besoin de suspendre et d'oublier ses caractères habituels ; où il perçoit que la partie essentielle de la vie n'est pas la lutte ; et où il perçoit, comme une vérité qui surgit de l'abîme, que le fait de surpasser les autres n'est pas le secret de la survie, ni la partie essentielle de l'existence. Et que c'est en revanche la préoccupation de l'enfant, où l'abandon de soi, qui semble être la véritable essence vivifiante. N'y a-t-il pas quelque lieu où l'âme aspire à rompre avec les lois d'airain qui l'attachent au monde des choses extérieures ? Ne s'agit-il pas du besoin de recourir au miracle pour continuer à vivre ? Et en même temps n'est-ce pas l'aspiration à quelque chose qui se trouve hors de la vie individuelle, qui va plus loin et qui s'étend vers l'éternité ? C'est sur cette voie qu'est le salut. C'est dans ces lieux-là que l'homme sent le besoin de renoncer à son raisonnement incessant et se sent prêt à créer.

Car ce sont ces sentiments-là qui devraient inciter l'homme, par des faits analogues à ceux qui conduisent les êtres vivants à suspendre leurs propres lois, à se sacrifier lui-même, afin d'orienter la vie vers l'éternité.

Oui, il y a des lieux où l'homme n'éprouve plus le besoin de conquête, mais seulement celui de se purifier et de se sentir innocent, aspirant à la simplicité et à la paix. Dans cette paix innocente, l'homme cherche un renouvellement de vie, presque une résurrection d'un monde oppressant.

Oui, il doit exister de grands sentiments dans l'humanité, opposés à ceux de la vie courante. C'est la voix divine que rien ne peut étouffer et qui appelle à grands cris les hommes à protéger l'enfant.

46

L'enfant-maître

De nos jours, trouver les instincts-guides de l'homme est l'une des recherches les plus importantes à mener. Nous avons commencé cette étude à partir de rien ; cela a été notre contribution. Cela nous a ouvert un nouvel axe de recherche parce que les résultats jusqu'alors obtenus prouvaient l'existence de ces instincts et indiquaient la manière dont il fallait les étudier.

On ne peut réaliser cette étude qu'en observant des enfants normalisés, vivant librement dans un environnement déterminé adapté à leurs besoins de développement. Cela fait apparaître une nouvelle nature de l'homme avec une telle clarté que ses caractéristiques normales s'imposent comme une réalité indiscutable.

De nombreuses expériences ont révélé une vérité qui s'impose dans deux domaines : celui de l'éducation et celui de l'organisation sociale de l'homme. Il est évident que l'organisation sociale des hommes qui ont une nouvelle nature, différente de celle qu'on connaissait jusqu'alors, doit être différente ; et c'est l'éducation qui peut nous indiquer la façon de normaliser aussi la société des adultes. Une réforme sociale de ce genre ne dépend pas d'une idée ou de l'énergie de quelques organisateurs, mais de la lente et constante émergence d'un nouveau monde au milieu de l'ancien : le monde de l'enfant et de l'adolescent. C'est de cette manière que devraient se révéler les directives naturelles nécessaires à la vie normale en société. Il est absolument absurde de supposer ou d'espérer que les réformes idéales ou les énergies individuelles puissent remplir un vide aussi énorme que celui qui existe dans le monde dévié par l'oppression des enfants.

Personne ne pourra remédier aux maux toujours plus grands, qui prennent racine dans le fait que les hommes sont tous «anormaux» parce que leur enfance n'a pas pu se dérouler en suivant les directives de la nature, ce qui a eu pour conséquence qu'ils ont souffert de déviations irrémédiables.

L'énergie inconnue qui pourra aider l'humanité est celle qui réside en l'enfant.

Il est maintenant temps de reconsidérer la phrase: «*Nosce te ipsum* (Connais-toi toi-même)» sur laquelle se fondent toutes les sciences biologiques qui ont contribué à améliorer la vie physique de l'homme par le biais de la médecine moderne et de l'hygiène; ce qui révèle un niveau de civilisation plus élevé, la civilisation de l'hygiène physique.

Mais dans le champ psychique, l'homme ne se connaît pas encore lui-même. Les premières recherches du *Nosce te ipsum* physique se sont réalisées en anatomie sur des cadavres, tandis que les premières recherches sur le *Nosce te ipsum* psychique ont été faites sur l'homme vivant, quand il est nouveau-né.

Sans ces considérations fondamentales, il semble qu'il n'y ait pas la moindre voie ouverte au progrès, ni à la survie de l'humanité dans notre civilisation et il semble aussi que tous les problèmes sociaux resteront insolubles, tout comme les problèmes relatifs à la pédagogie scientifique moderne. Et ce, parce que l'amélioration de l'éducation ne peut se développer que sur une seule base: la normalisation de l'enfant.

Une fois cela établi, les questions pédagogiques deviennent solubles, mais ne sont pas complètement résolues. Les résultats sont même insoupçonnés et semblent aussi surprenants que des miracles. Mais le même processus est nécessaire pour la partie adulte de l'humanité et pour elle, il n'existe qu'un véritable problème, c'est le *Nosce te ipsum*, autrement dit la connaissance des lois cachées qui guident le développement psychique de l'homme. Mais ce problème a déjà été résolu par l'enfant, en suivant un chemin pratique en dehors duquel on ne voit pas comment un salut serait possible. Car les hommes qui sont déviés et qui cherchent à obtenir l'autorité et le pouvoir pour eux-mêmes risquent de s'approprier beaucoup de bonnes choses en les détournant et en les transformant en éléments dangereux pour la vie humaine. C'est la raison pour laquelle toute bonne chose, tout progrès, toute découverte, risque d'augmenter le mal-être qui afflige le monde, comme en témoignent certaines machines censées représenter le progrès social le plus tangible pour nous tous. Toute invention qui pourrait générer l'élévation et le progrès peut être utilisée pour la destruction, la guerre, ou l'industrie au profit de l'enrichissement de quelques-uns. Les découvertes de physique, de chimie, de biologie et les progrès des moyens de transport ne font qu'augmenter les dangers de destruction, de misère et les risques du triomphe d'une cruelle barbarie. C'est pour cette raison qu'on ne doit rien espérer du monde extérieur, tant que la normalisation de l'homme ne sera pas considérée et reconnue comme la conquête de la vie sociale la plus fondamentale. C'est uniquement quand ce sera le cas que le progrès extérieur pourra améliorer le bien-être et les progrès de la civilisation.

C'est la raison pour laquelle nous devons considérer l'enfant comme le phare de notre vie future. Celui qui veut obtenir quelque progrès pour la société doit nécessairement s'appuyer sur l'enfant, pas uniquement pour le préserver des déviations, mais aussi pour connaître le secret de notre vie. De ce point de vue, l'enfant se présente comme un être puissant et mystérieux, cachant en lui le secret de notre nature. Il est important de méditer à ce sujet afin que l'enfant devienne notre maître.

47

La mission des parents

Les parents ne sont pas les constructeurs de l'enfant, mais ils en sont les gardiens. Leur rôle est de le protéger et de prendre intensément soin de lui, comme s'ils assumaient une mission sacrée qui dépasse les intérêts et les concepts de la vie extérieure. Les parents sont des gardiens surnaturels, comme il en existe dans la religion avec les anges protecteurs, dépendant uniquement et directement du Ciel, étant plus puissants que toute autorité humaine et unis à l'enfant par des liens qui sont invisibles à ce dernier, pourtant indissolubles. Pour remplir cette mission, les parents doivent purifier l'amour que la nature a placé en leur cœur vis-à-vis de leurs enfants et comprendre que cet amour est la partie consciente d'un guide plus profond, qui ne doit pas se laisser contaminer, ni par l'égoïsme, ni par l'inertie. C'est aux parents de repérer et d'embrasser la question sociale qui s'impose à nous actuellement ; à savoir la lutte pour instaurer les droits de l'enfant à travers le monde.

Ces derniers temps, on a beaucoup parlé des droits de l'homme et, en particulier, des droits des travailleurs, mais le moment est venu de parler des droits sociaux de l'enfant. La question sociale des travailleurs a été une question fondamentale, influant sur les transformations sociales, étant donné que l'humanité vit principalement du travail humain et que de cette question dépendait par conséquent l'existence matérielle de toute l'humanité. Mais de la même manière que c'est le travailleur qui produit ce que l'homme consomme et crée dans le monde extérieur, c'est l'enfant qui produit l'humanité elle-même ; pour cette raison, les droits de l'enfant sont encore plus exigeants et nécessaires pour obtenir des améliorations sociétales. Il est évident que les soins les plus érudits et les plus appliqués devraient être consacrés à l'enfant par toute la société humaine, afin de recevoir, à travers lui, une meilleure énergie et de plus grandes possibilités pour l'humanité à venir.

En revanche, le fait d'avoir oublié les droits de l'enfant et de les avoir malmenés, le fait d'avoir tourmenté l'enfant et de l'avoir abîmé, le fait d'ignorer sa valeur, son pouvoir et son essence, tout cela devrait susciter un sentiment tel que toute l'humanité devrait réagir avec véhémence.

48

Les droits de l'enfant

La société ne s'était pas préoccupée de l'enfant du tout avant l'aube de notre siècle. Elle l'abandonnait là où il était né, le confiant seulement aux soins de sa famille. L'autorité parentale était son unique protection et sa seule défense, ce qui est un héritage du droit romain datant de plus de deux mille ans. Or, durant la longue période qui s'est écoulée depuis, la civilisation a considérablement évolué, donnant lieu à des lois favorables à l'adulte, mais laissant l'enfant sans aucune protection sociale. Seuls les moyens matériels, moraux et intellectuels de la famille dans laquelle il naissait lui étaient réservés. Et si cette famille n'avait pas de moyens, l'enfant devait se développer dans cette misère matérielle, morale et intellectuelle, sans que la société en assume la moindre responsabilité. La société n'a jusqu'ici pas prévu de préparation pour la famille en vue de recevoir et de s'occuper comme il se doit des enfants qui sont amenés à faire partie de cette société. L'État, si rigoureux en ce qui concerne les documents officiels, exigeant un formalisme drastique et aimant tant réglementer tout ce qui concerne la moindre responsabilité sociale, ne se préoccupe absolument pas de vérifier la capacité des futurs parents à protéger leurs enfants d'une manière adéquate, ni même à protéger leur développement. Il n'a pas offert aux parents le moindre lieu d'instruction ni de préparation.

Celui qui souhaite fonder une famille n'a qu'à se tourner vers l'État pour remplir l'unique formalité qui lui est pour cela imposée, à savoir célébrer le rite du mariage. En considérant cela, on peut affirmer que la société s'est toujours totalement désintéressée des petits travailleurs auxquels la nature a confié la mission de construire l'humanité. Tandis que le progrès est continuellement en faveur de l'adulte, les enfants sont restés relégués au statut d'êtres inférieurs, comme s'ils n'appartenaient pas pleinement à la société humaine : ce sont des extra-sociaux, isolés, sans aucun moyen de communication qui puisse permettre à la société de se rendre compte de leur véritable condition.

Ils pourraient être des victimes sans même que la société s'en aperçoive. Et ils ont été des victimes. Des victimes propitiatoires[1], comme la science l'a reconnu lorsqu'il y a près d'un demi-siècle la médecine a commencé à s'intéresser à l'enfance. Les enfants étaient à l'époque encore plus abandonnés, il n'y avait pour eux ni médecins, ni hôpitaux spécialisés. Ce furent les statistiques révélant une mortalité très élevée lors de la première année de vie qui déclenchèrent une profonde émotion. On découvrit alors que dans les familles, bien que beaucoup d'enfants naquissent, peu survivaient. La mort de ces enfants paraissait si naturelle que les familles s'étaient habituées à l'idée que les enfants ne mouraient pas vraiment : on considérait qu'ils montaient au ciel, ce qui constituait pour tout le monde une véritable préparation spirituelle pour se soumettre avec résignation à cette sorte de recrutement des anges que Dieu exerçait, souhaitant en avoir à ses côtés. Ces enfants qui mouraient par ignorance et manque de soins étaient si nombreux que le phénomène fut qualifié de « mort normale des innocents ».

Cela fut dénoncé et une intense propagande s'organisa rapidement, ce qui donna lieu dans la conscience humaine à un nouveau sens des responsabilités. Donner la vie ne suffisait pas, les familles devaient aussi sauver ces vies et la science indiqua les moyens d'y parvenir : les pères et les mères devaient assumer de nouvelles conditions et recevoir les instructions nécessaires pour pratiquer l'hygiène infantile.

Mais les enfants ne souffraient pas uniquement au sein de la famille. Les observations scientifiques menées dans les écoles révélèrent un autre phénomène impressionnant quant à leur tourment. Ces observations eurent lieu pendant la dernière décennie

---

1. Qui est destiné à obtenir les faveurs d'une divinité ou la rémission de péchés.

du xixᵉ siècle, au moment où la médecine découvrait et étudiait les maladies liées au travail chez les ouvriers, traçant ainsi les premiers traits de l'hygiène sociale du travail, qui a été la base la plus positive de la lutte sociale en faveur des travailleurs. On vit alors, en plus des maladies infectieuses liées au manque d'hygiène, que les enfants souffraient aussi de maladies liées à leur travail.

Celui-ci se déroulait à l'école où ils étaient enfermés et traités comme des prisonniers, soumis à une souffrance imposée par la société. Le fait que les enfants aient un torse étroit les prédisposant à la tuberculose était dû au fait qu'ils passaient de longues heures, penchés sur leurs pupitres à lire et à écrire ; leur colonne vertébrale se courbait à cause de cette même position forcée ; leurs yeux devenaient myopes à force de travailler sous une lumière insuffisante, et enfin, tout leur corps était déformé et presque asphyxié parce qu'ils restaient trop longtemps dans des lieux restreints et fermés.

Mais leur souffrance n'était pas uniquement physique ; il a été prouvé qu'elle s'étendait aussi au domaine psychique. Les enfants étudiaient de force et ils étaient sans cesse contraints entre l'ennui et la peur. Leur esprit était fatigué et leur système nerveux épuisé. Ils en devenaient paresseux, découragés, mélancoliques, vicieux, sans confiance en eux et privés de la belle joie de l'enfance.

Les familles ne se rendaient pas compte de cela. Ce qui leur importait était que les enfants puissent passer leurs examens et s'instruire le plus rapidement possible pour économiser du temps et de l'argent. Ce n'était pas l'instruction en elle-même, ni le développement de la culture qui préoccupait les familles, mais plutôt le fait de voir l'enfant correspondre à la convention sociale et à l'obligation imposée ; obligation qui pesait lourd et qui coûtait cher. Ce qui importait était que les enfants parviennent à obtenir leur passeport social en un temps le plus court possible.

Les recherches qui furent alors réalisées sur les enfants des écoles soulignèrent d'autres faits émouvants ; beaucoup d'enfants pauvres arrivaient à l'école complètement épuisés par leur travail matinal. Certains avaient marché plusieurs kilomètres pour distribuer du lait dans des maisons avant d'arriver à l'école, d'autres avaient couru dans les rues en criant pour vendre des journaux, d'autres encore avaient rempli de nombreuses tâches à la maison. Et ils arrivaient affamés et somnolents avec un seul désir, celui de se reposer. Ces pauvres victimes recevaient plus de punitions que les autres enfants, parce qu'elles ne parvenaient pas à prêter attention aux enseignements du maître et ne comprenaient pas ses explications. L'enseignant, soucieux de ses responsabilités, et plus encore de son autorité, essayait de réveiller l'intérêt de ces enfants épuisés en usant de la punition, les incitant à obéir en ayant recours aux menaces. Il les humiliait devant tous leurs compagnons, critiquant leur incapacité et leur manque de bonne volonté. C'est ainsi que ces pauvres enfants passaient leur vie entre l'exploitation familiale et les punitions scolaires.

Ces premières observations et enquêtes révélèrent une telle injustice qu'une véritable réaction sociale se produisit, modifiant rapidement les écoles et leurs réglementations. Une nouvelle branche de la médecine s'établit : l'hygiène scolaire, qui exerce une action protectrice et régénérante sur toutes les écoles des pays civilisés. Le médecin et l'enseignant de l'époque se retrouvèrent associés au service des écoliers. On peut dire que ce fut la première sanction sociale d'une ancienne erreur inconsciente de toute l'humanité, qui constituait le premier pas vers la rédemption sociale de l'enfance.

Si on regarde en arrière, avant ce réveil initial, et si on remonte le cours de l'histoire, on ne trouve pas le moindre fait exceptionnel qui révèle la reconnaissance des droits de l'enfant ou toute intuition de son importance. Cependant, le Christ a fait appel aux enfants pour indiquer à l'adulte la façon dont il devait le guider vers le Royaume des Cieux, l'avertissant de son aveuglement : « Si tu ne te convertis pas et que tu ne parviens pas à être comme cet enfant, tu ne pourras pas rentrer dans le Royaume des Cieux. » Mais l'adulte a continué à se préoccuper uniquement de convertir l'enfant, en se présentant lui-même comme un exemple de perfection. Il semble que cette terrible cécité de l'adulte ait été incurable. Mystère de l'âme humaine. Cet aveuglement est un phénomène universel, aussi ancien que l'humanité elle-même.

En effet, dans toutes les approches éducatives et dans toutes les pédagogies anciennes jusqu'à celles de nos jours, le mot éducation a toujours été synonyme du mot punition. Et sa finalité a toujours été de soumettre l'enfant à l'adulte, cherchant à substituer l'énergie des enfants, qui est l'énergie de la nature, et cherchant à la remplacer par ses arguments et ses objectifs plutôt que de servir les lois de la vie. Même dans la Bible, entre les proverbes de Salomon, sont indiqués aux hommes leurs devoirs d'éducateurs : « N'épargnez pas vos enfants de la flagellation » parce que le fait de négocier reviendrait à les haïr ; ce qui veut dire que cela les condamnerait aux douleurs de l'enfer.

Et après des milliers d'années, la situation n'a pas beaucoup changé. Dans les différents pays, il existe diverses habitudes familiales pour punir les enfants. Dans les institutions d'éducation privées, les punitions d'usage sont souvent spécifiques, comme s'il s'agissait de présenter un insigne ou les armes d'un bouclier. Certains usent d'humiliations en plaçant des écriteaux insultants sur le dos des enfants ou placent un bonnet d'âne sur leur tête, d'autres exposent l'élève puni à une véritable honte de manière à ce que ceux qui passent devant lui se moquent et l'insultent. Il y a aussi des sanctions qui sont des souffrances physiques : comme rester debout pendant plusieurs heures, faire face à un coin de la pièce à se fatiguer et à s'ennuyer sans rien faire, sans rien voir, contraint de rester puni de son plein gré.

Un autre châtiment consiste à demander à l'enfant de rester à genoux sur le sol avec la peau dénudée, ou d'être publiquement fouetté. Un raffinement moderne de cruauté est né d'un principe idéal, qui consiste à unir l'école et la famille dans un même simulacre d'éducation ; principe qui a résulté d'une organisation de la punition par l'école et la famille afin de mieux tourmenter l'enfant. L'enfant puni à l'école a pour obligation d'annoncer la sentence à la maison, d'apporter au maître la signature du parent, comme preuve du fait que la plainte a bien suivi son cours, associant ainsi par principe le parent au persécuteur de son propre fils.

Aucune défense. Mais où est le tribunal de justice auquel l'enfant pourrait recourir comme tous les condamnés peuvent le faire, quel que soit leur délit? Ce tribunal n'existe pas.

Où est l'amour qui pourrait servir de refuge à l'enfant et le consoler? Il n'existe pas non plus. L'école et la famille se sont mises d'accord au sujet des punitions, afin que celles-ci ne soient pas atténuées, et que leur impact éducatif ne soit pas amoindri.

Mais la famille n'a pas besoin de l'intervention de l'école pour corriger les enfants. Les recherches réalisées récemment sur les punitions utilisées en famille ont démontré qu'aujourd'hui encore, il n'y a pas un pays où les enfants en soient exempts. Elles se traduisent en offenses faites de cris violents, de propos insultants, de gifles, de tapes, de pincements; certains punissent en effrayant l'enfant pendant de longues périodes, l'enfermant dans des pièces sombres et angoissantes, le menaçant de périls fantastiques. Les enfants sont ainsi soustraits aux petites distractions et aux consolations qui sont le seul refuge de l'esclavage perpétuel et la compensation des souffrances qu'ils supportent inconsciemment (comme aller jouer avec les camarades, manger des gourmandises ou des fruits). Enfin, il y a encore une autre sentence qui est souvent utilisée dans les familles, celle du jeûne imposé, tout spécialement le soir: «Tu vas aller au lit sans dîner»; le sommeil est alors agité par la peine et la faim tout au long de la nuit.

Bien que dans les familles cultivées les punitions aient été rapidement atténuées, elles sont toujours d'usage; et les gestes brusques, les voix sévères, fermes et menaçantes constituent toujours le traitement le plus courant de l'adulte vis-à-vis de l'enfant. Il semble naturel que l'adulte ait le droit de frapper l'enfant; et la mère s'efforce d'envisager la gifle comme un devoir.

Néanmoins, les châtiments corporels ont été abolis vis-à-vis des adultes, parce qu'ils rabaissent leur dignité et constituent une honte sociale. Comment peut-on alors concevoir une plus grande bassesse que d'offenser et de persécuter un enfant?

Il semble évident que la conscience de l'humanité est engourdie, comme plongée dans un délire très profond.

Le progrès de la civilisation ne dépend pas actuellement du progrès individuel, ni de l'appel ardent de l'âme humaine; c'est l'avancée d'une machine insensible, propulsée par une force extérieure. Son énergie motrice émane de l'environnement, comme un immense pouvoir impersonnel, qui provient de la société entière, qui fonctionne inexorablement. En avant! Toujours en avant!

La société est comme un immense convoi de chemin de fer qui avance à une vitesse vertigineuse vers un point éloigné, tandis que les individus qui la composent sont comme des voyageurs endormis dans les compartiments. Et c'est l'engourdissement de cette conscience qui constitue l'obstacle le plus puissant pour recevoir une aide vitale, une vérité salvatrice. Si ce n'était pas le cas, le monde pourrait progresser rapidement: il n'existerait pas de dangereux contrastes entre la vitesse toujours plus grande de la matière et la rigidité de l'esprit humain, toujours plus dense. Le premier pas, le plus difficile, dans tout mouvement social vers un progrès collectif, est la très lourde tâche d'éveiller l'humanité engourdie et insensible, en l'obligeant à écouter la voix qui l'appelle. Il est désormais absolument nécessaire que la société tout entière se souvienne de l'enfant et de son importance, remédiant de toute urgence au danger que constitue le grand abîme sur lequel il repose. Il est nécessaire que cet abîme se comble, en construisant un monde pour l'enfant et en reconnaissant ses droits sociaux. Le plus grand délit que commet la société est celui de dilapider l'argent qu'elle devrait utiliser pour ses enfants, en le gâchant pour les détruire et se détruire. La société s'est comportée vis-à-vis de l'enfant comme un tuteur qui aurait dilapidé le capital appartenant à son pupille. L'adulte dépense et construit pour lui-même alors qu'il est évident qu'une grande partie de sa richesse devrait être destinée à l'enfant. Cette vérité est inhérente à la vie même, comme le montre la vie des animaux et même des plus humbles insectes. Pour qui les fourmis accumulent-elles de la nourriture? Pour qui les abeilles fabriquent-elles le miel? Pour qui les oiseaux vont-ils chercher des aliments qu'ils apportent dans leur nid? Il n'y a pas le moindre exemple dans la nature où les adultes dévorent tout, laissant leur progéniture dans la misère.

Rien n'est fait pour l'enfant : on cherche à peine à préserver son corps dans la vie végétative. Quand la société trop dépensière a un besoin criant d'argent, elle en prélève dans les écoles et spécialement dans celles destinées aux plus jeunes, ce foyer des pousses de vie humaine. Elle le prend là où il n'y a ni voix ni bras pour se révolter. C'est un des crimes contre l'humanité les plus iniques et sans doute une des erreurs les plus absurdes. La société ne se rend même pas compte qu'elle détruit doublement, d'abord quand elle crée des instruments de destruction avec son argent, en empêchant de vivre, puis quand elle détruit en provoquant la mort. Les deux choses sont une même erreur, parce que c'est précisément en ne favorisant pas le développement de la vie, que les hommes ont grandi de manière anormale.

Il est donc nécessaire que les adultes se réorganisent, et cette fois non pour eux-mêmes, mais pour leurs enfants. Il faut que ce soit les adultes qui élèvent leur voix pour affirmer un droit qui ne se voit pas, à cause d'une cécité routinière, mais qui, une fois qu'il est perçu, est tout à fait indiscutable. Si la société se révèle être un tuteur infidèle à l'enfant, les biens de celui-ci doivent être rétablis et justice doit lui être rendue.

Une grande mission s'offre à tous les parents : eux seuls peuvent et doivent sauver leurs enfants, parce qu'ils ont les moyens de s'organiser socialement et par conséquent d'agir de façon concrète dans la vie sociale. Leur conscience doit sentir la force de la mission que la nature leur a confiée ; une mission qui les place au-dessus de la société, qui les fait dominer toutes les situations matérielles, parce qu'entre leurs mains se trouve le futur de l'humanité : la vie. S'ils n'agissent pas ainsi, ils agiront comme Pilate.

Pilate aurait pu sauver Jésus. Il aurait pu, mais il ne l'a pas fait.

La foule obnubilée par les anciens préjugés, les lois en vigueur ainsi que les coutumes, exigeait le rédempteur et Pilate est resté indécis et passif.

« Que devrais-je faire, réfléchissait-il, si ce sont les coutumes qui dominent ? »

Et il s'en est lavé les mains.

Il avait le pouvoir de dire: «Non, je ne veux pas», mais il n'a rien dit.

Et les parents font de nos jours comme Pilate, ils abandonnent leurs enfants à la coutume sociale qui, puissante, semble être une nécessité.

Et de cela résulte le drame social de l'enfant: la société abandonne l'enfant aux soins de la famille sans se sentir le moins du monde responsable; et la famille, pour sa part, confie les enfants à la société qui les enferme dans une école en les isolant de tout contrôle familial.

Ainsi, l'enfant revit la dramatique Passion du Christ qui passe d'Hérode à Pilate, malmené entre deux pouvoirs qui l'abandonnent respectivement à la responsabilité de l'autre.

Aucune voix ne s'élève pour la défense de l'enfant; cependant, il est une voix qui aurait pu le défendre, celle du sang, le pouvoir de la vie, l'autorité humaine des parents.

Lorsque la conscience des parents se réveille, ils n'agissent pas comme Pilate qui, pour défendre le Messie, nia sa divinité, l'enchaîna et le fouetta, en étant le premier à l'humilier en disant: «*Ecce homo!* (Voici l'homme!)»

L'histoire qualifie cet acte de premier épisode de la Passion du Christ et non de défense en sa faveur.

Ecce homo!

Oui, l'enfant passera au travers de la Passion du Christ.

Mais tout a commencé par cet *Ecce homo*. Voici l'homme, Dieu n'est pas en lui, cet homme est vide et il a déjà été humilié et fouetté par l'autorité supérieure qui pouvait le défendre.

Puis il a été traîné par la foule, par l'autorité sociale.

L'école a été un lieu de souffrance profonde pour l'enfant. Ces grands édifices semblent avoir été construits pour une multitude de personnes adultes et tout y est proportionné à l'adulte: les fenêtres, les portes et les couloirs gris, les salles vides et monotones; et c'est là, à l'intérieur de ces bâtiments, que l'enfant de nombreuses générations a revêtu l'uniforme noir de la lutte, qui devait durer tout le temps de son enfance. Et la famille le laisse seul sur le seuil de la porte, abandonné, parce que cette porte lui est interdite: c'est la séparation des deux camps et des deux responsabilités. Et l'enfant en larmes, sans espoir, le cœur oppressé par la peur, semble lire sur la porte l'inscription dantesque :

« Je me rends dans la ville souffrante,
La ville habitée par des gens perdus,
Abandonnés par la grâce. »

C'est une voix sévère et menaçante qui l'invite à entrer en même temps que les autres compagnons inconnus, traités en masse comme de mauvaises personnes qu'il s'agirait de punir.

« Malheur à vous, âmes dépravées ».

Mais où pourrait-il aller ?
Il va là où celui qui donne des ordres l'envoie.
Il a déjà été classé et un adulte fera comme le faisait Minos[2] qui indiquait aux âmes perdues, en repliant la queue autour de son corps, à quel recoin elle était destinée : si c'était au I ou au II, ou au III ou au IV, là où les souffrances éternelles sont subies sans échappatoire possible.

Lorsque l'enfant est entré dans le lieu auquel il a été assigné, une maîtresse *ferme la porte*. Dès lors, celui-ci est le maître et seigneur, menant ce groupe d'âmes sans témoin ni contrôle.

La famille et la société ont cédé les enfants à son autorité. Les hommes ont semé au vent leurs pauvres semences et le vent les a fait tomber ici. Ces petits êtres délicats, tremblants, demeurent enchaînés à leurs bancs pour plus de trois heures d'agonie, trois plus trois, puis de nombreuses journées, puis des mois, des années.

Les mains et les pieds sont cloués au banc par les regards sévères qui les obligent à les maintenir plus immobiles que ne le feraient les clous sur la croix du Christ. Les deux petits pieds restent collés et immobiles, et les deux petites mains demeurent jointes et fixes,

---

2. Dans la mythologie grecque, Minos était un roi semi-légendaire de Crète, fils de Zeus et d'Europe. Il a donné son nom à la civilisation minoenne.

appuyées sur le banc. Et lorsque dans cet esprit, assoiffé de connaissance et de vérité, les idées du maître sont imposées de la manière qui lui semble être la meilleure, introduites de force dans les petites têtes humiliées par la soumission, on dirait que coule le sang de la couronne d'épines.

Ah, ce cœur rempli d'amour, transpercé par l'incompréhension du monde comme par un glaive ! Et ce que la culture lui offre alors pour étancher sa soif lui semble bien amer.

Le sépulcre de l'âme qui ne peut pas vivre est déjà disposé, avec tous ces masques, et quand il aura succombé, de nombreux soldats de garde seront là pour veiller à ce qu'il ne ressuscite pas.

Mais l'enfant ressuscite toujours et revient sain et radieux pour vivre entre les hommes.

Comme le dit Emerson : « L'enfant est l'éternel Messie qui descend toujours parmi les hommes déchus pour les conduire vers le règne des Cieux. »

Annexes

Prologue de l'édition espagnole de 1968

Les problèmes qui concernent actuellement la jeunesse et l'enfance sont une preuve écrasante du fait que l'enseignement n'est absolument pas la partie la plus importante de l'éducation. Cependant, la conviction persiste selon laquelle l'adulte est celui qui crée l'homme, lorsqu'il éduque l'enfant. L'éducation consiste généralement en un enseignement direct, plutôt qu'une aide, ce qui constitue souvent un obstacle au développement naturel de l'être humain. Les premières années de la vie de l'enfant ne sont pas celles de la transmission de la culture et sont souvent négligées pour cette raison. Pourtant, ces années en apparence insignifiantes sont tout à fait fondamentales. C'est pendant cette période de la vie qu'un phénomène étonnant se produit : l'émergence progressive de la psyché humaine et du comportement humain, à partir de rien. L'enfant devient indépendant, il apprend à manipuler, à marcher, à parler, à penser et à diriger sa propre volonté. Ce processus n'est pas dû à l'enseignement de l'adulte, mais à une création propre à l'enfant même.

L'enfant a toujours existé, mais ce processus est cependant demeuré caché jusqu'à ce que le Dr Maria Montessori ait pénétré le mystérieux royaume de la psyché de l'enfant et l'ait mis en lumière, dans toute son ampleur, guidée par l'intuition que l'enfant naît de l'amour au sens pur. Elle a en même temps révélé les conditions nécessaires essentielles pour que l'enfant réalise sa propre création.

Les enfants qui ont rendu cette révélation possible étaient issus des classes sociales les plus pauvres ; il s'agissait d'enfants pleurnicheurs, effrayés et timides, tout en étant violents, possessifs et destructeurs. Progressivement, voyant leurs besoins psychiques satisfaits, ils ont vécu une transformation si extraordinaire que la presse de l'époque a parlé d'« enfants convertis ». La contemplation de ce phénomène spirituel provoqua un changement radical dans la vie du Dr Montessori. Il est vrai que les enfants ont appris à lire spontanément à quatre ans et demi, mais ce qui était vraiment important, c'était le changement de leur comportement. L'homme ne doit pas uniquement être formé par la culture. Il y a quelque chose de beaucoup plus essentiel, d'une importance infiniment plus grande pour l'humanité. Si l'aspect spirituel de l'homme continue d'être négligé, il deviendra de plus en plus dangereux au fur et à mesure que ses connaissances augmenteront. La plupart de ses inventions ne sont-elles pas appliquées à des fins militaires? L'homme a découvert comment voler, il a découvert l'énergie atomique, mais n'a pas encore réussi à se découvrir lui-même.

C'est là que réside la vraie valeur de la contribution de Maria Montessori au progrès de l'humanité. Pour mettre en lumière l'ampleur et la promesse rayonnante que contient l'âme naissante de l'enfant, le Dr Montessori a mené campagne tout au long de sa vie. Après sa mort, l'Association Montessori internationale a poursuivi sa tâche par le biais de congrès, de tables rondes et en créant des sociétés Montessori et des cours de formation, car pour fournir à l'enfant l'aide dont il a besoin, une formation spéciale est nécessaire. Peu à peu, des centres ont été créés à Ceylan, au Danemark, en Angleterre, en Irlande, en France, en Allemagne, en Inde, en Italie, au Pakistan, en Suisse et aux États-Unis[1]. Les personnes formées se sont répandues à travers le monde, sur le vieux continent et dans de nouveaux pays, même dans des États créés plus récemment sur le continent africain.

Mais l'outil le plus efficace dont dispose l'Association Montessori internationale reste le travail écrit du Dr Montessori, en particulier son livre *Le Secret de l'enfance*[2]. Ce livre est la traduction de la dernière édition italienne qui a été révisée, rassemblée et mise à jour avec les dernières contributions du Dr Montessori, peu avant sa mort en 1952. L'influence de ce livre et sa popularité ont été

---

1. Répartis sur tous les continents, il existe en 2018 une soixantaine de centres, qui proposent des formations diplômantes AMI. Deux cents cours sont dispensés chaque année, pour des niveaux d'âge divers (N.D.T.).
2. En français: *L'Enfant,* dans sa version intégrale.

démontrées par le fait qu'il a été publié en quinze langues, dont certaines asiatiques, comme le japonais, le tamoul, le marathi, etc. Quand il est sorti, il a reçu des critiques, en particulier de la part des psychologues. Cependant, les recherches les plus récentes dans le domaine de la psychologie montrent que la capacité de l'enfant à apprendre à écrire et à assimiler des matières telles que la géologie, la géographie, l'arithmétique, la géométrie, etc., est particulièrement développée dans les premières années de sa vie et il est aujourd'hui reconnu que le Dr Montessori a été une pionnière dans ce domaine. Et c'est là que réside le danger. Ce que les psychologues exploitent, c'est cette partie utilitaire de l'approche Montessori, c'est ce qui intéresse les adultes. C'est pour cela que le nombre d'écoles qui utilisent la méthode Montessori, en la considérant uniquement comme une technique d'enseignement, est en croissance. Beaucoup de personnes déclarent que telle était l'intention du Dr Montessori, sans tenir compte de ce à quoi elle a donné le plus de valeur : la contribution à une paix universelle que l'enfant peut apporter à l'humanité. J'ai souvent pensé que ces déclarations devraient être réfutées, car elles sont la cause d'une grande confusion. Mais où trouver une personne qui puisse le faire avec une autorité suffisante ? Ensuite, il m'a semblé évident que la personne la plus appropriée était le Dr Montessori elle-même. Laissons-la donc s'exprimer à travers ce livre qui nous révèle le « secret de l'enfance ».

Mario M. MONTESSORI
Directeur général de l'Association
Montessori internationale (AMI)
Amsterdam, 1968.

Préface de l'édition française de 1992

Cet ouvrage *L'enfant* peut étonner. Étonner tant ce qui y est exposé concerne l'ordinaire de la vie, tant ce qui y est proposé est nouveau, face à cet ordinaire auquel on ne réfléchit même plus. Mais ce livre peut en même temps rassurer, car ce qui est dit est nouveau, certes, mais semble découler de soi : comme une réponse adaptée aux situations concrètes dans lesquelles se trouvent les enfants d'aujourd'hui et aux questions que se posent parents et éducateurs.

Maria Montessori apporte ici à la fois un nouveau regard sur le tout jeune enfant de 0 à 6 ans, et une nouvelle voie pour l'accompagner sur le chemin de sa croissance pendant cette période fondatrice de son avenir.

Ce nouveau regard permet de découvrir en l'enfant cette étincelle de vie, ce potentiel humain qui tente de se manifester de façon tout à fait spécifique, potentiel à partir duquel tout s'organise en l'enfant et à partir duquel se déploie son petit être.

Cette nouvelle voie de l'éducation cherche à libérer en l'enfant ce potentiel afin qu'il s'épanouisse ; à le libérer en enlevant les obstacles qui peuvent se dresser sur son chemin, et en lui offrant un milieu de vie dans lequel il puisse exercer ce qui est en train de naître en lui et découvrir ce dont il a besoin.

Voilà le mot important dans ce livre : « le besoin de l'enfant, le besoin de la vie, le besoin de la croissance ». Montessori, comme tout médecin, sait bien que toute vie se développe à partir d'un germe, qu'elle nomme « embryon spirituel » pour l'homme. Elle sait aussi que le bon développement de ce germe dépend certes de sa qualité propre, mais aussi de ce qu'il aura absorbé de ce milieu qui l'accueille. Maria Montessori avance au début de ce siècle une idée qui ne cesse depuis de se préciser : l'enfant porte en lui le plan de son développement, et nous pouvons l'aider en organisant la vie autour de lui pendant cette première partie de sa vie, de sorte qu'il y trouve lui-même, et y prenne, ce dont il a besoin pour devenir un homme.

L'Enfant, écrit en 1935 et que les Éditions Desclée de Brouwer rééditent aujourd'hui, est d'une actualité saisissante. En s'appuyant sur des exemples pris dans les situations courantes, il dresse un constat très actuel de ce que vit l'enfant en profondeur, face à ce qui constitue la trame ordinaire de sa vie. Tout ceci est écrit avec des mots simples et compréhensibles par tous.

C'est véritablement l'enfant, et non une théorie abstraite, qui apparaît tout au long de ces lignes ; c'est l'enfant, et non une méthode, c'est son comportement réel, celui que tout un chacun peut observer dans le cours de sa propre vie.

L'éducation ne peut plus être considérée comme un système, ni une technique : elle est en fait comme un geste qui permet à l'enfant, à tout enfant, d'accomplir la « mission » qui lui est propre, celle qui lui est impartie : le développement de son être, sa venue à la dimension adulte, sa « genèse », pour reprendre un terme judéo-chrétien.

Ce livre est une force de propositions éducatives, ouverte et dense, à partir de laquelle tout parent, éducateur ou professeur peut mieux comprendre ce qui se passe en l'enfant et trouver une direction, une attitude qui permettent de mieux répondre aux quêtes de l'enfant.

Il est comme une porte ouverte sur un chemin permettant de trouver des réponses toujours neuves, qui concilient la satisfaction des besoins de l'enfant et les incontournables contraintes du monde contemporain. Ce monde et ses astreintes exigent que les hommes et les femmes se trouvent en pleine possession de leur humanité, c'est-à-dire qu'ils aient une personnalité suffisamment forte pour faire face aux bouleversements et adaptations constantes que la vie impose à l'homme. Ce monde a également besoin d'hommes ouverts aux autres, sachant cheminer avec eux sans perdre leur âme, des hommes capables de conjuguer leurs efforts pour avancer et de s'adapter aux mutations, capables d'initiatives. Ce monde appelle aussi des hommes ayant acquis les outils nécessaires à la vie qu'il leur propose.

Si on ne permet pas à ces qualités, strictement humaines, de se déployer dès le début de la vie, elles risquent de s'émousser et même dans certains cas de disparaître. Montessori montre comment il est possible de mobiliser en l'enfant toutes ces qualités qui dès les premières années de sa vie résident en lui. Ce message est plein d'espérance.

L'enfant, cet être neuf, apporte au monde la sève qui sans cesse le revigore. Il empêche l'écorce de s'épaissir. Il permet que l'humanité garde toujours ce regard neuf qui croit en la vie et veut agir. Ce regard et cette volonté, le monde en a besoin plus que jamais.

Ce livre est comme un appel adressé à nos sociétés afin qu'elles essaient de regarder l'enfant avec confiance, afin aussi qu'elles se mobilisent davantage pour aider les enfants à grandir dans le sens de leur humanité. Il donne des indications qui peuvent guider notre geste ; Péguy disait que tout ce que l'on fait, on le fait pour l'enfant. L'action de Montessori s'est centrée sur l'enfant, en vue de l'édification de son être nouveau. Sa recherche fait partie du patrimoine de l'humanité.

Jeanne-Françoise HUTIN

Table

DEUXIÈME PARTIE

III - TROISIÈME PARTIE

MARIA MONTESSORI

AUX ÉDITIONS **DESCLÉE DE BROUWER**

**Le manuel pratique
de la méthode Montessori**

Un guide conçu par Maria Montessori pour «rentrer dans les familles» afin de présenter concrètement son matériel, mais aussi la philosophie de sa pédagogie en rappelant son objectif final : servir la Paix.

Le seul ouvrage de Maria Montessori illustré par des photos personnelles de l'auteur.

L'enfant est l'avenir de l'homme
La formation de Londres, 1946

La série de ces trente-trois cours dispensés par Maria Montessori, six ans avant sa mort, reprend tout ce qu'il faut savoir pour comprendre et mettre en œuvre les principes et les pratiques de la grande pédagogue.

La découverte de l'enfant.
Pédagogie scientifique, tome 1

« N'élevons pas nos enfants pour le monde d'aujourd'hui. Ce monde n'existera plus lorsqu'ils seront grands. Et rien ne nous permet de savoir quel monde sera le leur: alors, apprenons-leur à s'adapter.»

L'éducation élémentaire,
Pédagogie scientifique, tome 2

Cet ouvrave évoque le rôle du corps, la préparation des pédagogues, l'ambiance dans la classe, la place de l'attention et de la volonté, de l'imagination et de l'intelligence.

De l'enfant à l'adolescent

Pour qu'enfants et adolescents apprennent par eux-mêmes et non en écoutant un enseignement. L'objectif est d'aider tout enfant à devenir citoyen du monde.

L'enfant dans la famille

Maria Montessori s'est intéressée aux premières relations de l'enfant dans sa famille. Elle propose ici un guide à l'intention des parents et des éducateurs pour les aider à se situer dans une juste relation avec les enfants, conciliant respect et autorité.

Éduquer le potentiel humain

Maria Montessori s'adresse ici plus particulièrement aux éducateurs, en soulignant l'importance de leur préparation.